CB016719

RESTOS MORTAIS

A marca FSC é a garantia de que a madeira utilizada na fabricação do papel deste livro provém de florestas que foram gerenciadas de maneira ambientalmente correta, socialmente justa e economicamente viável, além de outras fontes de origem controlada.

PATRICIA CORNWELL

RESTOS MORTAIS

TRADUÇÃO
Celso Nogueira

2ª edição

COMPANHIA DAS LETRAS

Título original:
All that remains

Capa:
Elisa v. Randow

Preparação:
Isabel Jorge Cury

Revisão:
Maria Regina Machado
Ana Paula Castellani

Dados Internacionais de Catalogação na Publicação (CIP)
(Câmara Brasileira do Livro, SP, Brasil)

Cornwell, Patricia
Restos Mortais/ Patricia Cornwell ; tradução Celso Nogueira. — São Paulo : Companhia das Letras, 1999.

Título original: All that remains.
ISBN 978-85-7164-949-1

1. Ficção policial e de mistério (Literatura norte-americana) 2. Romance norte-americano I. Título.

99-4307 CDD-813.0872

Índice para catálogo sistemático:
1. Ficção policial e de mistério : Literatura norte-americana 813.0872

2010

EDITORA SCHWARCZ LTDA.
Rua Bandeira Paulista 702 cj. 32
04532-002 — São Paulo — SP
Telefone: (11) 3707 3500
Fax (11) 3707 3501
www.companhiadasletras.com.br

Dedico este livro a Michael Congdon
Como sempre, obrigada.

1

Sábado, último dia de agosto. Comecei a trabalhar antes do amanhecer. Não testemunhei a névoa abandonar a grama nem o céu tornar-se azul-brilhante. As mesas de aço inox passaram a manhã ocupadas por cadáveres, e não há janelas no necrotério. O fim de semana do Dia do Trabalho na cidade de Richmond começara com um monte de acidentes de carro e tiroteios.

Só consegui voltar para minha casa, na zona oeste da cidade, às duas da tarde. Bertha passava um pano no chão da cozinha, a julgar pelo barulho. Ela fazia a faxina aos sábados e fora instruída havia muito tempo a não atender ao telefone, que por sinal começava a tocar.

"Não estou em casa", falei bem alto, abrindo a geladeira.

Bertha parou de esfregar. "Tocou faz um minuto", disse. "E pouco antes também. O mesmo homem."

"Não tem ninguém em casa", repeti.

"Como quiser, doutora Kay." E o pano novamente se moveu no piso.

Tentei ignorar a mensagem incorpórea da secretária eletrônica que invadia a cozinha ensolarada. Os tomates Hanover, que no verão nunca faltavam, viravam preciosidade com a chegada do outono. Só restavam três. Onde estaria o salpicão de frango?

Uma voz masculina familiar soou após o sinal. "Doutora? É Marino..."

Meu Deus, pensei, fechando a porta da geladeira com o quadril. Pete Marino, detetive de homicídios da polícia de Richmond, passara a noite de plantão e eu acabara de encontrá-lo no necrotério enquanto removia os projéteis cravados em um de seus casos. Ele pretendia passar o que sobrara do fim de semana pescando no lago Gaston. Eu pretendia cuidar do jardim.

"Andei tentando falar com você. Estou de saída. Tente ligar no meu pager..."

A voz de Marino soava ansiosa. Tirei o fone do gancho.

"Pode falar."

"É você ou a maldita secretária eletrônica?"

"Adivinhe", rebati.

"Más notícias. Acharam outro carro abandonado. New Kent, área de descanso da Sessenta e Quatro, rumo oeste. Benton acabou de me avisar..."

"Outro casal?", interrompi-o, esquecendo-me dos planos para o dia.

"Fred Cheney, branco, sexo masculino, dezenove. Deborah Harvey, branca, sexo feminino, dezenove. Foram vistos pela última vez na noite passada, por volta das oito, quando saíram da casa de Deborah, em Richmond. Pretendiam ir a Spindrift."

"E o carro está na pista que vai para o *oeste*?", perguntei, pois Spindrift, na Carolina do Norte, fica a três horas e meia de distância de Richmond, a leste.

"É isso aí. Parece que eles iam no sentido oposto, de volta para a cidade. Um guarda rodoviário descobriu o carro, um Jeep Cherokee, faz uma hora. Nem sinal dos jovens."

"Estou a caminho", falei.

Bertha não parou de passar o pano no chão, mas eu sabia que ela havia captado cada palavra.

"Vou embora assim que terminar aqui", ela disse, tentando me tranqüilizar. "Trancarei tudo e ligarei o alarme. Não se preocupe com nada, doutora Kay."

O medo percorria meus nervos enquanto eu apanhava a bolsa e seguia apressada em direção ao carro.

Até o momento, eram quatro casais. Todos haviam desaparecido, e acabaram sendo encontrados num raio de noventa quilômetros de Williamsburg. Todos mortos.

Os casos, apelidados pela imprensa de "mortes duplas", eram inexplicáveis, e pelo jeito ninguém tinha pistas ou uma teoria plausível. Nem mesmo o FBI, apesar do Programa de Detenção de Criminosos Violentos, conhecido como VICAP, que dispunha de um banco de dados em escala nacional instalado num computador com inteligência artificial capaz de relacionar pessoas desaparecidas com corpos não identificados e descobrir crimes em série. Depois que os corpos dos primeiros casais foram encontrados, havia uns dois anos, uma equipe regional do VICAP, formada pelo agente especial Benton Wesley, do FBI, e pelo tarimbado detetive Pete Marino, da Homicídios de Richmond, foi convidada pela polícia local a participar das investigações. Outro casal sumiu, e mais outro. A cada ocorrência, quando o VICAP era notificado e o NCIC, ou Centro Nacional de Informação Criminal, enviava mensagens com a descrição das vítimas às delegacias do país inteiro, os adolescentes desaparecidos já estavam mortos, decompondo-se em algum lugar no meio do mato.

Desliguei o rádio, passei pelo pedágio e acelerei na I-64 Leste. Imagens, vozes, voltavam-me subitamente à lembrança. Ossos e roupas podres espalhados entre as folhas secas. Rostos atraentes, sorridentes, dos adolescentes desaparecidos, divulgados pelos jornais. Famílias atônitas, desesperadas, eram entrevistadas pelas emissoras de televisão e telefonavam para mim.

"Lamento muito o que aconteceu a sua filha."

"Por favor, conte como minha filhinha morreu. Ah, meu Deus! Ela sofreu muito?"

"A causa da morte não pôde ser determinada, senhora Bennett. Não há mais nada que eu possa dizer, por enquanto."

"Como assim? Você *não sabe*?"

"Só o que resta são ossos, senhor Martin. Quando os tecidos mais moles desaparecem, os possíveis ferimentos também somem..."

"Não quero ouvir essa lengalenga de médico! Quero saber como meu filho morreu! A polícia veio perguntar a respeito de drogas! Meu filho nunca tomou um porre na vida. Drogas, então, nem se fale! Está ouvindo, doutora? Ele está morto, e andam dizendo que era um bandido qualquer..."

"LEGISTA-CHEFE PERDIDA: Dra. Kay Scarpetta é incapaz de determinar a causa da morte."

Indeterminada.

Outra vez, e mais outra. Oito jovens.

Era horrível. Na verdade, tratava-se de uma situação, para mim, sem precedentes.

Todo médico-legista tem casos de morte indeterminada, mas eu nunca soube de tantos que estivessem relacionados.

Abri o teto solar e graças ao tempo meu estado de espírito melhorou um pouco. A temperatura beirava os trinta graus, mas logo as folhas começariam a mudar de cor. Eu só não sentia falta de Miami no outono e na primavera. Os verões de Richmond eram tão quentes quanto os de lá, sem o alívio da brisa marítima, que mantinha o ar fresco. A umidade era medonha. No inverno a situação não melhorava nada — eu odeio o frio. A primavera e o outono, no entanto, eram inebriantes. Deixei que a atmosfera me impregnasse, subisse direto à cabeça.

A área de descanso às margens da I-64, na comarca de New Kent, situava-se a exatos cinqüenta quilômetros de minha casa. Não diferia de nenhuma outra área similar na beira da pista, na Virgínia, com mesas de piquenique, churrasqueiras e barris de madeira para o lixo. Havia banheiros de tijolo aparente, máquinas automáticas e árvores recém-plantadas. Mas não se viam viajantes nem motoristas de caminhão, apenas carros de polícia por toda parte.

Um policial rodoviário, suado e sério em sua farda cinza-azulada, aproximou-se de mim quando estacionei perto do toalete feminino.

"Sinto muito, senhora", ele disse, abaixando-se para pôr a cabeça na altura da janela aberta. "Esta área está fechada hoje. A senhora precisa seguir em frente."

"Doutora Kay Scarpetta", identifiquei-me, desligando o motor. "A polícia me convocou."

"Com que objetivo, senhora?"

"Sou a legista-chefe", respondi.

Ele me encarou, e notei o lampejo de ceticismo em seus olhos. Eu imagino que não estivesse com jeito de "chefe". Vestia saia de brim desbotado, blusa de algodão rosada e sapato baixo de couro. Não me apresentara com os signos ostensivos da minha autoridade, como o carro oficial, que esperava pneus novos na oficina estatal. À primeira vista eu parecia uma yuppie não muito jovem passeando de Mercedes cinza-escuro, uma loura acinzentada a caminho do shopping center mais próximo.

"Preciso ver sua identidade."

Vasculhando a bolsa, encontrei a carteira de couro preto e mostrei o distintivo de latão. Em seguida, entreguei a carteira de motorista. Ele examinou os documentos por muito tempo. Notei seu constrangimento.

"Pode deixar o carro aqui mesmo, doutora Scarpetta. O pessoal que a senhora procura está lá no fundo." Ele apontou para o estacionamento de ônibus e caminhões. "Tenha um bom dia", acrescentou, atrapalhado ao se afastar.

Segui pelo caminho de tijolos. Depois de contornar o prédio e passar sob as árvores deparei com mais viaturas policiais, um guincho com luzes coloridas que piscavam e pelo menos doze homens, fardados ou à paisana. Só vi o Jeep Cherokee vermelho quando estava praticamente em cima dele. Na metade da rampa de saída, o veículo saíra da pista e descera um pouco, ficando oculto pela folhagem. Duas portas, coberto por uma camada de poeira. Quando olhei pela janela do motorista vi que o estofamento de couro bege estava muito limpo. Atrás havia várias malas; a bagagem fora bem arrumada, ao lado do esqui tipo slalom, de uma corda amarela de náilon para esquiar e de uma caixa térmica de plástico vermelho e branco. A chave balançava no contato. O vidro estava parcialmente abaixado. Eram claramente visíveis, no declive gramado, as marcas fundas dos pneus. A grade frontal, cromada, afundara um pouco entre os pinheiros.

Marino conversava com um sujeito louro, que apresentou como sendo Jay Morrell, da polícia estadual. Eu não o conhecia. Dava a impressão de estar no comando.

"Kay Scarpetta", falei, uma vez que Marino me identificou apenas como "a doutora".

Morrell voltou as lentes verde-escuras do Ray-Ban para o meu lado e moveu ligeiramente a cabeça, em cumprimento. Sem farda, exibindo um bigode que mais parecia uma penugem adolescente, ele ostentava o ar arrogante e onipotente que eu atribuía a investigadores novatos.

"Até agora, sabemos o seguinte." Ele olhava em volta, nervoso. "O jipe pertence a Deborah Harvey. Ela e o namorado, Fred Cheney, saíram da casa de Deborah ontem à noite, por volta das oito. Iam para Spindrift, onde a família Harvey tem casa de praia."

"A família de Deborah Harvey estava em casa quando o casal saiu de Richmond?", indaguei.

"Não, senhora." Ele virou os óculos escuros para o meu lado por um momento. "A família já estava em Spindrift, tinha saído mais cedo. Deborah e Fred quiseram ir em outro carro porque planejavam voltar a Richmond na segunda-feira. Os dois são estudantes universitários na Carolina e precisavam voltar antes para se prepararem para retornar à escola."

Marino explicou, puxando um cigarro: "Pouco antes de sair de casa, ontem à noite, eles ligaram para Spindrift, dizendo a um dos irmãos de Deborah que estavam de partida. Pretendiam chegar entre meia-noite e uma da manhã. Como eles não apareceram até as quatro, Pat Harvey chamou a polícia".

"*Pat Harvey?*" Olhei para Marino, incrédula.

O policial Morrell encarregou-se de responder. "É isso aí. Hoje vai ser dia, pelo jeito. Pat Harvey já está a caminho. Um helicóptero foi buscá-la" — ele consultou o relógio — "há cerca de meia hora. O pai, Bob Harvey, viajou. Foi para Charlotte a negócios, pretendia ir para Spindrift amanhã. Pelo que sabemos, ainda não foi avisado. Não sabe o que houve."

Pat Harvey chefiava o Programa Nacional de Combate às Drogas, e a imprensa a chamava de diretora da Cruzada Antidrogas. Nomeada pelo próprio presidente, capa da revista *Time* havia pouco tempo, a sra. Harvey era uma das mulheres mais poderosas e admiradas dos Estados Unidos.

"E quanto a Benton?", perguntei a Marino. "Ele sabe que Deborah Harvey é filha de Pat Harvey?"

"Ele não comentou nada a esse respeito. Quando ligou, havia acabado de pousar em Newport News — o Bureau o mandou para cá de jato. Disse que tinha pressa, precisava alugar um carro. Não conversamos muito."

Isso respondia a minha pergunta. Benton Wesley não seria mandado para o local na hora, em avião do FBI, se eles não soubessem quem era Deborah Harvey. Tentei imaginar a razão pela qual ele não avisou Marino, seu parceiro no VICAP, e procurei indícios no rosto amplo e impassível do investigador. Ele flexionava os músculos da mandíbula, o alto da cabeça calva estava avermelhado, coberto por gotículas de suor.

Morrell prosseguiu. "O negócio é o seguinte: tenho alguns homens na estrada, desviando o trânsito. Já examinamos os banheiros, andamos um pouco por aí, só para garantir que os dois não estão por perto. Assim que o pessoal de Busca e Salvamento chegar, vamos começar a vasculhar o mato."

Imediatamente ao norte do capô do jipe o jardim bem cuidado da área de descanso dava lugar a moitas e árvores que, cem metros adiante, se adensavam bastante, a ponto de não permitir que se visse algo além do sol batendo nas folhas e uma águia voando em círculos sobre os pinheiros distantes. Embora shopping centers e condomínios fechados ladeassem a I-64, aquele trecho entre Richmond e Tidewater permanecera até agora intocado. A paisagem, que no passado eu considerava tranqüila e repousante, agora chegava a me revoltar.

"Merda", Marino reclamou, quando nos afastamos de Morrell e começamos a andar pelo local.

"Lamento que tenha perdido a pescaria", falei.

"É. Mas acaba sendo sempre assim, não é? Planejei essa viagem durante vários meses. Furou outra vez. Nenhuma novidade."

"Notei que a rampa de acesso, na beira da estrada", prossegui, ignorando a irritação dele, "se divide imediatamente em duas rampas. Uma delas dá aqui e a outra na frente da área de descanso. Em outras palavras, os acessos têm mão única. Não dá para ir até a parte da frente, destinada aos carros, depois mudar de idéia e voltar para cá, a não ser percorrendo um trecho considerável na contramão, correndo o risco de bater em alguém. Além disso, aposto que havia muito movimento na estrada ontem à noite; segunda-feira é Dia do Trabalho."

"Certo. Sei disso. Não precisa ser nenhum gênio científico para deduzir que alguém pretendia jogar o jipe exatamente onde ele está, pois provavelmente havia muitos carros estacionados na parte da frente, ontem à noite. Portanto, seguiu pelo acesso para ônibus e caminhões. Aposto que aqui estava deserto. Ninguém o viu, e depois ele caiu fora."

"Talvez ele quisesse que o jipe fosse encontrado logo. Isso explicaria ter posto o carro fora do caminho", falei.

Marino olhou para o mato e disse: "Estou ficando velho demais para essas coisas".

Marino tinha mania de reclamar, costumava chegar à cena do crime agindo como se não quisesse estar ali. Trabalhávamos juntos fazia muito tempo, eu já me acostumara. No entanto, dessa vez sua atitude me pareceu mais sincera. Sua frustração era mais intensa do que a normalmente provocada pelo cancelamento de uma pescaria. Talvez tivesse brigado com a mulher.

"Ora, ora", ele resmungou, olhando para o prédio de tijolos. "O cavaleiro solitário chegou."

Virei o rosto para ver a figura familiar de Benton Wesley emergir do banheiro masculino. Ele mal disse "oi" ao se aproximar de nós com o cabelo grisalho úmido nas têmporas e a lapela do paletó azul respingada como se tivesse acabado de lavar o rosto. Com os olhos impassíveis fixos no jipe, tirou os óculos escuros do bolso de cima e colocou-os no rosto.

"A senhora Harvey já chegou?", perguntou.

Marino respondeu: "Ainda não".

"E quanto aos repórteres?"

"Nenhum", Marino disse.

"Ótimo."

A boca de Wesley estava contraída, rígida. Assim, tornava sua face angulosa mais dura e inatingível do que de costume. Eu o consideraria atraente, não fosse a armadura que o revestia. Era impossível saber o que pensava ou sentia, e recentemente ele dominara ao máximo a arte de ocultar sua personalidade, a ponto de eu achar que não o conhecia.

"Queremos manter essa história em segredo enquanto for possível", ele prosseguiu. "Assim que a notícia correr, vai ser um deus-nos-acuda."

Perguntei: "O que sabe a respeito do casal, Benton?".

"Muito pouco. Depois que a senhora Harvey comunicou o desaparecimento, nesta madrugada, ela ligou para a casa do diretor, que telefonou para mim. Pelo jeito, a filha e Fred Cheney se conheceram na Carolina e saem juntos desde o primeiro ano de faculdade. Os dois são jovens saudáveis, corretos, pelo que sabemos. Nenhum dos dois tem um histórico de problemas que sugiram envolvimento com pessoas suspeitas — segundo a senhora Harvey. Percebi, porém, certa ambivalência da parte dela quanto ao relacionamento dos dois. Acha que Cheney e sua filha passam tempo demais juntos."

"Possivelmente o motivo real para a ida à praia em carros separados", falei.

"Sim", Wesley concordou, olhando em torno. "É mais do que provável que esse tenha sido o real motivo. Pelo que o diretor disse, fiquei com a impressão de que a senhora Harvey não gostou da idéia de Deborah levar o namorado a Spindrift. Preferia estar apenas com a família. A senhora Harvey passa a semana em Washington, D. C., e praticamente não viu a filha e os dois filhos durante o verão. Francamente, acho que Deborah e a mãe não estavam se dando muito bem nos últimos tempos. Talvez tenham até discutido antes da saída da família para a Carolina do Norte, na manhã de ontem."

"E quanto à possibilidade de fuga? O casal pode ter dado no pé", Marino disse. "Eles eram espertos, né? Liam jornais, assistiam ao noticiário na tevê. Devem ter visto a matéria especial sobre os casais desaparecidos na semana passada. Quer dizer, eles provavelmente tinham bastante informação sobre os casos. Quem garante que não estão aprontando alguma? Seria um jeito bem malandro de encenar o desaparecimento e de quebra castigar os pais."

"Essa é uma das várias possibilidades que devemos levar em consideração", Wesley retrucou. "E mais uma razão para que eu prefira manter a imprensa longe do caso enquanto for possível."

Morrell uniu-se a nós enquanto caminhávamos pela rampa de saída, novamente na direção do jipe. Uma picape azul-clara com traseira fechada estacionou. Um homem e uma mulher usando agasalhos esportivos e botas desceram.

Abrindo a porta traseira, soltaram dois sabujos ofegantes, que balançavam o rabo. Eles prenderam correias longas às argolas metálicas dos cintos de couro que usavam na cintura e seguraram os cães pelas coleiras.

"Salty, Neptune, quietos!"

Eu não soube distinguir qual cachorro era um, qual era outro. Os dois pareciam enormes. Eram beges, com caras enrugadas e orelhas moles que balançavam. Morrell riu e estendeu a mão.

"Como vão, garotos?"

Salty — ou talvez Neptune — retribuiu o cumprimento com uma lambida e começou a esfregar a cabeça em sua perna.

Os treinadores dos cães eram de Yorktown; chamavam-se Jeff e Gail. Gail, tão alta quanto seu companheiro, parecia forte como ele. Fez com que eu me lembrasse de mulheres conhecidas, do tipo que passa a vida na fazenda. Rosto crestado pelo sol e trabalho duro. Exibem uma paciência impassível originada da compreensão da natureza e da aceitação de suas dádivas e castigos. Ela liderava a equipe de resgate. Notei, pela maneira como olhava para o jipe, que procurava indícios de contaminação da cena do crime, e portanto dos odores.

"Ninguém tocou em nada", Marino disse a ela, abaixando-se para acariciar um dos cães atrás da orelha. "Ainda nem abrimos as portas."

"Sabe se alguém entrou no carro? A pessoa que o encontrou, talvez?", Gail perguntou.

Morrell deu as explicações. "O número da placa foi transmitido pelo teletipo e soltaram os BOLOS no início da manhã de hoje..."

"Que história é essa de BOLO?", Wesley o interrompeu.

"Be On the Lookouts."*

(*) Aviso transmitido pelo rádio. Literalmente, "estejam em alerta". (N. T.)

Wesley manteve a expressão de granito enquanto Morrell falava, entediado: "A polícia estadual não se reúne na central. Por isso, nem sempre o pessoal vê os teletipos. Eles entram nos carros e vão embora. Os operadores soltaram os BOLOS pelo rádio na hora em que recebemos a comunicação do desaparecimento do casal. Por volta da uma da manhã um motorista de caminhão viu o jipe e nos avisou pelo rádio. O policial que atendeu ao chamado disse que nem chegou perto. Só espiou pela janela para ver se tinha alguém lá dentro".

Torci para que fosse verdade. Muitos policiais, mesmo os mais tarimbados, não resistem à tentação de abrir portas e revistar o porta-luvas, para descobrir a identidade do proprietário.

Puxando os dois cães pelas correias, Jeff levou-os para fazer as necessidades no mato enquanto Gail perguntava: "Vocês têm alguma coisa que os cães possam farejar?".

"Pedimos a Pat Harvey que trouxesse uma peça de roupa usada por Deborah recentemente", Wesley disse.

Se por acaso saber de quem a moça desaparecida era filha impressionou Gail, ela não demonstrou nada. Continuou olhando para Wesley, à espera de mais informações.

"Ela vem de helicóptero", Wesley acrescentou, consultando o relógio. "Deve chegar a qualquer momento."

"Bom, espero que não pouse aqui com aquele monstro", Gail comentou, aproximando-se do jipe. "Não queremos que nada altere o local." Olhando pela janela do motorista, ela estudou a parte interna das portas e o painel, detendo-se em todos os detalhes do interior do veículo. Recuando um pouco, examinou detidamente o trinco de plástico preto na parte externa da porta.

"Acho que a melhor chance está nos assentos", decidiu. "Salty vai farejar um deles e Neptune o outro. Antes disso, porém, precisamos entrar sem estragar o local. Alguém tem uma caneta ou um lápis?"

Wesley retirou a esferográfica Mont Blanc do bolso da camisa e a entregou a ela.

"Preciso de mais uma", ela disse.

Curiosamente, ninguém mais tinha caneta. Nem eu. Poderia jurar que havia uma dentro da bolsa.

"Um canivete serve?", Marino disse, enfiando a mão no bolso da calça jeans.

"Perfeito."

Com a caneta numa das mãos e o canivete do exército suíço na outra, Gail pressionou o botão da fechadura enquanto puxava o trinco externo da porta do motorista. Em seguida, puxou a porta com a ponta da bota e a abriu cuidadosamente. Enquanto isso, ouvi o ruído leve mas inconfundível das hélices de um helicóptero que se aproximava.

Pouco depois um Bell Ranger sobrevoou a área de descanso e parou no ar feito uma libélula, provocando um pequeno furacão no solo. Seu som abafou tudo, balançando as árvores e eriçando a grama com um vento poderoso. Olhos se fecharam. Gail e Jeff agacharam-se ao lado dos cães, segurando-os pela coleira.

Marino, Wesley e eu nos afastamos, seguindo na direção do prédio, e de lá acompanhamos a descida violenta. Por um instante, enquanto o helicóptero tocava o solo lentamente, em meio ao barulho ensurdecedor dos motores em alta rotação e do vento que provocavam, vi Pat Harvey observar do alto o jipe da filha. Em seguida, o sol bateu no vidro, que refletiu imediatamente.

Ela correu para longe do helicóptero, abaixando a cabeça, com a saia revoando e batendo na perna, enquanto Wesley esperava a uma distância segura das pás que desaceleravam. Sua gravata esvoaçava por cima do ombro feito uma echarpe de aviador.

Antes de ser nomeada diretora do Programa Nacional de Combate às Drogas, Pat Harvey fora promotora pública em Richmond e depois promotora federal no Distrito Leste da Virgínia. Na esfera federal, acusara traficantes do alto escalão, em casos que eventualmente envolveram vítimas autopsiadas por mim. Contudo, jamais fui chamada a testemunhar; meus relatórios apenas foram anexados aos autos dos processos. A sra. Harvey e eu não nos conhecíamos pessoalmente.

Na televisão e nas fotos dos jornais ela exibia ares de executiva. Ao vivo, era feminina e surpreendentemente atraente, esguia. O sol produzia reflexos dourados e vermelhos no cabelo castanho curto que emoldurava o rosto bem-proporcionado. Wesley encarregou-se das apresentações, rapidamente. A sra. Harvey nos apertou as mãos com a polidez e a segurança de um político experiente. No entanto, não sorriu nem trocou olhares com ninguém.

"Eu trouxe uma camiseta", explicou, entregando a Gail um saco de papel. "Encontrei-a no quarto de Debbie, na praia. Não sei quando a usou, mas creio que não foi lavada recentemente."

"Quando sua filha esteve na praia pela última vez?", Gail perguntou, sem abrir o saco.

"No início de julho. Passou o fim de semana lá, com algumas amigas."

"Tem certeza de que foi ela quem usou esta camiseta? De que não a emprestou a uma das amigas?", Gail perguntou distraidamente, como se indagasse a respeito do tempo.

A pergunta pegou a sra. Harvey de surpresa, e um lampejo de dúvida passou por seus olhos azul-escuros. "Não tenho certeza absoluta." Ela limpou a garganta. "Supus que Debbie tivesse sido a última a usá-la, mas obviamente não posso garantir isso. Eu não estava lá."

Ela olhou para a porta aberta do jipe, fixando a atenção na ignição por um instante. Um "C" prateado brilhava no chaveiro. Por algum tempo ninguém falou, e pude notar seu esforço para controlar a emoção. Tentava afastar o pânico, negando a dor.

Virando-se para nós, ela disse: "Debbie carregava sempre uma bolsa. De náilon, vermelha. Tipo esportivo, com fecho de velcro na aba. Não a encontraram dentro do carro, por acaso?".

"Não, senhora", Morrell respondeu. "Pelo menos, não vimos nada parecido até agora. Só olhamos pela janela. Não podíamos revistar o interior enquanto os cães não chegassem."

"Creio que estaria no banco da frente. No chão, talvez."

Wesley resolveu interferir. "Senhora Harvey, sabe se sua filha levava muito dinheiro?"

"Dei-lhe cinqüenta dólares para pôr gasolina e comer. Não sei se tinha mais do que isso", ela respondeu. "Claro, ela tinha cartões de crédito. E talão de cheques."

"Sabe quanto havia em sua conta bancária?", Wesley perguntou.

"O pai deu um cheque a ela, na semana passada", a mãe respondeu, objetiva. "Para a faculdade — livros, essas coisas. Calculo que já tenha sido compensado. Imagino haver cerca de mil dólares na conta corrente."

"Talvez seja melhor a senhora verificar", Wesley sugeriu. "Para termos certeza de que o dinheiro não foi sacado recentemente."

"Farei isso agora mesmo."

Observando tudo, não muito longe dali, percebi que a esperança abria espaço em seu coração. A filha tinha dinheiro vivo, cartões de crédito e acesso ao dinheiro depositado em conta corrente. Aparentemente, não deixara a bolsa no jipe, e portanto ainda a levava consigo. Ou seja, talvez ainda estivesse viva, com saúde, divertindo-se por aí com o namorado.

"Sua filha já ameaçou fugir de casa com Fred?", Marino perguntou, sem rodeios.

"Não." Olhando novamente para o jipe, ela acrescentou aquilo em que gostaria de acreditar. "Mas não quer dizer que isto seja impossível."

"Como estava o estado de espírito dela na última vez em que se falaram?", Marino continuou.

"Trocamos palavras duras ontem, antes que meus filhos e eu saíssemos para viajar", ela respondeu, num tom distanciado, neutro. "Ela estava brava comigo."

"Ela sabia a respeito dos casos da região? Dos casais desaparecidos?", Marino perguntou.

"Sim, claro. Conversamos a respeito, fizemos conjeturas. Ela sabia."

Gail disse a Morrell: "Precisamos começar a busca".

"Boa idéia."

"Só mais uma coisa." Gail olhou para a sra. Harvey. "Tem idéia de quem estava dirigindo?"

"Fred, com certeza", ela respondeu. "Quando saíam juntos, era ele quem costumava guiar."

Aquiescendo, Gail disse: "Acho que vou precisar da caneta e do canivete outra vez".

Ela apanhou os dois objetos com Wesley e Marino, deu a volta até o lado do passageiro e abriu a porta. Depois, puxou um dos cães farejadores pela correia. Animado, o cachorro se levantou e passou a se mover em perfeita harmonia com a treinadora, farejando, retesando os músculos sob a pele frouxa reluzente. As orelhas pendiam, pesadas, como se estivessem cheias de chumbo.

"Vamos, Neptune. Ponha seu faro maravilhoso em ação."

Observamos em silêncio, enquanto ela conduzia o focinho de Neptune para o banco do passageiro, no qual supostamente Deborah Harvey se sentara na véspera. De repente, o cachorro ganiu como se tivesse visto uma cascavel e desceu correndo do jipe, praticamente arrancando a correia da mão de Gail. Depois, enfiou o rabo entre as pernas e eriçou o pêlo. Um arrepio percorreu minha espinha.

"Calma, querido, calma."

Trêmulo, sem parar de ganir, Neptune agachou-se e defecou na grama.

2

Acordei exausta na manhã seguinte, temendo o jornal de domingo.

A manchete enorme poderia ser lida a uma quadra de distância:

FILHA DA DIRETORA DA CRUZADA ANTIDROGAS DESAPARECE COM NAMORADO — POLÍCIA SUSPEITA DE ASSASSINATO

Os repórteres não conseguiram apenas uma foto de Deborah Harvey; deram um jeito de fotografar o jipe enquanto era guinchado na área de descanso e acrescentar a imagem de Bob e Pat Harvey, provavelmente do arquivo, passeando de mãos dadas numa praia deserta, em Spindrift. Enquanto tomava café e lia, não pude deixar de pensar na família de Fred Cheney. Ele não tinha um nome importante. Era apenas o "namorado de Deborah". Mas também desaparecera. Também era amado.

Fred era filho único de um empresário de Southside, perdera a mãe no ano anterior, um aneurisma se rompera no cérebro dela. O pai de Fred, segundo a reportagem, estava em Sarasota visitando parentes quando a polícia finalmente o localizou, na noite anterior. A possibilidade de seu filho ter "fugido" com Deborah era remota, seria algo totalmente fora do estilo de Fred, dizia a matéria. Ele foi descrito como um "aluno-modelo da Carolina, membro da equipe universitária de natação". Deborah era a primeira da classe e ginasta competente o bastante para aspirar a uma vaga na equipe olímpica. Pesava menos de cinqüenta quilos, usava cabelo louro na altura do ombro e herdara os traços formosos da mãe. Fred era esguio, tinha ombros largos, cabelo preto encaracolado e olhos castanhos. Os amigos descreviam o casal como atraente e inseparável.

"Aonde um ia, o outro ia também", disse uma amiga à reportagem. "Creio que isso tinha muito a ver com a morte da mãe de Fred. Debbie o conheceu logo depois, e duvido que ele tivesse conseguido superar tudo sem o apoio dela."

Claro, ressuscitaram os detalhes dos outros quatro casos de casais desaparecidos na Virgínia. Todos acabaram sendo encontrados, mortos. Mencionaram meu nome várias vezes. Diziam que eu estava frustrada, atônita e que me recusava a dar entrevistas. Duvido que muitas pessoas se dessem conta de que eu continuava a autopsiar semanalmente várias vítimas de homicídios, suicídios e acidentes. Minha rotina incluía conversar com as famílias, testemunhar nos processos, dar conferências para paramédicos e nas academias de polícia. Com casais ou não, a vida e a morte continuavam acontecendo.

Levantei-me da mesa da cozinha, bebi um gole de café e estava olhando para a manhã ensolarada lá fora quando o telefone tocou.

Calculei que fosse minha mãe; ela costumava ligar naquele horário, aos domingos, para saber se eu estava bem e tinha ido à missa. Puxei a cadeira mais próxima e tirei o fone do gancho.

"Doutora Scarpetta?"

"Ela mesma." A voz feminina soava familiar, mas não consegui identificar de quem era.

"Aqui é Pat Harvey. Por favor, me desculpe por incomodá-la em sua casa." Sob a voz firme detectei uma pontada de receio.

"Não é incômodo nenhum", respondi gentilmente. "Em que posso ajudá-la?"

"A busca durou a noite inteira. Ainda estão no mato. Usaram mais cães, policiais, aeronaves." Ela começou a falar mais depressa. "Nada. Nenhum sinal deles. Bob se uniu aos grupos de busca. Voltei para casa." Ela hesitou. "Fiquei pensando em dar uma passada aí. Gostaria de almoçar comigo?"

Após uma longa pausa, concordei, embora relutasse. Desliguei o telefone e censurei minha atitude, pois sabia o que me esperava. Pat Harvey ia perguntar a respeito dos outros casais. Se eu fosse ela, faria exatamente isso.

Subi para meu quarto e tirei o robe. Tomei um banho quente demorado e lavei a cabeça enquanto a secretária eletrônica interceptava ligações que eu não pretendia retornar, a não ser que fosse uma emergência. Em uma hora eu estava vestida com um conjunto de saia e blusa cáqui. Escutei os recados, tensa. Havia cinco mensagens, todas de repórteres que sabiam de minha presença na área de descanso na comarca de New Kent, o que não era um bom presságio para o casal desaparecido.

Ergui o fone, pensando em ligar para Pat Harvey, cancelando o almoço. Mas não conseguia afastar da mente sua fisionomia quando chegou de helicóptero trazendo a camiseta da filha. Nunca me esquecia do rosto dos pais. Desliguei o telefone, tranquei a casa e entrei no carro.

Funcionários públicos não podem custear a parafernália que proteje a privacidade quando não têm outra fonte de renda. Obviamente, o salário federal de Pat Harvey não passava de um ínfimo complemento à fortuna familiar. Ela morava perto de Windsor on the James, num palacete estilo Jefferson de frente para o rio. A propriedade, que pelos meus cálculos teria no mínimo um alqueire, era rodeada por um muro alto de tijolos cheia de avisos que diziam "Propriedade Particular". Ao pegar o acesso ladeado de árvores fui barrada por um portão enorme de ferro fundido, que se abriu eletronicamente antes que eu pudesse abaixar o vidro e anunciar minha presença pelo intercomunicador. O portão se fechou atrás de mim logo que passei. Estacionei ao lado de um Jaguar preto, perto das colunas lisas de tijolo antigo avermelhado e base branca do pórtico romano.

Enquanto eu saía do carro, a porta se abriu. Pat Harvey enxugava o cabelo com uma toalha e me saudou com um sorriso, no alto da escadaria. Seu rosto estava pálido, os olhos sem brilho traíam o cansaço.

"Foi muito gentil em vir, doutora Scarpetta." Com um gesto, convidou-me a entrar. "Por favor."

O vestíbulo mais parecia uma sala de estar, de tão amplo. Segui-a através da sala de visitas, até a cozinha. Vi mobília do século XVIII, tapetes orientais a cobrir o assoalho inteiro, telas impressionistas originais nas paredes, lareira com toras de faia caprichosamente empilhadas. A cozinha, pelo menos, era funcional e aconchegante. Mesmo assim, não tive a impressão de que havia mais alguém na casa.

"Jason e Michael acompanharam o pai", ela explicou, quando perguntei. "Eles chegaram hoje de manhã, de carro."

"Qual a idade deles?", perguntei, quando ela abriu a porta do forno.

"Jason tem dezesseis anos, e Michael, catorze. Debbie é a mais velha." Ela olhou em volta, atrás dos pegadores, e depois fechou a porta do forno, colocando a quiche em cima de uma das bocas do fogão. Suas mãos tremiam quando tirou a faca e a espátula da gaveta. "Prefere vinho, café ou chá? A torta é leve. Improvisei uma salada de frutas, também. Achei que poderíamos sentar na varanda. Espero que aprove."

"Seria ótimo", falei. "E prefiro tomar café."

Perturbada, ela abriu o freezer e apanhou um pacote de Irish Creme, despejando um pouco na cafeteira. Observei-a, sem falar nada. Ela estava desesperada. Marido e filhos fora. Filha desaparecida. Silêncio na casa vazia.

Ela só começou a perguntar quando já estávamos acomodadas na varanda. As portas de correr de vidro abertas permitiam ver o rio que serpenteava adiante, brilhando sob o sol.

"O que houve com os cães, doutora Scarpetta?", começou. "Tem alguma explicação para a atitude deles?"

Eu tinha, mas não queria dar.

"Obviamente, um deles ficou nervoso. Mas e o outro, não?" O comentário foi feito em tom de interrogação.

O outro cão, Salty, realmente reagiu de maneira diferente, em comparação a Neptune. Depois de cheirar o banco do motorista, Gail prendeu a correia na coleira e ordenou: "Busca". O cachorro saiu correndo como se fosse um galgo. Passou a rampa de acesso e seguiu para a área de piquenique. Em seguida, arrastou Gail pelo estacionamento e teria cruzado a rodovia direto, se ela não gritasse: "Quieto!". Eu os observei enquanto atravessavam e corriam pelo canteiro que separava as duas pistas e depois até o outro lado, seguindo direto para a área de descanso oposta àquela na qual o jipe de Deborah havia sido localizado. O sabujo acabou perdendo a pista no estacionamento do outro lado.

"É possível supor", a sra. Harvey prosseguiu, "que a última pessoa a guiar o jipe de Debbie saiu do carro, atravessou a área de descanso do lado oeste e atravessou a rodovia interestadual? Depois, essa pessoa provavelmente subiu num carro estacionado na área de descanso do lado leste e foi embora?"

"Essa seria uma das possíveis interpretações", respondi, comendo um pedacinho da quiche.

"E qual seria outra interpretação possível, doutora Scarpetta?"

"O cachorro farejou alguma coisa. A que ou a quem pertencia o cheiro, não sei. Pode ter sido o cheiro de Deborah, de Fred, de uma terceira pessoa..."

"O jipe ficou parado lá durante várias horas", a sra. Harvey me interrompeu, mantendo os olhos fixos no rio. "Suponho que alguém poderia ter entrado, em busca de dinheiro ou algum objeto de valor. Um caronista, transeunte, enfim, um pedestre qualquer, que depois atravessou para o outro lado da pista."

Preferi não mencionar o óbvio. A polícia havia encontrado a carteira de Fred Cheney no porta-luvas, intacta, com seus cartões de crédito e trinta e cinco dólares em dinheiro. Aparentemente, a bagagem do jovem casal não fora tocada. Pelo que se podia observar, não faltava nada no jipe, com exceção dos ocupantes e da bolsa de Deborah.

"O comportamento do primeiro cachorro", ela prosseguiu, objetiva, "foi inusitado, parece. Algo o assustou, ou pelo menos o perturbou. Um cheiro diferente... não foi o mesmo sentido pelo outro cão. O assento ocupado por Deborah..." Sua voz sumiu, quando ela me encarou.

"Sim. Tenho a impressão de que os cachorros farejaram odores diferentes."

"Doutora Scarpetta, peço que seja sincera comigo." Sua voz tremia. "Não precisa me poupar. Sei que um cachorro daqueles não fica perturbado à toa. Em seu trabalho, certamente a senhora já acompanhou o trabalho dos grupos de busca, conhece esses cães farejadores. Já viu antes uma reação assim nos cachorros?"

Sim. Duas vezes. Na primeira, o sabujo farejara o porta-malas de um carro que, soubemos depois, fora usado para transportar uma vítima de homicídio encontrada num latão de lixo. Na segunda, o cão levou o grupo de busca até uma trilha onde uma mulher havia sido violentada e morta a tiros.

Mas eu disse apenas: "Cães farejadores costumam reagir com intensidade a feromônios".

"Como assim?" Ela parecia intrigada.

"Odores causados por secreções. Animais, insetos, secretam substâncias químicas. Para exercer atração sexual, por exemplo." Expliquei, didaticamente. "Sabe que os cães marcam seu território e atacam quando farejam o medo, não é?"

Ela só me olhava.

"Quando alguém está sexualmente excitado, ansioso ou assustado, ocorrem diversas alterações hormonais em seu organismo. Teoricamente, animais sensíveis a odores, como sabujos, podem sentir o cheiro dos feromônios, ou substâncias químicas secretadas por glândulas especiais de nosso corpo..."

Ela me interrompeu. "Debbie queixou-se de cólicas pouco antes da hora em que Michael, Jason e eu viajamos para a praia. Ela estava no início da menstruação. Isso poderia explicar... Bem, se estava sentada no banco do passageiro, o cachorro não poderia ter sentido esse cheiro?"

Não respondi. Sua explicação não justificava a reação extremamente tensa do animal.

"Isso não justificaria uma reação daquelas." Pat Harvey afastou os olhos de mim e ficou torcendo o guardanapo de linho no colo. "Não seria o bastante para explicar por que o cachorro começou a ganir e ficou com o pêlo eriçado nas costas. Meu Deus. Aconteceu a mesma coisa com os outros casais, não foi?"

"Não posso afirmar isso."

"Mas está pensando. A polícia também acha isso. Se não estivesse na cabeça de todo mundo, desde o início, você não teria sido convocada ao local ontem. Quero saber o que aconteceu com eles. Com os outros casais."

Não falei nada.

"Pelo que eu soube lendo os jornais", ela insistiu, "você esteve presente às cenas de todos os crimes. Foi chamada pela polícia."

"Correto."

Ela levou a mão ao bolso do blazer, tirando e abrindo uma folha de papel dobrada.

"Bruce Phillips e Judy Roberts", começou a explicar, como se eu não soubesse. "Casal de namorados, estudantes do colegial, desapareceram há dois anos e meio, no dia 1º de junho, depois que saíram da casa de amigos em Gloucester. Nunca chegaram a suas respectivas residências. Na manhã seguinte, o Camaro de Bruce foi encontrado na U. S. Dezessete, abandonado, com a chave no contato, porta destrancada, vidro abaixado. Dez semanas depois você foi chamada a uma área de mata, a um quilômetro e meio a leste do parque estadual de York River, onde caçadores haviam descoberto dois corpos decompostos deitados de bruços, meio ocultos pelas folhas, a aproximadamente seis quilômetros do local onde o carro de Bruce fora abandonado, exatamente dez semanas antes."

Recordo-me que o VICAP foi acionado pela polícia local para prestar auxílio nessa época. Mas Marino, Wesley e o detetive de Gloucester não sabiam que outro casal havia desaparecido em julho, um mês depois do sumiço de Bruce e Judy.

"Em seguida, temos Jim Freeman e Bonnie Smyth", a sra. Harvey prosseguiu, olhando de relance para mim. "Eles desapareceram no último sábado de julho, depois de uma festa à beira da piscina na casa dos Freeman, em Providence Forge. No final da noite, Jim saíra para levar Bonnie até a casa dela. Um policial de Charles City achou a Blazer de Jim no dia seguinte, a cerca de quinze quilômetros da casa dos Freeman. Quatro meses depois, no dia doze de novembro, caçadores de West Point encontraram os cadáveres..."

Eu suspeitava que ela não sabia, porém, que apesar dos pedidos insistentes eu não conseguira obter cópias dos trechos confidenciais dos relatórios policiais, nem fotografias da cena ou inventários das provas. Contrariada, atribuí a evidente falta de cooperação ao fato de que a investigação passara a envolver diversas jurisdições.

A sra. Harvey prosseguiu, determinada. Em março do ano seguinte, aconteceu outra vez. Ben Anderson saíra de Arlington de carro, para encontrar a namorada Carolyn Bennett na casa da família dela, em Stingray Point, na baía de Chesapeake. Eles saíram da casa dos Anderson pouco depois das sete, a caminho da universidade Old Dominion, em Norfolk, onde estudavam. Na noite seguinte um policial rodoviário entrou em contato com os pais de Ben, avisando que a picape Dodge do rapaz fora descoberta no acostamento da I-64, a aproximadamente oito quilômetros a leste de Buckroe Beach. Abandonada. A chave estava no contato, as portas destrancadas e um livro de Carolyn debaixo do banco do passageiro. Os corpos parcialmente esqueletizados foram localizados seis meses depois, durante a temporada de caça ao cervo, no meio do mato, a cinco quilômetros ao sul da Rota 199, na comarca de York. Nesse caso, não consegui sequer uma cópia do boletim de ocorrência.

Quando Susan Wilcox e Mike Martin desapareceram, em fevereiro passado, soube do caso pelo jornal. Eles estavam a caminho da casa de Mike em Virginia Beach, onde pretendiam passar alguns dias, quando sumiram, do mesmo modo que os casais anteriores. A perua azul de Mike foi encontrada pela polícia, abandonada na Colonial Parkway, perto de Williamsburg, com um lenço branco preso à antena para indicar problemas mecânicos inexistentes. No dia 15 de maio pai e filho, caçando perus, descobriram os corpos decompostos numa área de mata, entre a Rota 60 e a I-64, na comarca de James City.

Recordei-me, novamente, de ter encaixotado os ossos para enviá-los ao departamento de antropologia forense do instituto Smithsonian, para uma pesquisa detalhada. Oito pessoas, e apesar das incontáveis horas que eu havia dedicado a cada um dos corpos, não consegui determinar como ou de que haviam morrido.

"Se, Deus nos livre, houver outro caso, não espere até que os corpos sejam encontrados", instruí Marino. "Quero ser avisada na hora em que acharem os carros."

"Tá. Acho melhor começar a fazer a autópsia dos carros, pois os corpos não estão ajudando em nada, mesmo", ele disse, tentando inutilmente ser engraçado.

"Em todos os casos", a sra. Harvey disse, "as portas estavam destrancadas e a chave no contato. Não havia sinais de luta, e pelo jeito nada foi roubado. O *modus operandi* foi basicamente idêntico."

Ela dobrou a folha com as anotações e guardou-a no bolso.

"Está bem informada", foi só o que eu disse. Não perguntei nada, mas deduzi que encarregara sua equipe de pesquisar os casos anteriores.

"O caso é o seguinte: você está envolvida desde o início. Examinou todos os corpos. E, pelo que sei, ainda não sabe como os casais foram mortos."

"Isso mesmo, eu não sei", confirmei.

"*Não sabe?* Ou prefere não dizer, doutora Scarpetta?"

A carreira de Pat Harvey como promotora federal lhe dera respeito e admiração em escala nacional. Ela era ousada e agressiva. Senti que a varanda de sua casa se transformara de repente numa sala de audiências.

"Se eu soubesse a razão para a morte deles, não teria assinado as autópsias como causas indeterminadas", falei calmamente.

"Mas acredita que eles foram assassinados?"

"Acredito que jovens saudáveis não abandonam o carro sem mais nem menos e morrem de causas naturais no meio do mato, senhora Harvey."

"E quanto às teorias que circulam? O que diz a respeito? Certamente não são novidade para você."

Não eram.

Quatro comarcas e o mesmo número de detetives encarregados estavam envolvidos. Cada um apresentara numerosas hipóteses. Os casais, por exemplo, seriam usuários esporádicos de drogas. Haviam topado com um traficante que vendia uma droga nova, perniciosa, que não aparecia nos exames toxicológicos de rotina. Também se falava em ocultismo. Os casais seriam membros de uma sociedade secreta, e as mortes ocorreram em razão de um pacto de suicídio.

"Não vejo muita base nas teorias que andei ouvindo", falei.

"Por que não?"

"Os indícios que obtive não as comprovam."

"E o que seus indícios comprovam?", ela quis saber. "E que *indícios* são esses? Pelo que ouvi até agora, você não achou indícios de coisa alguma."

A névoa acinzentara o céu, e o avião que passava parecia uma agulha prateada puxando uma linha branca sob o sol. Em silêncio, acompanhei a trilha de vapor que se expandia e dispersava. Se o destino de Debbie e Fred tinha sido igual ao dos outros casais, não seriam encontrados tão cedo.

"Minha filha nunca usou drogas", ela prosseguiu, piscando para disfarçar as lágrimas. "Ela não faz parte de nenhuma religião ou culto maluco. É geniosa e às vezes fica deprimida, como qualquer adolescente normal. Mas ela jamais iria..." Ela parou no meio da frase, esforçando-se para recuperar o controle.

"A senhora precisa lidar com os fatos que temos no momento", falei em voz baixa. "Não sabemos o que aconteceu a sua filha. Não sabemos o que aconteceu a Fred. Talvez ainda demore muito até sabermos. Poderia me dizer mais alguma coisa a respeito dela? Qualquer coisa que possa ajudar?"

"Um policial passou aqui, hoje de manhã", ela respondeu, com um suspiro profundo, entrecortado. "Entramos, fomos até o quarto dela. Ele levou várias peças de roupa e a escova de cabelo. Disse que as roupas eram para os cães. E que precisavam de amostras de cabelo para comparar com fios que fossem eventualmente recolhidos no jipe. Quer ver? Quer ir até o quarto dela?"

Curiosa, fiz que sim.

Subimos a escada de madeira de lei reluzente até o andar de cima. O quarto de Deborah situava-se na ala leste, onde ela podia ver o sol nascer e as tempestades que se formavam sobre o James. Não era um quarto típico de adolescente. Mobília no estilo escandinavo, simples e clara, em teca maciça. Um edredom em tons pastel, com predominância de verde e azul, cobria a cama larga, ao pé da qual havia um tapete artesanal indígena com motivos em rosa e bordô. Uma enciclopédia e vários romances enchiam a estante.

Duas prateleiras, acima da escrivaninha, exibiam troféus e dúzias de medalhas presas a fitas coloridas. No alto da estante vi uma foto grande de Deborah, em cima da barra de ginástica, com a coluna arqueada e as mãos estendidas, como pássaros graciosos. A expressão em seu rosto, assim como os detalhes de seu quarto, indicava disciplina e graça puras. Eu não precisava ser mãe de Deborah Harvey para achar que ela era, aos dezenove anos, uma moça especial.

"Debbie decorou o quarto sozinha", a sra. Harvey disse, enquanto eu olhava tudo. "A mobília, o tapete, as cores. Não dá nem para notar que ela esteve aqui há poucos dias, arrumando as coisas para levar à faculdade." Ela olhou para as malas e um baú, no canto, e limpou a garganta. "Ela é muito ordeira. Acho que herdou isso de mim." Sorrindo, nervosa, acrescentou: "Posso ser tudo, mas não desorganizada".

Lembrei-me do jipe de Deborah. Imaculado por dentro e por fora. A bagagem e outros itens haviam sido arrumados com capricho.

"Ela cuida muito bem das coisas dela", a sra. Harvey continuou, aproximando-se da janela. "Preocupo-me, às vezes, com a possibilidade de ela ter sido muito mimada. Roupas, carro, dinheiro. Bob e eu discutimos isso várias vezes. É difícil, passo muito tempo em Washington. Mas quando fui nomeada, no ano passado, decidimos que seria demais deslocar a família inteira para lá. Bob tem seus negócios aqui. Foi mais fácil alugar um apartamento para mim. Podia voltar para cá nos finais de semana, sempre que fosse possível. E esperar para ver o que aconteceria depois das próximas eleições."

Após uma longa pausa, ela prosseguiu: "Estou querendo dizer, suponho, que nunca fui capaz de dizer não a Debbie. É difícil ser sensato quando se quer o melhor para a filha. Especialmente quando a gente se lembra dos desejos que tinha na idade dela, na insegurança quanto ao modo de vestir ou à aparência física. Quando a gente sabe que os pais não poderiam pagar um dermatologista, ortodontista ou cirurgião plástico. Tentamos agir com moderação". Ela cruzou os braços um pouco acima da cintura. "Não tenho certeza de sempre termos tomado as decisões corretas. Veja o jipe, por exemplo. Eu me opunha à compra de um carro para ela, mas não tive pulso para defender minha posição. Ela queria algo prático, um veículo seguro que a levasse a qualquer lugar, com qualquer tempo."

Hesitante, indaguei: "Quando mencionou um cirurgião plástico, estava se referindo a algo específico sobre sua filha?".

"Seios grandes são incompatíveis com ginástica olímpica, doutora Scarpetta", ela disse, sem se virar para mim. "Quando Debbie completou dezesseis anos, eles já eram enormes. Isso não só era embaraçoso para ela como interferia na prática do esporte. O problema foi resolvido no ano passado."

"Então essa foto é recente", falei, pois a Deborah para quem eu olhava era uma escultura elegante de músculos bem desenvolvidos, com nádegas rígidas e seios miúdos.

"Foi tirada em abril passado, na Califórnia."

Quando uma pessoa está desaparecida, possivelmente morta, não é incomum que profissionais como eu se interessem por detalhes anatômicos — histerectomia, tratamento de canal ou cicatrizes de cirurgia plástica, tanto faz — capazes de auxiliar na identificação do corpo. Eu repassava tais descrições nos formulários de desaparecidos do NCIC. Eu dependia dessas características tão triviais, tão humanas. Aprendera, no decorrer da carreira, que nem sempre se pode confiar em jóias e outros objetos pessoais.

"O que estou lhe contando não deve ultrapassar as paredes deste quarto", a sra. Harvey ressaltou. "Debbie zela muito por sua privacidade. Minha família inteira, aliás."

"Compreendo."

"O mesmo vale para seu relacionamento com Fred", ela prosseguiu. "Muito reservado. Reservado demais. Certamente já notou que não há fotografias ou sinais visíveis do namoro. Não tenho dúvida de que eles trocaram presentes, fotos, lembranças. Mas ela sempre manteve tudo em segredo. Por exemplo, o aniversário dela foi em fevereiro passado. Notei, pouco depois, que ela usava um anel de ouro no dedo mínimo da mão direita. Fino, com um motivo floral. Ela não disse uma palavra a respeito, nem eu quis perguntar, mas aposto que foi presente dele."

"Você o considera um rapaz equilibrado?"

Virando-se, ela me encarou com olhos sombrios e distraídos. "Fred é muito determinado, quase obcecado. No entanto, não poderia afirmar que ele é desequilibrado. Não tenho queixas dele. Só me preocupava porque a relação era muito intensa, muito..." Ela desviou o olhar, à procura do termo adequado "...viciante. Essa é a palavra que me vem à mente. Como se um fosse a droga do outro." Fechando os olhos, ela virou de costas novamente, encostando a cabeça na janela. "Meu Deus! Jamais deveríamos ter comprado aquele jipe para ela."

Não comentei.

"Fred não tem carro. Ela não teria escolha senão..." Sua voz sumiu, deixando a sentença no ar.

"Ela não teria escolha senão ir com a senhora para a praia", falei.

"E nada disso teria acontecido!"

Ela saiu do quarto de repente, seguindo para o corredor. Não conseguiria ficar no quarto da filha mais um instante sequer. Entendi, e a segui escada abaixo, até a porta da rua. Quando lhe apertei a mão, ela virou o rosto para evitar que eu visse as lágrimas.

"Lamento muito." Quantas vezes eu ainda diria isso na vida?

A porta se fechou silenciosamente enquanto eu descia a escada. No caminho de casa, rezei para nunca mais encontrar Pat Harvey no exercício de minha função de médica-legista.

3

Uma semana se passou antes que eu tivesse notícias de alguém ligado ao caso Harvey-Cheney. A investigação não dera em nada, pelo que sabia. Na segunda-feira, quando eu estava com sangue até o cotovelo, no necrotério, Benton Wesley telefonou. Ele queria falar com Marino e comigo sem demora e nos convidou para jantar em sua casa.

"Aposto que Pat Harvey está deixando ele nervoso", Marino disse naquela noite. Pingos esparsos de chuva batiam no pára-brisa do carro dele enquanto seguíamos para a casa de Wesley. "Pessoalmente, estou cagando se ela foi consultar a cartomante, ligou para Billy Graham ou chamou o coelhinho da Páscoa."

"Hilda Ozimek não é cartomante", falei.

"Metade das tendas de Sister Rose, aquelas com a mão pintada na porta, não passam de fachada para prostituição."

"Sei disso", falei, desanimada.

Ele abriu o cinzeiro, fazendo com que eu me lembrasse de que fumar era um vício nojento. Se conseguisse enfiar mais uma ponta lá dentro, entraria para o livro *Guinness* dos recordes.

"Quer dizer então que você já ouviu falar nessa história de Hilda Ozimek", ele prosseguiu.

"Não sei quase nada a respeito dela. Só que mora numa das Carolinas."

"Carolina do Sul."

"Ela está hospedada na casa dos Harvey?"

"Não está mais", Marino disse, desligando o limpador de pára-brisa quando o sol apontou atrás das árvores. "Gostaria que esse tempo miserável se definisse de uma vez. Ela voltou para a Carolina do Sul ontem. Chegou e saiu de Richmond em avião particular. Dá para acreditar nisso?"

"Importa-se em me contar como descobriram isso?" Embora o fato de Pat Harvey recorrer a uma vidente me surpreendesse, o fato de que ela tivesse contado isso a alguém me surpreendia muito mais.

"Boa pergunta. Só estou contando o que Benton disse quando telefonou. Pelo jeito, Hilda, a bruxa, viu alguma coisa na bola de cristal e deixou a senhora Harvey muito cabreira."

"O que, exatamente?"

"Daria tudo para saber. Benton não entrou em detalhes."

Não perguntei mais nada, pois discutir as típicas reticências de Benton Wesley me constrangia. Antigamente, ele e eu gostávamos de trabalhar juntos. Mantínhamos um relacionamento respeitoso e cordial. Agora ele se mostrava frio, distante, e eu não podia deixar de pensar que a maneira como Wesley me tratava tinha a ver com Mark. Quando Mark se afastou de mim, aceitando uma missão no Colorado, ele também se distanciou de Quantico, onde exercera a privilegiada função de responsável pela Unidade de Estudos Jurídicos da Academia Nacional do FBI. Wesley perdera o amigo e colega, e talvez pensasse que isso era culpa minha. Os vínculos entre amigos podem ser mais fortes que os do casamento. Os agentes do FBI são mais leais com seus companheiros do que casais apaixonados.

Meia hora depois Marino saiu da rodovia principal, e logo me perdi nas viradas à direita e à esquerda das estradinhas vicinais que nos conduziam mais e mais para a zona rural. Embora tivesse encontrado Wesley muitas vezes, as reuniões ocorriam sempre no escritório dele ou no meu. Jamais fora convidada a conhecer sua casa, situada num cenário bucólico, entre fazendas e bosques da Virgínia. Passamos por pastos protegidos por cercas brancas, celeiros e casas afastadas da estrada. Quando entramos no condomínio, seguimos por ruas compridas ladeadas de casas modernas em terrenos amplos, com carros europeus estacionados nas garagens com duas ou três vagas.

"Não sabia que havia condomínios para o pessoal de Washington tão próximos de Richmond", comentei.

"O quê? Mora aqui há quatro ou cinco anos e nunca ouviu falar da invasão nortista?"

"Para quem vem de Miami, a Guerra de Secessão não é exatamente uma lembrança vívida", respondi.

"Aposto que não. Bom, Miami nem fica nos Estados Unidos. Um lugar onde precisam decidir num plebiscito se o inglês é a língua oficial não faz parte do país."

Os comentários ferinos de Marino sobre o local em que eu nasci não eram novidade.

Reduzindo a marcha para entrar no acesso à casa, ele disse: "Nada mau, né? Aposto que o governo federal paga mais do que o município".

A casa tinha telhado de madeira, alicerces de pedra e *bay windows*. As roseiras enfeitavam a frente e as faces leste e oeste, protegidas por magnólias e carvalhos antigos. Assim que descemos, comecei a procurar pistas que revelassem mais detalhes da vida particular de Benton Wesley. Havia um aro de basquete acima da porta da garagem, e perto da pilha de madeira coberta por plástico vi um cortador de grama vermelho salpicado de grama cortada. Nos fundos, o quintal espaçoso, impecavelmente ajardinado, exibia canteiros de azaléias e árvores frutíferas. Cadeiras em volta da churrasqueira me levaram a imaginar Wesley e a mulher tomando um aperitivo enquanto preparavam a carne, nas noites calmas de verão.

Marino tocou a campainha e a mulher de Wesley atendeu. Ela se apresentou como Connie.

"Ben está lá em cima. Descerá num minuto", disse, sorridente, enquanto nos acompanhava até uma sala de estar com janelas panorâmicas, lareira grande e mobília rústica. Jamais ouvira alguém se referir a Wesley como "Ben". Tampouco conhecia a mulher dele. Ela aparentava quarenta e poucos anos; era uma morena atraente de olhos cor de avelã quase amarelos, de tão claros. Os traços finos se assemelhavam aos do marido. Transmitia uma impressão de calma, de reserva contida que indicava personalidade forte e carinhosa. O Benton Wesley frio que eu conhecia era um homem diferente em casa, sem dúvida. Fiquei pensando se Connie estava familiarizada com os detalhes da profissão do marido.

"Aceita uma cerveja, Pete?", ela perguntou.

Ele se acomodou na cadeira de balanço. "Fui convocado para dirigir. Acho melhor ficar no café."

"Kay, e você, o que deseja?"

"Café está ótimo", respondi, "se não for incômodo."

"Estou tão contente em conhecê-la, finalmente", ela acrescentou, com sinceridade. "Ben fala de você há anos. Ele a respeita muito."

"Obrigada." O cumprimento me desconcertou, e o que ela disse em seguida foi um choque.

"Quando estive com Mark, pela última vez, fiz com que ele me prometesse trazê-la para jantar aqui, assim que viesse a Quantico."

"Seria muita gentileza", falei, esforçando-me para sorrir. Obviamente, Wesley não lhe contava tudo. E a idéia de que Mark estivera recentemente na Virgínia, sem nem me telefonar, era quase insuportável.

Quando ela saiu, dirigindo-se para a cozinha, Marino perguntou: "Teve notícias dele, recentemente?".

"Denver é uma cidade linda", respondi, de modo evasivo.

"É um saco, se quer minha opinião. Eles o tiraram da missão de infiltração e o trancaram em Quantico por um tempo. Depois, mandaram o cara para o oeste, para trabalhar em um caso a respeito do qual ele não pode contar nada a ninguém. É por isso que eu digo que nunca entraria para o FBI, por mais que me pagassem."

Não comentei.

Ele continuou: "Eles querem que a vida pessoal da gente se dane. Acho que têm razão quando dizem que Hoover teria providenciado mulher e filhos junto com o distintivo se quisesse que os agentes tivessem família".

"O tempo de Hoover passou há muito", falei, olhando para as árvores agitadas pelo vento. Tive a sensação de que iria chover novamente, agora para valer.

"Talvez. Mesmo assim, o cara não pode ter vida própria."

"Não sei se nosso caso é diferente, Marino."

"O pior é que é verdade", ele resmungou.

Ouvimos o ruído de passos e Wesley entrou, ainda de paletó e gravata, calça cinza e camisa branca engomada ligeiramente amarrotada. Parecia cansado e tenso, ao perguntar se nos ofereceram algo para beber.

"Connie está cuidando disso", falei.

Acomodando-se numa poltrona, ele consultou o relógio. "Vamos comer daqui a uma hora." E cruzou as mãos sobre o colo.

"Não soube mais porra nenhuma de Morrell", Marino começou.

"Infelizmente, não temos novidade alguma. Nada que valha a pena", Wesley retrucou.

"Não achei que houvesse. Só estou dizendo que Morrell não deu mais sinal de vida."

Marino mantinha o rosto inexpressivo, mas eu percebi seu ressentimento. Embora não tivesse reclamado para mim, eu desconfiava que ele se sentia como um jogador de futebol que passou o campeonato no banco. Sempre se relacionara bem com policiais de outros locais. Francamente, esse era um dos pontos fortes do esquema VICAP na Virgínia. E então, o caso dos casais desaparecidos começou. Os investigadores pararam de trocar informações. Eles não falavam nada para Marino nem para mim.

"As investigações da polícia local deram em nada", Wesley informou. "Não conseguimos ir além da área de descanso a leste, onde o cachorro perdeu a pista. A única coisa que apareceu foi um recibo encontrado no jipe. Pelo jeito, Deborah e Fred pararam num Seven-Eleven, depois de sair da casa dos Harvey em Richmond. Compraram uma embalagem com seis latas de Pepsi e mais algumas coisas."

"Ou seja, isso já foi investigado", Marino comentou, irritado.

"A moça que estava no caixa foi localizada. Ela se lembra deles. O casal esteve lá pouco depois das nove da noite."

"Estavam sozinhos?", Marino indagou.

"Parece que sim. Ninguém entrou com eles, e se alguém os esperava no jipe não houve sinais em seu comportamento de que havia algo errado."

"Onde fica esse Seven-Eleven?", perguntei.

"Fica a cerca de oito quilômetros a oeste da área de descanso onde o jipe foi encontrado", Wesley respondeu.

"Você disse que eles compraram outras coisas. Poderia ser mais específico?"

"Eu ia chegar lá", Wesley disse. "Deborah Harvey comprou uma caixa de Tampax. Pediu para usar o banheiro e foi informada de que não era permitido. A moça do caixa disse que indicou a área de descanso a leste, na Sessenta e Quatro."

"Onde o cachorro perdeu a pista", Marino disse, franzindo a testa, como se estivesse confuso. "E não onde o jipe foi encontrado."

"Isso mesmo", Wesley concordou.

"E quanto às Pepsis que eles compraram?", perguntei. "Foram encontradas?"

"Havia seis latas de Pepsi numa caixa térmica, segundo a polícia."

Ele parou, quando a esposa entrou com nosso café e um copo de chá gelado para ele. Ela nos serviu em silêncio, com graça, e sumiu. Connie Wesley tinha prática em não se intrometer.

"Está pensando que eles pararam na área de descanso para que Deborah pudesse resolver o problema dela e lá toparam com o cara que deu sumiço neles", Marino deduziu.

"Não sabemos o que aconteceu a eles", Wesley argumentou. "Precisamos levar em consideração uma série de possibilidades."

"Por exemplo?", Marino disse, franzindo a testa.

"Rapto."

"Acredita em seqüestro?" Marino não ocultava seu ceticismo.

"Você precisa levar em consideração quem é a mãe de Deborah."

"Já sei. A rainha do combate às drogas, a paladina que descolou um emprego porque o presidente queria tapar a boca do movimento feminista."

"Pete", Wesley disse com toda a calma, "acho temerário considerá-la uma figura decorativa ou mesmo uma concessão ao movimento feminista. Embora o cargo pareça mais importante do que realmente é, uma vez que não tem status de ministério, Pat Harvey está diretamente subordinada ao presidente. Na prática, ela coordena todos os organismos federais na guerra contra os crimes relacionados ao tráfico."

"Para não mencionar seu desempenho como promotora federal", acrescentei. "Ela deu um apoio decisivo aos esforços da Casa Branca para punir com pena de morte os assassinatos e tentativas de assassinato vinculados à questão das drogas. E foi muito veemente."

"Ela e mais uma centena de outros políticos", Marino disse. "Acho que eu estaria mais preocupado se ela fosse uma liberal qualquer a fim de legalizar o fumo. Aí eu ia achar que algum direitista da Maioria Silenciosa ouviu Deus ordenar que seqüestrasse a filha de Pat Harvey."

"Ela foi muito audaciosa", Wesley disse. "Conseguiu condenações para os piores traficantes, ajudou a aprovar leis importantes, sofreu ameaças de morte e há alguns anos, quando puseram uma bomba em seu carro..."

"Claro, um Jaguar vazio no estacionamento do clube de campo. Acabou virando heroína", Marino disse, interrompendo Wesley.

"Quero dizer", Wesley prosseguiu, com paciência, "é que ela tem muitos inimigos, especialmente depois que concentrou as investigações em organizações de fachada."

"Li algo a respeito", falei, tentando recordar os detalhes.

"O que veio a público até agora é apenas a ponta do iceberg", Wesley disse. "Recentemente, ela começou uma campanha contra a UMARCOD, a União das Mães Americanas Revoltadas Contra as Drogas."

"Você está brincando", Marino disse. "Seria o mesmo que dizer que o UNICEF é corrupto."

Eu não contei que todos os anos dava dinheiro para a UMARCOD, e que me considerava uma partidária entusiástica do movimento.

Wesley prosseguiu: "A senhora Harvey está reunindo provas de que a UMARCOD serve de fachada para um cartel das drogas e outras atividades ilegais na América Central".

"Puxa vida", Marino disse. "Ainda bem que eu só contribuo para o fundo de aposentadoria da polícia."

"O desaparecimento de Deborah e Fred pode induzir a confusões, pois parece ligado aos casos dos outros quatro casais", Wesley disse. "No entanto, isso também pode ter sido proposital. Alguém estaria tentando nos levar a acreditar que há uma ligação, quando na verdade pode não haver nenhuma. Talvez exista um serial killer. Talvez seja outra coisa. De qualquer modo, queremos trabalhar em silêncio. O máximo possível."

"Então, calculo que vocês estejam esperando um bilhete de resgate ou algo no gênero, certo? Bandoleiros da América Central querendo devolver Deborah à mãe por um preço módico."

"Duvido que algo assim venha a acontecer, Pete", Wesley retrucou. "Suponho que a coisa seja bem pior. Pat Harvey deve testemunhar numa audiência do Congresso, no início do ano que vem. Novamente, o depoimento tem a ver com as organizações de fachada. Não poderia ocorrer nada pior no momento do que o desaparecimento da filha."

Meu estômago doeu quando pensei na idéia. Profissionalmente, Pat Harvey não parecia muito vulnerável. Desde o início da carreira, tinha uma reputação imaculada. Contudo, ela também era mãe. Considerava o bem-estar dos filhos mais importante que a própria vida. A família era seu calcanhar-de-aquiles.

"Não podemos descartar a possibilidade de um seqüestro político", Wesley reforçou, olhando para o quintal fustigado pelo vento.

Wesley também tinha família. Também temia que um chefão do crime organizado, um assassino, alguém que Wesley tivesse mandado para a cadeia resolvesse fazer mal a sua esposa e filhos. Ele tinha um sofisticado sistema de alarme contra ladrão em casa, além de intercomunicador na entrada. Preferia morar longe, em pleno interior da Virgínia. Seu telefone não constava da lista. Nunca dava o endereço a repórteres, nem à maioria dos colegas e conhecidos. Até aquele dia, eu nem sabia onde ele morava. Tinha uma idéia de que sua casa ficava perto de Quantico, possivelmente em McLean ou Alexandria.

Wesley acrescentou: "Imagino que Marino tenha mencionado a história de Hilda Ozimek".

Fiz que sim. "Ela é séria?"

"O FBI usou-a em certas ocasiões, embora jamais admita isso. Seu dom, poder ou qualquer nome que se queira dar, é realmente genuíno. Não me peça para explicar. Esse tipo de fenômeno encontra-se além da minha compreensão. Posso afirmar, porém, que em determinada ocasião ela nos ajudou a localizar um avião do Bureau que caiu nas montanhas de West Virginia. Ela também previu o assassinato de Sadat, e se tivéssemos dado ouvidos a ela teríamos tomado providências para proteger Reagan."

"Você não está querendo dizer que ela previu que atirariam em Reagan, né?"

"Só faltou acertar o dia. Não passamos a informação adiante. Não a levamos muito a sério, eu acho. Foi nosso erro, por estranho que pareça. Desde então, quando ela diz alguma coisa, o Serviço Secreto precisa ser informado."

"O Serviço Secreto lê horóscopos, também?", Marino perguntou.

"Creio que Hilda Ozimek considera horóscopos excessivamente genéricos. Pelo que sei, ela tampouco lê a mão."

"E como a senhora Harvey soube a respeito dela?", perguntei.

"Possivelmente graças a alguém do Departamento de Justiça", Wesley disse. "De todo modo, ela mandou um avião buscar a vidente na sexta-feira. Em Richmond, a senhora Harvey ouviu coisas que a fizeram... bem, vamos dizer que passei a considerar a senhora Harvey um risco em potencial. Suas atividades podem causar mais danos do que benefícios."

"E o que foi que a vidente disse a ela, exatamente?", eu quis saber.

Wesley olhou para mim e respondeu: "Infelizmente, não posso mencionar isso por enquanto".

"Mas ela discutiu a questão com você, certo?", insisti. "Pat Harvey procurou-o para dizer que convocara uma vidente?"

"Não posso discutir o assunto, Kay", Wesley disse, e nós três ficamos em silêncio por algum tempo.

Passou pela minha cabeça que a sra. Harvey não dera a informação a Wesley. Ele havia descoberto por outros meios.

"Não sei, não", Marino finalmente falou. "Pode ter sido mero acaso. Eu não descartaria essa hipótese."

"Não podemos descartar nada", Wesley disse, com firmeza.

"Os crimes estão ocorrendo há dois anos e meio, Benton", ponderei.

"É isso aí", Marino disse. "Faz um puta tempo. Ninguém me tira da cabeça que é tudo obra de um maníaco obcecado por casais, um tipo invejoso que não consegue manter um relacionamento e odeia quem é capaz disso."

"Sem dúvida, trata-se de uma hipótese muito provável. Alguém que anda por aí procurando jovens casais. Talvez freqüente locais de namoro, áreas de descanso em rodovias, bares e lanchonetes preferidos pela juventude. Talvez hesite muito, antes de atacar. Depois de escolher o casal e matar os dois, revive o homicídio mentalmente, durante alguns meses, até que o impulso assassino se torna irresistível e a oportunidade perfeita se apresenta. Pode ser apenas uma coincidência — Deborah Harvey e Fred Cheney simplesmente estavam no lugar errado na hora errada."

"Desconheço qualquer indício que sugira que os casais estivessem num carro estacionado tendo uma relação sexual quando foram abordados pelo assassino", comentei.

Wesley não falou nada.

"E, com exceção de Deborah e Fred, os casais não foram atacados em áreas de descanso ou outro local freqüentado por jovens, como você mencionou", insisti. "Sabemos que estavam a caminho de algum lugar quando algo aconteceu e fez com que parassem o carro na beira da estrada e permitissem que alguém entrasse nele ou eles passassem para o veículo do suspeito."

"A teoria do policial assassino", Marino murmurou. "Acho que já ouvi isso antes."

"O sujeito pode estar passando por policial", Wesley retrucou. "Sem dúvida, isso explicaria o fato de os casais pararem o carro e até se aproximarem do outro veículo, para uma verificação de rotina. Validade da carteira do motorista ou algo assim. Qualquer um pode entrar numa loja de uniformes e comprar um conjunto de luz e sirene, farda, distintivo e o que bem entender. O problema é que a luz chama a atenção. Outros motoristas a teriam notado, e se houvesse um policial de verdade na área, ele reduziria a marcha para ver o que estava acontecendo. Talvez até parasse para oferecer apoio. Até agora, não tivemos um único depoimento mencionando uma barreira policial nos locais e horários em que os jovens desapareceram."

"Precisamos levar em consideração o fato de que deixaram bolsas e carteiras dentro dos automóveis", falei. "Com exceção de Deborah Harvey, cuja bolsa não foi encontrada. Se os jovens foram atraídos para um suposto veículo policial, com a alegação de infração a uma lei de trânsito, por que deixariam os documentos pessoais e do carro para trás? É a primeira coisa que a polícia pede para ver. Se eles entraram numa suposta viatura, deveriam ter os documentos consigo."

"Talvez não tenham entrado voluntariamente no veículo suspeito, Kay", Wesley disse. "Eles param, pensando que se trata de um carro de polícia, e o sujeito se aproxima da janela, saca a arma e os obriga a entrar no carro dele."

"Arriscado para danar", Marino argumentou. "Se fosse eu, engataria a primeira e daria o fora, pisando fundo no acelerador. Sempre existe a chance de que alguém, passando de carro pelo local, veja tudo. Como se obrigam duas pessoas a entrar num carro, apontando uma arma para elas, em quatro ou cinco ocasiões diferentes, sem que ninguém veja absolutamente nada?"

"Boa pergunta", Wesley disse, olhando para mim inexpressivo. "Outra, melhor, é como se podem assassinar oito pessoas sem deixar pistas, nem mesmo um osso lascado ou uma bala perto dos corpos?"

"Estrangulamento, enforcamento ou corte na garganta", falei, lembrando que não era a primeira vez em que ele me pressionava a respeito. "Os corpos foram encontrados em adiantado estado de decomposição, Benton. E eu gostaria de enfatizar que a teoria do policial assassino implica que a vítima entrou no veículo do atacante. Baseado no odor que o cão farejador seguiu na semana passada, parece plausível dizer que, se alguém causou mal a Deborah Harvey e Fred Cheney, essa pessoa pegou o jipe de Deborah, dirigiu o veículo até a área de descanso e o abandonou lá. Em seguida, foi embora a pé, atravessando a rodovia."

O rosto de Wesley traía seu cansaço. Ele esfregava as têmporas de vez em quando, como se sentisse dor de cabeça. "Meu objetivo, nesta conversa com vocês dois, é enfatizar que pode haver ângulos nessa história que exigem uma atitude muito cuidadosa de nossa parte. Estou solicitando canais diretos e abertos entre nós três. No entanto, a discrição absoluta é imperativa. Nada de conversas com repórteres, divulgação de informações a outras pessoas, nem mesmo a amigos íntimos, parentes, outros médicos-legistas ou policiais. Nada de conversas pelo rádio." Ele olhou para nós dois. "Quero ser informado imediatamente, por telefone convencional, quando os corpos de Deborah Harvey e Fred Cheney forem encontrados. Se a senhora Harvey entrar em contato com qualquer um de vocês, peçam a ela para falar comigo."

"Ela já entrou em contato comigo", adiantei.

"Sei disso, Kay", Wesley respondeu, sem olhar para mim.

Não perguntei como ele sabia, mas fiquei nervosa, e ele percebeu.

"Nas atuais circunstâncias, compreendo que tenha ido encontrá-la", ele acrescentou. "Contudo, é melhor que isso não aconteça novamente. Prefiro que você não discuta o caso com ela. Só nos daria mais problemas. A coisa vai além de uma interferência dela na investigação. Quanto mais ela se envolver, mais perigo pode correr."

"Por quê? Acha que ela vai ser morta?", Marino perguntou, cético.

"Seria mais provável que ela se descontrolasse, começasse a agir de forma irracional."

A preocupação de Wesley com o bem-estar psicológico de Pat Harvey talvez fosse sincero, mas a mim pareceu suspeito. Quando Marino e eu estávamos voltando para Richmond, fiquei pensando que o motivo para Wesley nos ter convidado para jantar não tinha nada a ver com o destino do casal desaparecido.

"Tenho a impressão de que estou sendo manipulada", confessei finalmente, quando avistamos Richmond.

"Bem-vinda ao clube", Marino disse, irritado.

"Tem alguma idéia do que está realmente acontecendo?"

"Claro", ele disse, apertando o botão do acendedor. "Suspeito, pelo menos. Acho que o FBI sentiu o cheiro de algo que pode deixar alguém importante em maus lençóis. Tenho a sensação de que alguém está querendo abafar alguma coisa para livrar a cara. E Benton ficou na corda bamba."

"E nós também, neste caso."

"Acertou em cheio, doutora."

Três anos já se haviam passado desde que Abby Turnbull surgira na porta de minha sala, com um maço de íris recém-colhidas e uma garrafa de um vinho excepcional. Isso foi no dia em que ela me procurou para se despedir. Pedira demissão do *Times* de Richmond. Estava a caminho de Washington, para trabalhar como repórter policial no *Post*. Ficamos de nos falar, como as pessoas sempre fazem. Atualmente, sentia vergonha por nem sequer me lembrar da última vez em que telefonara ou mandara uma carta para ela.

"Vai atender à ligação?", Rose, minha secretária, estava perguntando. "Ou prefere que eu anote o recado?"

"Pode deixar que eu atendo", falei. "Scarpetta", anunciei mecanicamente, antes que pudesse me controlar.

"Você continua bancando a doutora", a voz familiar disse.

"Abby! Desculpe." Dei risada. "Rose me disse que era você. Como sempre, estou até a tampa de serviço, fazendo cinqüenta coisas ao mesmo tempo. Creio que perdi completamente a capacidade de ser gentil ao telefone. Tudo bem com você?"

"Tudo, se você não levar em conta que a taxa de homicídios triplicou em Washington, desde que vim para cá."

"Uma coincidência, espero."

"Drogas." Ela parecia nervosa. "Cocaína, crack e armas automáticas. Sempre pensei que o trabalho em Miami fosse pior. Ou em Nova York. No entanto, nossa adorável capital federal é o fim."

Consultei o relógio e anotei o horário do telefonema na ficha. O hábito, de novo. Estava tão acostumada a preencher fichas das ligações que pegava a prancheta até quando recebia uma ligação da cabeleireira.

"Liguei para saber se poderíamos jantar juntas esta noite", ela disse.

"Em Washington?", perguntei, perplexa.

"Na verdade, estou em Richmond."

Sugeri jantarmos em minha casa. Peguei a maleta e fui direto para o supermercado. Após alguma hesitação, empurrando o carrinho pelos corredores, escolhi filé e ingredientes para uma salada. A tarde estava linda. A idéia de encontrar Abby melhorara meu estado de espírito. Uma noite com uma amiga seria uma ótima desculpa para caprichar na cozinha novamente, pensei.

Voltei para casa e comecei a trabalhar rapidamente, amassando os dentes de alho numa tigela. Acrescentei vinho tinto e azeite de oliva. Mamãe sempre me recriminava por "estragar um bom filé", mas meus dotes culinários eram minha perdição. Honestamente, eu fazia a melhor vinha-d'alhos da cidade, e nenhum corte de carne escapava de marinar e usufruir seus benefícios. Lavei a alface americana e deixei-a escorrendo em papel absorvente. Cortei os cogumelos, cebolas e o último tomate Hanover enquanto me preparava para lidar com a grelha. Não podendo adiar a tarefa por mais tempo, saí para o quintal atijolado.

Por um momento, senti-me como uma fugitiva em minha própria casa, observando os canteiros de flores e as árvores do quintal. Apanhei um frasco de limpador multiuso e uma esponja, para esfregar vigorosamente a mobília de fora, antes de limpar a grelha com esponja de aço. Ela não era usada desde uma certa noite de sábado em maio, quando Mark e eu estivemos juntos pela última vez. Removi a gordura acumulada, até sentir dor no cotovelo. Imagens e vozes invadiram minha mente. Discutindo. Brigando. No final, refúgio no silêncio magoado que só acabou quando fizemos amor alucinadamente.

Quando Abby chegou, pouco antes das seis e meia, quase não a reconheci. Na época em que trabalhava como repórter policial em Richmond seu cabelo grisalho batia no ombro. Sua aparência cavernosa, descuidada, fazia com que aparentasse mais do que os quarenta e poucos anos reais. Agora, o cabelo grisalho sumira. O corte curto e bem delineado enfatizava os ossos da face e os olhos, que exibiam dois tons diferentes de verde, uma característica que sempre me intrigou. Usava conjunto de seda azul-escuro e blusa de seda marfim. Carregava uma valise de couro preto.

"Você está a própria executiva de Washington", falei ao abraçá-la.

"É tão *bom* ver você, Kay."

Ela ainda sabia que eu gostava de scotch e trouxe uma garrafa de Glenfiddich, que não tardamos a abrir. Tomamos os drinques no quintal e falamos sem parar enquanto eu acendia a churrasqueira sob o céu crepuscular de final do verão.

"Sabe, sinto falta de Richmond sob vários aspectos", ela explicou. "Washington, embora excitante, é o fim da picada. Comprei um Saab, sabia? Já foi arrombado uma vez, roubaram as calotas, amassaram a porta inteira. Pago cento e cinqüenta dólares por mês de estacionamento, a quatro quadras do meu apartamento. Estacionar no *Post*, nem pensar. Vou a pé para o serviço, e lá uso um carro do jornal. Washington não é igual a Richmond, definitivamente." E acrescentou, com firmeza exagerada: "Mas não me arrependo de ter ido embora".

"Ainda trabalha à noite?" A carne chiou quando a coloquei sobre a grelha.

"Não. Outro repórter faz o turno da noite. O pessoal mais jovem acompanha os casos noturnos, e eu faço as suítes durante o dia. Só trabalho fora de hora quando acontece algo realmente importante."

"Tenho acompanhado suas matérias", falei. "A banca da lanchonete tem o *Post*. Costumo dar uma olhada na hora do almoço."

"Quanto a mim, nem sempre sei no que você está trabalhando", ela confessou. "Mas soube de algumas coisas."

"E isso explica sua presença em Richmond?", arrisquei, regando os filés com a marinada.

"Sim. O caso Harvey."

Não respondi.

"Marino não mudou nada."

"Falou com ele?", perguntei, olhando para ela.

Ela respondeu, com um sorriso irônico: "Tentei falar com ele e com vários policiais. Claro, com Benton Wesley também. A bem da verdade, não consegui nada".

"Bem, se isso faz você se sentir melhor, saiba que ninguém me conta nada, tampouco. E digo isso em off."

"Esta nossa conversa inteira é em off, Kay", ela disse, séria. "Não vim aqui para ver se conseguia alguma informação para minha matéria." Ela fez uma pausa. "Sei muito bem o que está acontecendo aqui na Virgínia. Eu já estava muito mais ligada nisso tudo do que meu editor quando Deborah Harvey e o namorado desapareceram. Agora o caso é quente, muito quente."

"Não me surpreende."

"Nem sei por onde começar." Ela parecia inquieta. "Há coisas que não contei a ninguém, Kay. Mas tenho a sensação de que estou pisando num terreno muito delicado, e que tem gente que preferia evitar isso."

"Não sei se estou entendendo", falei, estendendo a mão para pegar o copo.

"Nem eu, se quer mesmo saber. Ando me perguntando se não estou imaginando coisas."

"Abby, assim não dá. Você está sendo enigmática. Por favor, explique isso direito."

Tomando fôlego, ela apanhou um cigarro antes de responder. "Estou interessada na morte dos casais há bastante tempo. Andei investigando o caso, e as reações foram muito estranhas, desde o início. Elas iam muito além da costumeira relutância da polícia quando fala comigo. Basta tocar no assunto e a pessoa desliga na minha cara. Em julho passado, o FBI veio conversar comigo."

"O quê?", falei, parando de regar a carne para encará-la.

"Lembra-se daquele homicídio triplo em Williamsburg? Pai, mãe e filho mortos a tiros durante um assalto?"

"Sim."

"Eu estava fazendo uma reportagem a respeito, e precisei ir de carro até Williamsburg. Como você deve saber, se a gente virar à direita ao sair da Sessenta e Quatro, segue para Colonial Williamsburg, William and Mary. Mas se você pegar à esquerda, no final da rampa, cai numa via sem saída, e duzentos metros depois chega à entrada de Camp Peary. Distraída, peguei a saída errada."

"Eu mesma já fiz isso mais de uma vez", admiti.

Ela prosseguiu: "Fui até a guarita e expliquei o engano. Meu Deus, aquele lugar dá medo. Placas enormes, com dizeres do tipo 'Centro de Treinamento Experimental do Exército', ou 'Entrar Neste Local Significa Consentimento para Revista Corporal e de Propriedade Pessoal'. Não me surpreenderia se uma equipe Neanderthal da SWAT camuflada surgisse do meio do mato e me levasse presa".

"A polícia da base não é exatamente amigável", falei, meio zombeteira.

"Bem, eu não fiquei fazendo hora", Abby disse. "Caí fora dali rapidinho e na verdade esqueci o incidente, até que, quatro dias depois, dois agentes do FBI apareceram na recepção do *Post* perguntando por mim. Eles queriam saber o que eu tinha ido fazer em Williamsburg e por que me aproximara de Camp Peary. Obviamente, o número da placa do carro havia sido filmado, e assim eles chegaram ao jornal. Foi estranho."

"Por que o FBI se interessou pela história?", perguntei. "Camp Peary pertence à CIA."

"A CIA é proibida de atuar dentro dos Estados Unidos. O motivo pode ser esse. Talvez aqueles cretinos fossem agentes da CIA, fingindo pertencer ao FBI. Ninguém pode afirmar nada, quando se trata dos serviços de segurança. Além disso, a CIA jamais admitiu que Camp Peary é seu principal centro de treinamento. E os agentes não falaram na CIA quando me interrogaram. Mas eu sabia aonde eles queriam chegar, e eles sabiam que eu sabia."

"O que eles perguntaram?"

"Basicamente, queriam saber se eu estava escrevendo alguma coisa sobre Camp Peary e se eu pretendia entrar lá sem autorização. Eu disse que, se quisesse entrar clandestinamente, tentaria algo mais discreto, em vez de seguir direto para a guarita. Embora eu não estivesse fazendo nenhuma matéria sobre 'a CIA', como falei, talvez fosse hora de pensar no assunto."

"Aposto que eles ficaram furiosos", falei.

"Nem piscaram. Você sabe como eles são."

"A CIA é paranóica, Abby, principalmente quando se trata de Camp Peary. Helicópteros da polícia estadual e serviços médicos de resgate não podem sobrevoar a área. Ninguém viola o espaço aéreo ou passa pela guarita sem antes ser autorizado por Jesus Cristo."

"Mas você já errou o caminho, assim como centenas de turistas", ela argumentou. "O FBI nunca foi atrás de você, certo?"

"Não. Por outro lado, eu não trabalho no *Post*."

Tirei os filés da grelha e ela me seguiu até a cozinha. Servi a salada e o vinho. Abby continuou falando.

"Desde que os agentes me visitaram, coisas curiosas começaram a ocorrer."

"Por exemplo?"

"Acho que grampearam meu telefone."

"Com base em que você desconfia?"

"Começou no telefone de casa. Ouço ruídos quando estou falando com alguém. Depois, começou a acontecer no trabalho, recentemente. Recebo uma ligação e tenho a sensação de que alguém está escutando a conversa. É difícil explicar." Ela arrumou os talheres, nervosa. "Estática, silêncio suspeito, chame como quiser. Mas tem algo errado."

"Aconteceu mais alguma coisa?"

"Sim, faz algumas semanas. Eu estava parada na frente de uma farmácia popular na Connecticut, perto de Dupont Circle. Uma fonte ia me encontrar lá, às oito da noite. Íamos jantar num local discreto para conversar. Aí, vi um homem. Cabelo curto, usando jeans e casaco de náilon, bem-apessoado. Ele passou por mim duas vezes, em quinze minutos, enquanto eu esperava. Parada na esquina, vi-o mais uma vez quando minha fonte e eu estávamos a caminho do restaurante. Parece loucura, mas achei que ele estava me seguindo."

"Você já tinha visto aquele homem antes?"

Ela fez que não com a cabeça.

"E chegou a vê-lo novamente?"

"Não", ela disse. "Mas aconteceu outra coisa. Minha correspondência. Moro num prédio de apartamentos. As caixas de correio ficam embaixo, no térreo. Recebo cartas com carimbos postais que não fazem sentido."

"Se a CIA estivesse fuçando em sua correspondência, posso garantir que você jamais desconfiaria disso."

"Não estou afirmando que alguém *mexeu* em minhas cartas. Mas, em diversas ocasiões, houve pessoas — minha mãe, meu agente literário — que juraram ter enviado uma carta num dia determinado. No entanto, eu só a recebia vários dias depois, e a data do carimbo do correio não combinava com o dia da postagem. Constava uma data posterior.

Dias, até uma semana depois. Sei lá." Ela fez uma pausa. "Em outra situação eu provavelmente atribuiria isso à incompetência do correio, mas por causa do resto estou preocupada."

"Por que alguém grampearia seu telefone, seguiria você e violaria sua correspondência?", essa era a questão crítica.

"Se eu soubesse, tomaria providências." Finalmente, ela conseguiu começar a comer. "Está uma delícia." Apesar do elogio, ela dava a impressão de não estar com a mínima fome.

"Há alguma possibilidade", sugeri sem rodeios, "de que seu encontro com os agentes do FBI ou o episódio de Camp Peary possam ter deixado você paranóica?"

"É óbvio que isso me deixou paranóica. Só que tem uma coisa, Kay. Eu não estou escrevendo um novo *Veil* nem trabalhando no caso Watergate. Washington é um tiroteio atrás do outro, a mesma merda daqui. Só tem *um* caso de primeira página, o daqui. Esses assassinatos, ou supostos assassinatos, dos casais. Comecei a investigar e surgiram os problemas. O que acha?"

"Não sei bem." Incomodada, lembrei-me do comportamento de Benton Wesley, de seus avisos na noite anterior.

"Já sei da parte dos sapatos desaparecidos", Abby disse.

Não respondi, nem deixei transparecer minha surpresa. Até então, o detalhe tinha sido sonegado aos repórteres.

"Não é exatamente normal que oito pessoas apareçam mortas no meio do mato, sem sapato nem meia. Eles não foram encontrados nem no local onde estavam os cadáveres nem nos carros abandonados." Ela olhou para mim, ansiosa.

"Abby", falei com voz pausada, servindo mais vinho, "você sabe que não posso discutir detalhes desses casos. Nem mesmo com você."

"Você não sabe de nada que possa me ajudar a descobrir quem anda me perseguindo?"

"Para dizer a verdade, provavelmente sei menos do que você."

"Isso quer dizer alguma coisa. Os casos já completaram dois anos e meio, e você sabe menos do que eu."

Lembrei-me de Marino, dizendo que alguém queria abafar o caso para "livrar a cara". Pensei em Pat Harvey e na audiência no Congresso. Comecei a ficar com medo.

Abby disse: "Pat Harvey é uma estrela de primeira grandeza em Washington".

"Estou a par de sua importância."

"É muito maior do que os jornais divulgam, Kay. Em Washington, as festas para as quais convidam a gente significam tanto quanto votos. Talvez mais. Quando se trata da inclusão de gente importante na lista de convidados, o nome de Pat Harvey aparece lá no alto, junto com o da primeira-dama. Comenta-se que, na próxima eleição presidencial, Pat Harvey talvez consiga concluir com sucesso o que Geraldine Ferraro começou."

"Uma candidatura a vice-presidente?", perguntei, incrédula.

"É o que dizem as fofocas. Eu duvido, mas se tivermos outro presidente republicano, pessoalmente acredito que ela vai levar pelo menos um ministério. Talvez seja o da Justiça. Desde que segure o rojão, claro."

"Ela vai ter de se esforçar muito para segurar o rojão nessa história toda."

"Problemas pessoais podem arruinar uma carreira", Abby concordou.

"Podem se a gente deixar. Mas, quando a pessoa sobrevive a eles, sai mais forte, mais eficiente."

"Sei disso", ela murmurou, olhando para o copo de vinho. "Tenho quase certeza de que eu nunca teria saído de Richmond se não fosse pelo que aconteceu a Henna."

Pouco depois de eu assumir o cargo de legista-chefe em Richmond, a irmã de Abby, Henna, foi assassinada. A tragédia nos colocou em contato profissionalmente. Abby e eu acabamos nos tornando amigas. Meses depois, ela aceitou uma proposta do *Post*.

"Ainda não é fácil para mim voltar para cá", Abby disse. "Na verdade, esta é a primeira vez, desde que mudei. Passei de carro na frente de minha casa antiga, esta manhã, e fiquei tentada a bater na porta para ver se os ocupantes atuais permitiam minha entrada. Nem sei o motivo. Mas queria entrar lá outra vez, ver se agüentaria subir até o quarto de Henna, para substituir a terrível imagem da última vez por algo inofensivo. Tive a impressão de que não havia ninguém em casa. Acho que foi melhor assim. Duvido muito que tivesse conseguido entrar naquele quarto."

"Quando você estiver pronta, conseguirá", falei, e senti vontade de falar a respeito de estar no quintal naquela noite, depois de tanto tempo incapaz de fazê-lo. Contudo, parecia uma conquista insignificante, e Abby não sabia de nada a respeito de Mark.

"Conversei com o pai de Fred Cheney esta manhã", Abby contou. "Depois fui falar com os Harvey."

"Quando sua reportagem será publicada?"

"Provavelmente apenas no final da semana. Ainda preciso levantar muita coisa. O jornal quer o perfil de Fred e Deborah, e tudo o que for possível descobrir a respeito da investigação — especialmente ligações com os outros quatro casais."

"O que achou dos Harvey quando conversou com eles?"

"Bem, não falei direito com Bob. Assim que cheguei, ele saiu com os filhos. Não tem muita simpatia por repórteres. Tive a impressão de que ser 'o marido de Pat Harvey' o incomoda. Ele nunca dá entrevistas." Ela empurrou o prato com o filé pela metade e acendeu um cigarro. Estava fumando ainda mais. "Estou preocupada com Pat. Envelheceu dez anos em uma semana. A entrevista foi muito estranha. Saí com a impressão de que ela sabia de alguma coisa, de que já formulara uma teoria a respeito do desaparecimento da filha. E isso me deixou mais curiosa. Fiquei achando que ela sofreu ameaças, recebeu um bilhete ou outro tipo de recado do responsável, seja lá quem for. E que se recusa a contar isso a qualquer pessoa, inclusive à polícia."

"Não posso imaginar o que a levaria a agir com tanta insensatez."

"Eu posso", Abby disse. "Acredito que, se houver uma chance de Deborah voltar ilesa para casa, Pat Harvey não vai contar nada nem a Deus."

Levantei-me para tirar a mesa.

"Acho melhor você fazer café", Abby disse. "Não quero dormir no volante."

"Quando pretende ir embora?", perguntei, enchendo a máquina de lavar louça.

"Logo. Ainda preciso passar em vários locais antes de retornar a Washington."

Olhei para ela enquanto enchia o bule de água.

Ela explicou: "O Seven-Eleven onde Deborah e Fred pararam depois que saíram de Richmond...".

"Como sabe disso?", falei, interrompendo-a.

"Consegui a informação com o motorista de caminhão que ficou na área de descanso esperando a autorização para rebocar o jipe. Ele ouviu os policiais mencionando uma nota fiscal encontrada num saco de papel. Deu um trabalho danado, mas consegui identificar qual foi o Seven-Eleven e quem estava no caixa no período em que Deborah e Fred pararam lá. Uma moça chamada Ellen Jordan faz o turno das quatro à meia-noite, de segunda a sexta."

Eu gostava tanto de Abby que me esquecia facilmente de que conquistara inúmeros prêmios de reportagem por bons motivos.

"E o que espera descobrir com a caixa da loja?"

"Em matérias como essa, Kay, a gente procura um bilhete premiado. Não sei as respostas. Na verdade, até começar a procurar nem sei as perguntas."

"Não creio que seja prudente ir lá tarde da noite, sozinha, Abby."

"Se você quiser me fazer companhia", ela disse, rindo, "eu adoraria."

"Não acho uma boa idéia."

"Imagino que tenha razão", ela disse.

De qualquer modo, eu já tinha tomado a decisão de ir com ela.

4

A placa iluminada era visível a setecentos metros de distância do acesso, um "7-Eleven" a brilhar na escuridão. A mensagem em vermelho e verde se tornara sem sentido, perdera o significado inicial, pois todos os 7-Eleven que eu conhecia não abriam das sete às onze, e sim vinte e quatro horas por dia. Até podia ouvir meu pai dizendo:

"Seu avô saiu de Verona para *isso*?"

Era seu comentário favorito ao ler o jornal de manhã, balançando a cabeça em sinal de desaprovação. Era o que dizia quando alguém com sotaque da Geórgia nos tratava como se não fôssemos "norte-americanos de verdade". Era o que resmungava quando ouvia histórias a respeito de desonestidade, "droga" e divórcio. Quando eu era criança, em Miami, ele tinha uma quitanda. Todas as noites, durante o jantar, contava seu dia e indagava a respeito do nosso. Sua presença em minha vida não durou muito. Ele morreu quando eu tinha doze anos. Tenho certeza de que ele sentiria desprezo por lojas de conveniência se ainda estivesse entre nós. Noites, domingos e feriados não deviam ser desperdiçados trabalhando atrás do balcão, ou comendo um *burrito* na beira da estrada. Eram momentos reservados à família.

Abby olhou novamente pelo retrovisor ao pegar o acesso. Cem metros adiante ela entrou no estacionamento do 7-Eleven, e pude notar que estava aliviada. Além de um Volkswagen estacionado na frente das portas de vidro, seríamos as únicas na loja.

"A área está livre até agora", ela observou, desligando o motor. "Não passamos por um carro de polícia sequer, chapa fria ou não, nos últimos trinta quilômetros."

"Pelo menos não que você tenha notado", falei.

Havia neblina, não se via uma única estrela no céu. O ar estava abafado, úmido. Um rapaz, carregando uma dúzia de latas de cerveja, passou por nós enquanto entrávamos no frescor do ar condicionado de uma das instituições preferidas dos norte-americanos, onde videogames piscavam suas luzes brilhantes, num canto, e uma moça fazia a reposição de cigarros atrás do balcão. Ela não aparentava mais de dezoito anos. O cabelo loiro oxigenado parecia uma aura crespa dourada em volta da cabeça. Esguia, usava túnica laranja e branca e, quando se virou para perguntar o que queríamos, assustei-me com a dureza de sua face. Como se tivesse pulado do velocípede direto para uma Harley-Davidson.

"Ellen Jordan?", Abby perguntou.

A moça do caixa ficou surpresa e depois desconfiada. "Quem quer saber?"

"Abby Turnbull." Abby estendeu a mão de modo muito profissional. Ellen Jordan a apertou, sem firmeza. "De Washington", Abby acrescentou. "Do *Post*."

"Que *Post*?"

"Do *Washington Post*", Abby explicou.

"Sei." Instantaneamente, ela ficou entediada. "Já temos. Bem ali." E apontou para a banca de jornais, perto da porta.

Houve uma pausa constrangedora.

"Sou *repórter* do *Washington Post*", Abby explicou.

Os olhos de Ellen se iluminaram. "Tá brincando!"

"Não, é sério. Gostaria de lhe fazer algumas perguntas."

"Quer dizer, para uma reportagem?"

"Sim. Estou fazendo uma reportagem, Ellen. E preciso muito de sua ajuda."

"O que deseja saber?" Ela se debruçou sobre o balcão. O rosto sério refletia sua súbita importância.

"É a respeito das pessoas que passaram aqui na sexta-feira, faz uma semana. Um rapaz e uma moça. Mais ou menos da sua idade. Eles entraram pouco depois das nove da noite, compraram uma embalagem com seis Pepsi e algumas outras coisas."

"Ah! O casal desaparecido", ela disse, mais animada. "Sabe, eu nunca deveria ter dito a eles para irem até a área de descanso. Mas, uma das primeiras coisas que eles dizem para quem vem trabalhar aqui é nunca deixar ninguém usar o banheiro. Pessoalmente, eu não me importo. Por mim, eu deixaria aquela moça que chegou com o namorado ir lá. Eu entendia o problema dela. Sabe como é, né?"

"Claro que sei", Abby disse, solidária.

"Foi meio constrangedor", Ellen prosseguiu, "quando ela comprou o Tampax e pediu educadamente para usar o banheiro. O namorado estava parado ali, do lado. Bom, agora eu gostaria de ter deixado."

"Como sabia que era o namorado?", Abby perguntou.

Por um momento, Ellen pareceu confusa. "Bom, eu calculei que fosse. Eles entraram e ficaram juntos, olhando as coisas. Deram a impressão de que gostavam um do outro. Bastante. Você sabe como é, como eles agem. A gente percebe, se prestar atenção. Passo muitas horas aqui sozinha. Acho que aprendi a observar as pessoas. Casados são diferentes. Vêm aqui aos montes, vivem viajando de um lado para outro. Deixam os filhos no carro e entram. Em geral, estão cansados e não se entendem direito. Os dois eram diferentes. Dava para ver que gostavam um do outro."

"Eles disseram mais alguma coisa a você, além de que queriam usar o banheiro?"

"Conversamos um pouco, quando eu estava passando as compras", Ellen respondeu. "Nada de especial. Tipo que noite legal, para onde vocês vão, essas coisas."

"Eles disseram a você?", Abby perguntou, anotando tudo.

"O quê?"

Abby ergueu a cabeça. "Eles disseram para onde iam?"

"Disseram que iam para a praia. Lembro bem, pois falei que tinham sorte. Todo mundo vai para algum lugar legal, só eu fico presa aqui. Além disso, briguei com meu namorado. Ele estava me enchendo, sabe?"

"Compreendo", Abby disse, sorrindo cordialmente. "Fale mais a respeito do modo como eles se comportavam, Ellen. Alguma coisa chamou sua atenção?"

Ela refletiu um pouco, depois disse: "Eram muito legais, mas estavam com pressa. Acho que ela precisava ir ao banheiro rápido. Eram muito educados. Sabe, as pessoas chegam e querem usar o banheiro e ficam bravas quando a gente não deixa".

"Você mencionou ter indicado a área de descanso", Abby falou. "Lembra-se exatamente do que disse a eles?"

"Claro. Falei que havia uma área de descanso não muito longe daqui. Era só voltar pela Sessenta e Quatro, rumo leste" — ela apontou — "e logo a encontrariam, em cinco ou dez minutos. Seria fácil achar o local."

"Havia mais gente aqui quando você falou isso?"

"Tem sempre alguém entrando ou saindo. Muita gente viaja." Ela ficou pensativa, por um instante. "Sei que um garoto estava jogando Pac Man, no fundo. Um que vem sempre aqui."

"Mais alguém, perto do caixa, junto com o casal?", Abby quis saber.

"Um homem. Ele entrou logo depois do casal. Estava olhando as revistas e depois pediu um café."

"Isso aconteceu enquanto você conversava com o casal?", Abby insistia nos detalhes, incansável.

"Foi. Eu me lembro que ele era legal. Falou para o rapaz que o jipe era bacana. O casal estava num jipe vermelho. Um desses novos. Estava parado bem na frente da porta."

"E o que aconteceu depois?"

Ellen sentou-se na banqueta do caixa. "Bem, acho que foi só isso. Chegaram outros fregueses. O cara que tomou café foi embora. Cinco minutos depois, o casal também saiu."

"E o sujeito do café? Ele continuava perto do caixa, quando você sugeriu a área de descanso ao casal?" Abby estava muito interessada.

Ela franziu a testa. "É difícil lembrar. Acho que ficou olhando as revistas enquanto eu conversava. A moça andou pela loja, procurando umas coisas, e voltou para o caixa na hora em que o cara estava pagando o café."

"Você disse que o casal saiu cinco minutos depois do homem", Abby prosseguiu. "O que ficaram fazendo?"

"Bem, ficaram um pouco no caixa", ela respondeu. "A moça pegou uma embalagem com seis cervejas Coor, sabe, e tive de pedir o documento dela. Vi que tinha menos de vinte e um e falei que não podia vender cerveja. Ela não ficou brava, até riu. Nós todos rimos. Não ligo para isso, eu mesma costumava tentar. No fim, ela acabou comprando a Pepsi. E aí foram embora."

"Pode descrever o sujeito que tomou café?"

"Não muito bem."

"Branco ou preto?"

"Branco. Acho que era moreno. Cabelo preto, talvez castanho. Vinte e tantos anos. Ou uns trinta."

"Alto, baixo, gordo, magro?"

Ellen olhou para o interior da loja. "Altura média, acho. Forte, mas não muito musculoso."

"Barba ou bigode?"

"Não... creio que não. Espere um pouco." Seu rosto se iluminou. "Usava cabelo curto. Isso! Na verdade, passou pela minha cabeça que ele devia ser militar. Sabe, vêm muitos militares aqui quando estão a caminho de Tidewater."

"O que mais a levou a pensar que ele fosse militar?", Abby perguntou.

"Sei lá. Acho que foi o jeito dele. É difícil explicar, mas quando a gente vê muito soldado, acaba reconhecendo o tipo. Eles têm um jeito próprio. Tatuagens, por exemplo. Muitos usam tatuagens."

"Esse homem tinha tatuagem?"

Ela franziu o cenho, desapontada. "Não notei."

"E quanto às roupas dele?"

"Não sei..."

"Terno e gravata?", Abby perguntou.

"Não, nada de terno e gravata. Nem roupa social. Mais para jeans, ou calça escura. Acho que estava de jaqueta com zíper... não tenho certeza."

"Lembra-se do carro dele, por acaso?"

"Não", ela disse com segurança. "Não cheguei a ver o carro dele. Deve ter estacionado do lado."

"Você contou tudo isso para a polícia quando eles vieram aqui, Ellen?"

"Claro." Ela estava olhando para o estacionamento em frente. Uma perua acabava de estacionar. "Falei tudo que disse a você. Mas não falei as coisas que só me lembrei depois."

Quando os dois adolescentes entraram e seguiram direto para os videogames, sua atenção se voltou para nós novamente. Percebi que ela não tinha mais nada a dizer e que começava a temer ter falado demais.

Evidentemente, Abby notara isso também. "Obrigada, Ellen", ela disse, afastando-se do caixa. "A reportagem vai sair no sábado ou no domingo. Fique de olho."

Em seguida, saímos.

"Hora de dar o fora, antes que ela comece a gritar que a conversa inteira foi em off."

"Duvido que ela ao menos conheça o termo", falei.

"O que me surpreende", Abby disse, "é que a polícia não tenha dito a ela para ficar de boca fechada."

"Talvez tenham dito, mas ela não resistiu à tentação de ver seu nome no jornal."

A área de descanso na I-64 para onde a moça do caixa mandou Deborah e Fred estava completamente deserta quando entramos.

Abby estacionou na frente, perto de algumas máquinas de vender jornal, e por vários minutos permanecemos em silêncio. Um arbusto de azevinho, bem à nossa frente, ganhara tons prateados à luz dos faróis do carro. As luzes eram manchas esbranquiçadas na neblina. Não teria coragem de descer para usar o banheiro se estivesse sozinha.

"De arrepiar", Abby comentou em voz baixa. "Meu Deus. Será que é sempre assim deserto, nas terças-feiras à noite, ou o noticiário afugentou as pessoas?"

"As duas coisas, provavelmente", respondi. "Mas pode apostar que o local não estava deserto na sexta, quando Deborah e Fred chegaram."

"Eles podem ter parado bem aqui onde estamos", ela brincou. "Provavelmente, o lugar estava cheio de gente. O feriado do Dia do Trabalho estava começando. Se eles encontraram alguém com más intenções por aqui, então era um sujeito muito descarado."

"Se havia muita gente", ponderei, "então havia muitos carros."

"Como assim?", ela indagou.

"Presumindo que Deborah e Fred encontraram o sujeito aqui e que, por algum motivo, deixaram que entrasse no jipe, o que aconteceu com o carro dele? Ou será que ele chegou a pé?"

"Pouco provável", ela disse.

"Se ele estava de carro", prossegui, "e o estacionou aqui, dependia de muito movimento para não atrair a atenção."

"Entendo aonde você quer chegar. Se o carro dele fosse o único estacionado e permanecesse aqui por várias horas, tarde da noite, seria provável que um policial rodoviário o avistasse e resolvesse checar."

"Trata-se de um risco enorme, para quem está cometendo um crime", acrescentei.

Ela ficou pensativa por um momento. "Sabe, o que me incomoda é que a situação toda é aleatória e não é aleatória. Deborah e Fred pararam na área de descanso por acaso. Se encontraram alguém aqui, ou mesmo dentro do Seven-Eleven, como o sujeito do café, isso parece aleatório. Contudo, também há premeditação. Planejamento. Se alguém os seqüestrou, tenho a impressão de que sabia o que estava fazendo."

Não respondi.

Estava pensando no que Wesley havia dito. Uma ligação com a política. Ou um maníaco que esperava o momento propício. Supondo que o casal não havia sumido por vontade própria, eu não via outra possibilidade que não fosse um desfecho trágico.

Abby engatou a marcha no carro.

Só quando estávamos na Interestadual, depois de acionar o controle de velocidade, ela resolveu falar novamente. "Acha que eles estão mortos, não é?"

"Está pedindo uma entrevista?"

"Não, Kay. Não estou querendo entrevistá-la. Quer saber a verdade? No momento, não estou dando a mínima para esta matéria. Só queria saber o que anda acontecendo."

"Por quê? Está preocupada com sua segurança?"

"E você não estaria?"

"Sim. Se pensasse que alguém grampeou meu telefone e estava me seguindo, eu ficaria muito preocupada, Abby. E, por falar em preocupação, já é tarde. Você está exausta. Seria ridículo voltar para Washington dirigindo agora à noite."

Ela olhou para mim.

"Em minha casa tem espaço de sobra. Você pode sair de manhã bem cedo."

"Só se você tiver uma escova de dentes extra e uma camisola para dormir. E se não se importar se eu atacar o bar."

Encostei no banco, semicerrei os olhos e murmurei: "Pode encher a cara, se quiser. A bem da verdade, talvez eu lhe faça companhia".

Quando entramos em casa, à meia-noite, o telefone começou a tocar. Atendi, antes que a secretária eletrônica fosse acionada.

"Kay?"

Não reconheci a voz de imediato, pois não esperava ouvi-la. Mas logo meu coração disparou.

"Oi, Mark", falei.

"Lamento estar ligando tão tarde..."

Não pude evitar a tensão na voz ao responder: "Tenho companhia. Aposto que se lembra de eu ter mencionado minha amiga Abby Turnbull, do *Post*. Ela vai passar a noite aqui. Estivemos batendo um longo papo, pondo a conversa em dia".

Mark não respondeu. Após uma pausa, disse: "Talvez seja melhor você me ligar quando puder".

Quando desliguei, Abby me encarava, espantada com minha indisfarçável perturbação.

"Puxa vida! Quem era o cara, Kay?"

Nos primeiros meses que passei em Georgetown fui tão absorvida pelo curso de direito e pelo sentimento de alienação que me mantive sozinha, afastada de todos. Já era médica, uma italiana de classe média de Miami com pouca familiaridade com as coisas mais sofisticadas da vida. De repente, fui atirada no meio dos inteligentes e bonitos. Embora não me envergonhasse de minha origem, eu me sentia muito comum, em termos sociais.

Mark James era um dos privilegiados. Um rapaz alto, gracioso, seguro e discreto. Notei-o muito antes de saber seu nome. Encontramo-nos pela primeira vez na biblioteca de direito, entre as estantes de livros mal iluminadas, e jamais me esquecerei do verde intenso de seus olhos quando começamos a discutir uma ação de perdas e danos qualquer. Acabamos tomando café num bar e conversando até de madrugada. Depois disso, passamos a nos ver diariamente, ou quase.

Durante um ano praticamente não dormimos, pois, mesmo quando estávamos deitados, fazer amor deixava pouco tempo para o sono. Por mais tempo que passássemos juntos, parecia que nunca era suficiente. Eu tive certeza, tipica e tolamente, de que ficaríamos juntos para sempre. Recusei-me a aceitar o desgaste que no segundo ano lançou uma sombra sobre a relação. Quando me formei, usando aliança de noivado com outro, já estava convencida de que superara o rompimento com Mark. Até ele reaparecer misteriosamente, algum tempo atrás.

"Talvez Tony fosse seu porto seguro", Abby ponderou, referindo-se ao meu ex-marido, enquanto bebíamos conhaque na cozinha de casa.

"Tony era conveniente", retruquei. "Ou pelo menos dava essa impressão, no início."

"Faz sentido. Já agi assim, em minha vida amorosa desastrada." Ela estendeu o braço para apanhar o copo. "Tenho envolvimentos passionais. Poucos, que não duram muito. Quando acabam, sinto-me como se fosse um soldado mutilado voltando para casa de muletas. Acabo nos braços do primeiro sujeito que promete tomar conta de mim."

"Como nos contos de fadas."

"Como nas histórias dos irmãos Grimm", ela concordou, amarga. "Eles dizem que vão tomar conta da gente, mas querem dizer, na verdade, que precisam de alguém para fazer o jantar e lavar as cuecas deles."

"Você acaba de descrever Tony, em todos os detalhes", falei.

"O que aconteceu com ele?"

"Não costumo falar muito com Tony, acho que nem sei direito."

"As pessoas deveriam pelo menos continuar amigas."

"Ele não quer ser meu amigo", falei.

"Ainda pensa nele?"

"A gente não consegue viver junto com alguém durante seis anos e parar de pensar nele. Isso não quer dizer, porém, que sinto falta de Tony. No entanto, um lado meu sempre se preocupa com ele, torce para que seja feliz."

"Estava apaixonada por ele quando se casaram?"

"Eu achava que sim."

"Talvez estivesse", Abby disse. "Parece, porém, que você nunca deixou de amar Mark."

Enchi os copos outra vez. O dia seguinte seria terrível, para nós duas.

"É incrível que vocês tenham se reencontrado, tantos anos depois", ela prosseguiu. "E, apesar de tudo que aconteceu, acredito que Mark tampouco deixou de amá-la."

Quando Mark entrou novamente em minha vida, foi como se tivéssemos morado em países diferentes durante o período em que perdemos contato. As linguagens de nossos passados eram indecifráveis para o outro. Comunicávamo-nos abertamente apenas no escuro. Ele me contou que se casara e que a mulher e o filho tinham morrido num acidente de carro. Depois, descobri que abandonara o direito e entrara para o FBI. Quando estávamos juntos, vivíamos eufóricos. Passei os dias mais felizes de minha vida, desde aquele primeiro ano em Georgetown. Claro, não durou. A história tem o péssimo hábito de se repetir.

"Imagino que não tenha sido culpa dele a transferência para Denver", Abby disse.

"Ele fez uma escolha", falei. "Assim como eu."

"Você não quis acompanhá-lo?"

"Fui o motivo para o pedido de transferência, Abby. Ele queria se afastar de mim."

"E mudou para o outro extremo do país? Não acha meio radical?"

"Quando as pessoas ficam com raiva, tomam atitudes radicais. Cometem erros enormes."

"E ele provavelmente é teimoso demais para admitir que cometeu um erro", ela disse.

"Ele é teimoso. Eu sou teimosa. Nenhum de nós se destacou na vida pela diplomacia. Tenho minha carreira, ele tem a dele. Ele estava em Quantico, eu estava aqui. Isso nos cansou logo, e eu não pretendia mudar de Richmond. Ele não pretendia mudar para Richmond. Aí ele começou a pensar em voltar para as missões externas, pedir transferência para algum lugar ou assumir um posto na central, em Washington. Chegamos a um ponto em que praticamente só discutíamos." Parei, esforçando-me para explicar o que nunca seria possível esclarecer. "Talvez eu seja muito rígida."

"Você não pode viver com alguém e continuar levando a vida que sempre levou, Kay."

Quantas vezes Mark e eu havíamos dito isso um para o outro? Chegamos ao ponto em que raramente falávamos algo que não fosse esse tema.

"Manter a autonomia vale o preço que você está pagando? Que vocês dois estão pagando?"

Havia momentos em que eu não tinha certeza, mas não disse isso a Abby.

Ela acendeu um cigarro e pegou a garrafa de conhaque.

"Vocês tentaram terapia de casal?"

"Não."

Minha resposta não foi totalmente verdadeira. Mark e eu nunca fizemos terapia de casal, mas eu procurei ajuda por minha conta, e ele continuava a consultar um psiquiatra, embora raramente.

"Ele conhece Benton Wesley?", Abby perguntou.

"Claro. Benton treinou Mark na Academia, muito antes de minha mudança para a Virgínia", respondi. "Eles são grandes amigos."

"O que Mark foi fazer em Denver?"

"Não tenho a menor idéia. Uma missão secreta."

"Ele sabe a respeito dos casos? Dos casais?"

"Presumo que sim." Após uma pausa, perguntei: "Por quê?".

"Sei lá. Se eu fosse você, tomaria cuidado ao conversar com Mark."

"Nos últimos meses, esta foi a primeira vez que ele ligou. É óbvio que conto muito pouca coisa a ele."

Ela se levantou, e eu a acompanhei até o quarto.

Emprestei-lhe uma camisola e mostrei-lhe o banheiro. Ela insistia no assunto, e o efeito do conhaque era perceptível: "Mark vai telefonar de novo. Ou você ligará para ele. Tome cuidado".

"Não pretendo telefonar para ele", falei.

"Então você é tão ruim quanto ele", ela disse. "Os dois são cabeças-duras e inflexíveis para danar. É isso aí. Goste ou não goste, é como eu vejo a situação."

"Preciso chegar ao trabalho às oito", falei. "Acordarei você às sete."

Ela me deu um abraço e um beijo de boa-noite no rosto.

No fim de semana seguinte saí de casa cedo e comprei o *Post*. Não achei a reportagem de Abby. Não saiu na semana seguinte nem na outra. Achei esquisito. Será que Abby estava bem? Por que não me havia procurado nem uma vez, desde que fora embora de Richmond?

No final de outubro, telefonei para a redação do *Post*.

"Lamento", disse uma voz masculina. "Abby está de licença. Só voltará em agosto."

"Ela ainda mora em Washington?", perguntei, atônita.

"Não tenho a menor idéia."

Desliguei e procurei o número da casa dela em meu caderno de endereços. A secretária eletrônica atendeu. Abby não ligou de volta, embora eu tivesse tentado várias vezes, nas semanas seguintes. Só pouco antes do Natal comecei a me dar conta do que estava acontecendo. Na segunda-feira, 6 de janeiro, voltei para casa e encontrei uma carta na caixa de correio. Não havia endereço do remetente, mas a caligrafia era inconfundível. Abrindo o envelope, deparei com uma folha de papel amarelo com os dizeres: "Para seu conhecimento. Mark". E um artigo curto recortado de uma edição recente do *New York Times*. Abby Turnbull, li incrédula, havia assinado um contrato para escrever um livro sobre o desaparecimento de Fred Cheney e Deborah Harvey, destacando as "assustadoras semelhanças" com os casos de outros casais na Virgínia que sumiram e depois foram encontrados mortos.

Abby me alertara em relação a Mark, e agora ele me alertava em relação a ela. Ou haveria alguma outra razão para me enviar o artigo?

Fiquei sentada na cozinha por algum tempo, tentada a deixar uma mensagem indignada na secretária eletrônica de Abby ou a ligar para Mark. Finalmente, decidi telefonar para Anna, minha psiquiatra.

"Você se sente traída?", ela perguntou, quando expliquei a situação.

"Para dizer o mínimo, Anna."

"Você sabia que Abby estava escrevendo uma reportagem para o jornal. Escrever um livro é muito pior?"

"Ela nunca me contou que estava escrevendo um livro", falei.

"Você se sente traída, mas isso não quer dizer que tenha sido realmente traída", Anna disse. "Essa é a sua percepção no momento, Kay. Você precisa esperar para ver o que acontece. Quanto ao motivo para Mark enviar o artigo, você também precisará ter um pouco de paciência. Talvez seja o modo que ele encontrou de se aproximar."

"Estou pensando em contratar um advogado", falei. "Ver se é possível fazer alguma coisa para me proteger. Não faço idéia do que Abby pode escrever no tal livro."

"Creio que seria mais sábio levar em conta as palavras dela", Anna aconselhou. "Ela disse que a conversa de vocês era em off. Ela já traiu você alguma vez?"

"Não."

"Então sugiro que lhe dê uma chance. Uma oportunidade de se explicar. Além disso", ela acrescentou, "não sei bem que tipo de livro ela conseguiria escrever. Não houve prisões, ninguém sabe direito o que aconteceu com o casal. Eles nem ainda foram encontrados."

Eu me daria conta da amarga ironia daquele comentário exatamente duas semanas depois, no dia 20 de janeiro, quando eu estava na Assembléia estadual, esperando para ver o que ia acontecer quando a lei autorizando o Departamento de Medicina Legal a criar um banco de dados com base em DNA fosse votada pelos deputados.

Estava voltando da lanchonete com uma xícara de café na mão quando vi Pat Harvey, elegante em seu conjunto de lã azul e uma pasta de couro preto debaixo do braço. Ela falava com alguns deputados, no saguão, e ao olhar para onde eu estava imediatamente pediu licença e se aproximou.

"Doutora Scarpetta", disse, estendendo a mão. Parecia aliviada por me ver, embora cansada, estressada.

Fiquei pensando no motivo que a teria tirado de Washington, e ao falar ela respondeu a minha pergunta. "Pediram meu apoio para tentar a aprovação da Lei Um-Trinta", ela disse, sorrindo nervosa. "Imagino, portanto, que tenha sido o mesmo motivo que hoje trouxe nós duas até aqui."

"Obrigada. Precisamos de todo o apoio possível."

"Acho que não precisa se preocupar", ela retrucou.

Provavelmente, tinha razão. A manifestação da diretora do programa nacional de combate ao tráfico e a inevitável publicidade pressionariam os membros do Comitê de Justiça.

Após um silêncio constrangido, durante o qual nós duas ficamos olhando para as pessoas que passavam, perguntei em voz baixa: "A senhora está bem?".

Por um instante, seus olhos marejaram. Mas ela forçou outro sorriso rápido, nervoso, e olhou para o saguão. "Com licença, por favor. Preciso falar com uma pessoa."

Apenas Pat Harvey se afastou um pouco e meu pager tocou.

Um minuto depois, eu estava falando ao telefone.

"Marino está a caminho", minha secretária explicou.

"Eu também", falei. "Pegue meu material para a cena do crime, Rose. Veja primeiro se está tudo em ordem. Lanterna, câmera, baterias, luvas."

"Pode deixar."

Amaldiçoando os saltos altos e a chuva, desci a escada correndo e segui pela Governor Street. O vento puxava meu guarda-chuva, e me lembrei dos olhos da sra. Harvey, no instante em que traíram sua dor. Graças a Deus ela não estava por perto quando o pager emitiu o alerta macabro.

5

Percebia-se o odor à distância. Grossas gotas de chuva caíam com estrépito sobre as folhas mortas. Céu escuro, como ao entardecer. Árvores despidas pelo inverno apontavam e sumiam na neblina.

"Meu Deus", Marino resmungou, subindo num tronco caído. "Devem estar podres. Não conheço cheiro pior do que este. Sempre me lembra caranguejo."

"Vai piorar", prometeu Jay Morrell, que seguia à frente.

Os pés afundavam no barro preto, e sempre que Marino esbarrava num galho eu recebia uma descarga de água gelada. Felizmente, tinha um capote Goretex com capuz e botas de borracha pesadas no porta-malas do carro, para ocasiões como aquela. No entanto, não conseguira encontrar a luva grossa de couro, e era impossível varar o mato, mantendo os galhos afastados do rosto, com as mãos no bolso.

Avisaram-me que dois corpos haviam sido localizados, talvez um homem e uma mulher. Estavam a menos de seis quilômetros da área de descanso onde o jipe de Deborah Harvey fora abandonado no outono anterior.

Você não sabe se são eles, repetia mentalmente, a cada passada.

Contudo, quando chegamos à beira da cena, senti um aperto no coração. Benton Wesley conversava com o policial que operava o detector de metais, e Wesley não teria sido chamado se a polícia não tivesse certeza. Ali parado, com sua postura militar ereta, transmitia a confiança calma de um comandante. Nem o tempo ruim nem o cheiro de carne humana em decomposição pareciam incomodá-lo. Ele não olhava em torno, não tentava inteirar-se dos detalhes, como Marino e eu. Sabia a razão. Wesley já havia examinado o local. Já estava ali havia muito tempo quando fui chamada.

Os corpos estavam um ao lado do outro, deitados de bruços numa pequena clareira, a cerca de quinhentos metros da estradinha vicinal enlameada onde estacionamos os carros. A decomposição adiantada quase os reduzira a esqueletos. Os ossos longos dos braços e das pernas projetavam-se como cabos sujos cinzentos das roupas podres cobertas de folhas. Os crânios estavam separados dos corpos, haviam sido movidos ou rolados meio metro, provavelmente por pequenos predadores.

"Encontrou os sapatos e as meias?", perguntei, pois não os via.

"Não, senhora. Mas achamos uma bolsa." Morrell apontou para o corpo da direita. "Com quarenta e quatro dólares e vinte e seis centavos dentro. E uma carteira de motorista. A carteira de motorista de Deborah Harvey." Ele apontou novamente, acrescentando: "Calculamos que o corpo à esquerda seja de Cheney".

A fita amarela que cercava o local brilhava molhada contra a casca escura das árvores. Gravetos estalavam sob os pés dos homens que iam de um lado a outro, misturando suas vozes ao incompreensível balbuciar da chuva mórbida, insistente. Abri a maleta médica para pegar a luva cirúrgica e a máquina fotográfica.

Observei os corpos à minha frente, quase sem carne, contraídos. Por algum tempo, não me movi. A determinação do sexo e da raça de um corpo praticamente reduzido ao esqueleto nem sempre pode ser feita à primeira vista. Não poderia afirmar nada antes de examinar a pelve, que estava oculta pela calça jeans, azul-escura ou preta. Contudo, com base nas características do corpo à minha direita — ossos miúdos, crânio pequeno com apófises mastóides reduzidas, supercílios pouco proeminentes e mechas de cabelo loiro grudadas no tecido podre — tudo levava a crer que se tratava de uma mulher branca. O tamanho do companheiro, a robustez dos ossos, supercílios proeminentes, crânio avantajado e face reta indicavam um homem branco.

Em relação ao que havia acontecido ao casal, pouco eu poderia dizer. Não havia marcas de estrangulamento. Não vi fraturas óbvias nem orifícios que pudessem indicar golpes ou tiros. Homem e mulher estavam calmamente unidos na morte, os ossos do braço esquerdo da moça sob o braço direito do rapaz, como se ela o segurasse no final. As órbitas vazias fitavam a chuva que batia no crânio.

Apenas quando me aproximei para ajoelhar notei um trecho de terra escura, quase imperceptível de tão estreita, dos dois lados dos corpos. Se tivessem morrido na época do Dia do Trabalho, as folhas do outono ainda não teriam caído. O solo debaixo deles estaria relativamente limpo. Não gostei do que me passou pela cabeça. Já era suficientemente ruim a polícia andando por ali há horas. Droga. Mover ou alterar um corpo antes da chegada do médico-legista é um pecado capital, e qualquer policial sabia disso.

"Doutora Scarpetta?", Morrell falou, acima de mim, com seu hálito enfumaçado. "Eu estava falando com Phillips." Ele olhou na direção de um grupo de policiais que vasculhava o mato, a sete metros de distância. "Ele achou um relógio e um brinco, além de moedas, em locais próximos aos corpos. Curiosamente, o detector de metais continuou tocando. Quando estava bem em cima dos corpos, apitou. Pode ser um zíper ou algo assim. Talvez fechos metálicos, ou o botão da calça jeans. Achei melhor avisar a senhora."

Olhei para cima, vendo um rosto magro, sério. Ele tremia, apesar da parka.

"Conte o que vocês fizeram com os corpos, além de passar o detector de metal por cima deles, Morrell. Notei que foram movidos. Preciso saber se estavam exatamente nesta posição quando foram encontrados hoje de manhã."

"Não sei o que houve quando os caçadores os encontraram, embora eles tenham declarado que não se aproximaram", ele disse, desviando os olhos para a mata. "De todo modo, doutora, estavam assim quando chegamos aqui. Só procuramos objetos pessoais, nos bolsos e na bolsa dela."

"Presumo que tenham fotografado tudo, antes de tocar nos corpos", falei, sem alterar a voz.

"Começamos a fotografar assim que chegamos."

Com uma lanterna pequena, iniciei a ingrata tarefa de procurar provas residuais. Quando os corpos ficam expostos aos elementos por vários meses, a chance de encontrar cabelos, fibras ou outros materiais significativos é praticamente nula. Morrell observou em silêncio, constrangido, mudando o pé de apoio de vez em quando.

"Descobriram alguma coisa durante a investigação que possa ser relevante? Presumindo que eles sejam Deborah Harvey e Fred Cheney?", perguntei, pois não havia conversado por telefone nem encontrado Morrell desde quando acharam o jipe de Deborah.

"Nada, a não ser uma possível ligação com drogas", ele disse. "Soubemos que o colega de quarto de Cheney, na Carolina, usava cocaína. Talvez Cheney também gostasse da droga. Essa é uma das hipóteses que estamos verificando. Talvez ele e a menina tenham ido ao encontro de algum traficante e acabaram aqui."

Aquilo não fazia o menor sentido.

"Por que Cheney deixaria o jipe na área de descanso e sairia com um traficante de drogas, levando Deborah junto, e viria até aqui?", perguntei. "Por que não comprar a droga na área de descanso e seguir viagem?"

"Talvez tenham vindo até aqui para fazer uma farra."

"Quem, em seu juízo perfeito, viria até aqui depois do escurecer, fosse para fazer farra ou por qualquer outro motivo? E onde estão os sapatos deles, Morrell? Está sugerindo que eles saíram andando pelo mato descalços?"

"Não sabemos o que houve com os sapatos", ele disse.

"Isso é muito interessante. Até agora, cinco casais foram encontrados mortos, e não sabemos o que aconteceu com os sapatos. Não achamos nem um pé de sapato ou de meia. Não acha isso meio esquisito?"

"Sim, doutora. Acho muito estranho", ele disse, abraçando-se para esquentar o corpo. "No momento, porém, preciso cuidar deste caso sem levar em conta os outros casais. E só o que temos no momento é uma possível ligação com drogas. Poderia prejudicar a investigação e não ver o óbvio, se me deixasse levar por essa história de serial killer ou pela importância da mãe da moça."

"Sem dúvida, eu não gostaria que você deixasse de ver o óbvio."

Ele ficou quieto.

"Achou algum indício de drogas dentro do jipe?"

"Não. Aqui também não havia nada que indicasse a possibilidade de uso de drogas. Mas ainda precisamos checar um bocado de terreno coberto de folhas."

"O tempo está péssimo. Não sei se é uma boa idéia começar a peneirar a terra." Minha voz soava impaciente, irritada. Estava furiosa com ele. Furiosa com a polícia em geral. A água escorria pelo meu casaco. Meus joelhos doíam. Começava a perder a sensibilidade nas mãos e nos pés. O fedor era insuportável e o barulho da chuva incessante me dava nos nervos.

"Ainda não começamos a cavar nem a usar as peneiras. Acho melhor esperar um pouco. Não dá para ver quase nada. Até agora, só usamos o detector de metais e a visão."

"Bem, quanto mais gente houver andando por aqui, maior é o risco de contaminar a cena. Ossos pequenos, dentes, pequenos objetos, tudo isso pode ser pisoteado e sumir na lama." Eles já haviam passado horas ali. Provavelmente, já era tarde demais para preservar a cena.

"Então, vai querer levar os corpos hoje ou esperar até que o tempo abra?", ele perguntou.

Em circunstâncias normais, eu teria esperado até que a chuva cessasse e houvesse mais luz. Quando os cadáveres passam meses no mato, cobri-los com plástico e deixá-los no local por mais alguns dias não faz muita diferença. No entanto, quando Marino e eu estacionamos na estradinha vicinal, já havia várias peruas das equipes do noticiário da televisão esperando. Vimos repórteres dentro dos carros e outros que enfrentaram a chuva, na tentativa de extrair informações dos policiais de sentinela. As circunstâncias não eram nem um pouco normais. Embora não tivesse direito de dar ordens a Morrell, a lei me dava autoridade absoluta sobre os cadáveres.

"Há macas e sacos no porta-malas do meu carro", falei, entregando-lhe a chave. "Peça a alguém para pegá-los. Vamos levar os corpos para o necrotério."

"Pode deixar. Vou providenciar tudo."

"Obrigada." Benton Wesley agachou-se a meu lado.

"Como soube?", perguntei. A questão era ambígua, mas ele entendeu o que eu queria dizer.

"Morrell ligou para mim, em Quantico. Vim direto para cá." Ele estudou os corpos, e seu rosto angular quase parecia sinistro, oculto pela sombra do capuz. "Algum indício que possa sugerir o que aconteceu?"

"No momento, posso afirmar apenas que os crânios não apresentam fraturas e que eles não levaram tiros na cabeça."

Ele não respondeu, e seu silêncio só fez aumentar minha tensão.

Comecei a desdobrar os lençóis quando Marino se aproximou, com as mãos enterradas nos bolsos e os ombros recurvados para se proteger da chuva e do frio.

"Vai pegar uma pneumonia", Wesley comentou, levantando-se. "A polícia de Richmond é mesquinha demais para fornecer chapéus a vocês?"

"Uma merda", Marino disse. "A gente dá graças a Deus quando consegue gasolina para o carro e uma arma. Os malandros de Spring Street recebem um tratamento melhor do que o nosso."

Spring Street era a penitenciária estadual. A bem da verdade, o estado gastava anualmente mais dinheiro para sustentar alguns detentos do que em salários aos policiais que os tiravam das ruas. Marino adorava reclamar disso.

"Vejo que a polícia local resolveu avisá-lo em Quantico. Você deu sorte hoje", Marino disse.

"Eles me avisaram que haviam encontrado algo. Perguntei se você já tinha sido chamado."

"Bem, eles teriam de fazer isso, mais cedo ou mais tarde."

"Entendo. Morrell me disse que ainda não preencheu o formulário para o VICAP. Talvez possa dar uma mãozinha a ele."

Marino olhou para os corpos, movendo o maxilar.

"Precisamos pôr tudo isso no computador", Wesley prosseguiu, enquanto a chuva continuava a encharcar a terra.

Deixei de prestar atenção à conversa deles e estendi um lençol perto dos restos mortais da moça antes de virá-la de costas. O corpo não se desmembrou, as juntas e ligamentos ainda estavam intactos. Num clima como o da Virgínia, um cadáver precisa ficar exposto aos elementos no mínimo por um ano para que reste apenas o esqueleto, ou que seja reduzido a ossos desarticulados. Tecido muscular, cartilagens e ligamentos são tenazes. Ela era miúda, e me lembrei da fotografia da linda jovem atleta na barra de ginástica. A blusa, notei, era uma espécie de malha, talvez um agasalho esportivo. A calça jeans estava com o zíper fechado e abotoada. Abrindo o outro lençol, repeti os procedimentos com o companheiro dela. Virar corpos em decomposição é como virar pedras. A gente nunca sabe o que vai ver embaixo, com exceção dos inevitáveis insetos. Senti um arrepio quando várias aranhas correram para se esconder sob as folhas.

Mudando de posição, numa infrutífera tentativa de ficar mais confortável, percebi que Wesley e Marino tinham ido embora. Sozinha, ajoelhada na chuva, comecei a apalpar as folhas e a lama em busca de unhas, ossos pequenos e dentes. Percebi a falta de pelo menos dois dentes numa das mandíbulas. Provavelmente, estavam em algum lugar, próximos aos crânios. Após quinze ou vinte minutos de tentativas, consegui recuperar um dente, um botão transparente pequeno, talvez de camisa masculina, e duas pontas de cigarro. Várias pontas de cigarro haviam sido encontradas em cada um dos locais, embora nem todas as vítimas fumassem. Curiosamente, nenhum dos filtros trazia a marca ou o nome do fabricante.

Quando Morrell retornou, mencionei isso a ele.

"Nunca vi uma cena de crime sem pontas de cigarro", ele retrucou, e não pude deixar de pensar em quantas cenas de homicídio ele poderia jurar ter estado. Poucas, calculei.

"Dá a impressão de que o papel foi arrancado, perto do filtro, ou que a parte do filtro próxima ao tabaco foi removida", expliquei. Como isso não provocou nenhuma reação, voltei a remexer a lama.

A noite caía quando voltamos para os carros. A sombria procissão de policiais carregava macas com sacos cor de laranja para cadáveres. Chegamos à estradinha estreita de terra quando o vento do norte começou a soprar mais forte e a chuva a congelar. A perua azul era equipada como um carro fúnebre. Ganchos no piso de madeira do porta-malas prendiam as macas para que não escorregassem durante o transporte. Sentei-me ao volante e pus o cinto enquanto Marino subia. Morrell bateu a porta de trás. Fotógrafos e cinegrafistas registraram tudo. Um repórter insistente bateu na janela, mas eu tranquei a porta e não o atendi.

"Minha nossa. Tomara que nunca mais me chamem para uma fria dessas", Marino exclamou, ligando o aquecimento no máximo.

Segui em frente, desviando das inúmeras poças d'água.

"Mas que bando de abutres." Olhando pelo retrovisor externo do lado do passageiro, ele acompanhou a corrida dos jornalistas para os carros. "Algum panaca deve ter aberto o bico pelo rádio. Morrell, provavelmente. Se estivesse na minha equipe, ia voltar para o policiamento do trânsito, cuidar da lavanderia ou do guichê de informações."

"Você se lembra de como voltar daqui para a Sessenta e Quatro?", perguntei.

"Mantenha a esquerda na bifurcação. Merda." Ele abriu uma fresta na janela e pegou um cigarro. "Andar num carro fechado com cadáveres em decomposição é o fim."

Quarenta e cinco quilômetros depois destranquei a porta dos fundos do necrotério e apertei o botão vermelho na parede interna. A porta se abriu com um guincho metálico e a luz banhou o asfalto molhado. Entrei novamente na perua e abri a tampa traseira. Tiramos as macas e as empurramos para dentro da morgue. Alguns técnicos saíram do elevador e sorriram para nós, sem dedicar a nossa carga mais do que um olhar de relance. Volumes no formato de corpos sobre macas em carrinhos eram tão comuns ali quanto os blocos de concreto das paredes. Aprendíamos a desviar do sangue no chão e ignorar odores desagradáveis em rápido silêncio.

Peguei outra chave e abri o cadeado da porta de aço da geladeira. Depois, fui cuidar das etiquetas de identificação e do registro dos cadáveres, que transferi para uma maca de dois andares, na qual passariam a noite.

"Posso passar aqui amanhã para ver o que descobriu a respeito desses dois?", Marino perguntou.

"Por mim, tudo bem."

"São eles", Marino disse. "Só podem ser eles."

"Infelizmente, tudo indica que sim, Marino. O que houve com Wesley?"

"Está a caminho de Quantico, onde pode pôr os sapatos Florsheim em cima da mesona dele e esperar pelo telefonema com os resultados."

"Pensei que vocês fossem amigos", falei com cuidado.

"Bom, sabe como é, doutora. A vida é muito gozada. Quando eu resolvo ir pescar, a previsão do tempo promete sol e céu azul. Na hora em que ponho o barco na água, começa a chover."

"Está no turno da noite, este final de semana?"

"Não que eu saiba."

"Domingo à noite... que tal jantar lá em casa? Seis, seis e meia?"

"É, acho que posso dar um jeito", ele disse, desviando os olhos, mas não a tempo de evitar que eu notasse sua dor.

Eu ouvira dizer que a mulher dele havia voltado para Nova Jersey antes do Dia de Ação de Graças para tomar conta da mãe doente. Desde então, eu havia jantado com Marino em diversas ocasiões, mas ele se recusara a falar de sua vida pessoal.

Entrei na sala de autópsia e segui para o vestiário, onde sempre deixava alguns objetos pessoais e uma muda de roupa, para o que considerava emergências higiênicas. Sentia-me suja, o cheiro da morte penetrara fundo nas roupas, na pele e no cabelo. Guardei rapidamente a roupa num saco plástico de lixo e deixei um recado grudado, instruindo a supervisora do necrotério a mandar tudo para o tintureiro logo pela manhã. Entrei no chuveiro e lá fiquei por um longo tempo.

Uma das muitas coisas que Anna me aconselhara a fazer depois que Mark se mudou para Denver foi esforçar-me para compensar os danos que eu diariamente infligia a meu corpo.

"*Exercício.*" Ela pronunciou a temível palavra. "Endorfinas aliviam a depressão. Você vai comer melhor, dormir melhor, sentir-se muito melhor. Acho bom começar a jogar tênis de novo."

Seguir sua indicação acabou sendo uma experiência humilhante. Não pegava na raquete desde a adolescência, e embora a *backhand* nunca tivesse sido meu forte, constatar seu desaparecimento após algumas décadas foi chocante. Passei a ter aulas em quadra coberta, uma vez por semana, à noite, quando sofria menos com os olhares curiosos do pessoal que se reunia para tomar um drinque antes do almoço ou para a happy hour no final da tarde, no bar do Westwood Racquet Club.

Depois que eu saí do trabalho, mal tive tempo para ir de carro até o clube, correr para o vestiário feminino e trocar de roupa. Apanhei a raquete no armário e cheguei à quadra dois minutos adiantada. Senti os músculos enferrujados ao flexionar as pernas e tentar corajosamente tocar a ponta do pé. O sangue começou a correr mais devagar.

Ted, o instrutor, apareceu de trás da cortina verde, levando ao ombro dois cestos com bolas.

"Quando ouvi a notícia imaginei que não a veria aqui esta noite", ele disse, pondo os cestos na quadra para tirar o agasalho esportivo. Ted, sempre bronzeado, era um colírio para os olhos. Normalmente, ele me recebia com um sorriso e uma frase espirituosa. Naquela noite, porém, estava sério.

"Meu irmão menor conhecia Fred Cheney. Eu também, mas pouco." Olhando para os jogadores das outras quadras, ele disse: "Fred era um dos caras mais legais que já conheci. Não estou dizendo isso só porque... bem, meu irmão ficou muito abalado". Ele se abaixou para pegar um punhado de bolas. "Uma coisa me incomoda, se quer saber. Os jornais só falam na moça que saía com Fred. Como se a única pessoa a desaparecer fosse a filha de Pat Harvey. Não estou querendo dizer que a moça não fosse o máximo, nem que ela não tenha passado por algo tão terrível quanto o que aconteceu a ele." Ted fez uma pausa. "Bom, acho que você entende o que estou querendo dizer."

"Eu entendo", falei. "Por outro lado, a família de Deborah Harvey está sendo objeto de intensa especulação, e não poderá chorar a morte dela em paz, sendo a mãe de Deborah quem é. Isso tudo é injusto e trágico, de qualquer ponto de vista."

Ted pensou no que eu havia dito e me encarou. "Sabe, eu não havia olhado o caso por esse ângulo. Você tem razão. Não creio que a fama seja uma grande vantagem. E você não me paga para ficar aqui parado falando. O que vamos trabalhar esta noite?"

"Fundo de quadra. Quero correr de um lado para outro para me lembrar do quanto odeio fumar."

"Eu nem preciso mais dizer o que penso a respeito." Ele se dirigiu ao centro da quadra, perto da rede.

Recuei para o fundo e me aproximei da linha. A primeira devolução não teria sido ruim, se eu estivesse jogando em dupla.

A dor física ajuda a distrair, e a dura realidade daquele dia foi afastada até que o telefone tocou em minha casa, quando eu estava tirando a roupa molhada.

Pat Harvey estava histérica. "Acharam os corpos hoje. Preciso saber de tudo."

"Não foram identificados. Nem cheguei a examiná-los ainda", respondi, sentada na beira da cama para tirar o tênis.

"Um rapaz e uma moça. Foi o que eu soube."

"A esta altura, é o que parece."

"Por favor, me diga se resta alguma esperança de que não sejam eles", ela disse.

Hesitei.

"Meu Deus", ela murmurou.

"Senhora Harvey, não posso confirmar..."

Ela me cortou, com um tom de voz que traía a histeria. "A polícia me disse que encontraram a bolsa e a carteira de motorista de Debbie."

Morrell, pensei. Que filho da mãe. Idiota.

"Não podemos identificar um corpo apenas pelos objetos pessoais", falei.

"*Ela é minha filha!*"

Logo viriam as ameaças e palavrões. Já passara por tudo aquilo antes, com pais que em outras circunstâncias seriam cordiais como padres. Decidi dar a Pat Harvey uma tarefa produtiva.

"Os corpos não foram identificados", insisti.

"Quero vê-la."

Nem pensar. “Os corpos não podem ser identificados visualmente”, expliquei. “Só restaram ossos, praticamente.”

Ela perdeu o fôlego.

“E, dependendo da senhora, podemos identificá-los amanhã. Ou podemos levar alguns dias.”

“O que deseja que eu faça?”, ela perguntou, trêmula.

“Preciso de raios X, fichas dentárias, qualquer coisa referente ao histórico médico de Deborah que a senhora possa fornecer.”

Silêncio.

“Acha que poderia localizar isso para mim?”

“Claro”, ela disse. “Vou providenciar tudo imediatamente.”

Calculei que ela teria o histórico médico da filha antes do amanhecer, nem que precisasse tirar metade dos médicos de Richmond da cama.

Na tarde seguinte, quando eu removia a capa plástica do esqueleto anatômico do departamento de medicina legal, ouvi a voz de Marino na entrada.

“Cheguei”, ele gritou.

Marino entrou na sala de reuniões, encarando o esqueleto com a fisionomia imperturbável. Fios mantinham os ossos unidos, e um gancho na base do crânio o prendia a uma barra em L. Era um pouco mais alto do que eu, e os pés balançavam acima da base de madeira munida de rodinhas.

Recolhi a papelada de cima da mesa e disse: “Que tal me dar uma força e empurrar isso?”.

“Vai levar o Magro para dar uma volta?”

“Ele vai descer. E seu nome é Haresh”, retruquei.

Ossos e rodinhas chacoalharam enquanto Marino e seu sorridente companheiro me seguiram até o elevador, atraindo olhares curiosos de vários funcionários do departamento. Haresh não saía para passear com freqüência, e em geral quem o tirava de seu canto não tinha intenções sérias. No mês de junho encontrei Haresh em minha sala. Ao entrar, na manhã do meu aniversário, vi que ocupava minha cadeira, usando óculos e jaleco de laboratório. Tinha um cigarro preso entre os dentes. Um dos técnicos mais distraídos do andar superior — segundo me disseram — havia passado de manhã cedo e dado bom-dia ao esqueleto, sem notar nada de diferente.

"Não vai me dizer que ele fala com você quando está trabalhando lá embaixo", Marino disse, quando a porta do elevador se fechou.

"A seu modo, fala mesmo", retruquei. "É útil ter o esqueleto à mão, melhor do que ficar consultando as ilustrações do *Gray's*."

"Por que o nome?"

"Pelo que sei, quando ele foi adquirido, há vários anos, havia um patologista indiano trabalhando aqui cujo nome era Haresh. O esqueleto é de um indiano. Homem, quarenta anos ou mais."

"Indiano? Como aqueles que fazem uma pinta no meio da testa?"

"Isso mesmo. Como quem vive às margens do rio Ganges, na Índia", falei quando chegamos ao primeiro andar. "Os hindus jogam os mortos no rio, pois acreditam que assim eles seguem direto para o céu."

"Só que este lugar de céu não tem nada."

Ossos e rodinhas chacoalharam novamente enquanto Marino empurrava Haresh para a sala de autópsia.

Sobre o lençol branco que cobria a primeira mesa de aço inoxidável estavam os restos mortais de Deborah Harvey. Ossos sujos acinzentados, chumaços de cabelo enlameado, ligamentos duros e escuros como couro de sapato. O cheiro era ruim, mas não insuportável, pois eu havia removido as roupas. Sua condição parecia ainda mais lamentável na presença de Haresh, que não exibia um arranhão sequer na ossatura imaculadamente branca.

“Tenho várias coisas para contar a você”, falei a Marino. “Primeiro, porém, você vai prometer que nada sairá desta sala.”

Acendendo um cigarro, ele olhou para mim curioso. “Tudo bem.”

“Não há dúvida quanto à identidade deles”, comecei, dispondo as clavículas dos dois lados do crânio. “Pat Harvey trouxe os raios X dos dentes e fichas odontológicas esta manhã...”

“Pessoalmente?”, ele me interrompeu, surpreso.

“Infelizmente”, falei, pois não esperava que Pat Harvey trouxesse os registros médicos – um erro de avaliação de minha parte, que eu jamais esqueceria.

“Deve ter sido uma confusão daquelas.”

E foi mesmo.

Ela estacionou o Jaguar em local proibido e entrou fazendo exigências. Estava à beira das lágrimas. Intimidada pela presença de uma figura política importante, a recepcionista permitiu que ela entrasse. A sra. Harvey saiu andando pelo corredor imediatamente, à minha procura. Creio que teria descido ao necrotério, se o administrador não a interceptasse no elevador e a conduzisse a minha sala, onde a encontrei minutos depois. Estava sentada na cadeira, rígida, com o rosto pálido como cera. Em cima de minha mesa havia atestados de óbito, fotografias de autópsias e um ferimento a faca removido de cadáver, conservado em formol rosado pelo sangue. Penduradas atrás da porta, havia roupas manchadas de sangue que eu pretendia levar para cima quando fosse subir com as amostras para análise, mais tarde naquele dia. Duas reconstruções faciais de mulheres mortas não identificadas enfeitavam o alto dos arquivos, como se fossem duas cabeças em argila, decapitadas.

Pat Harvey teve mais do que esperava. Bateu de frente com a dura realidade do local.

“Morrell trouxe os registros odontológicos de Fred Cheney”, expliquei a Marino.

"Então trata-se de Fred Cheney e Deborah Harvey, sem sombra de dúvida?"

"Sim", confirmei, chamando em seguida sua atenção para a chapa de raios X pendurada no visor iluminado da parede.

"Isso não pode ser o que estou imaginando." Um ar de espanto tomou conta de seu rosto quando viu um ponto opaco na silhueta sombreada da vértebra lombar.

"Deborah Harvey levou um tiro." Peguei a vértebra em questão. "Bem no meio das costas. O projétil atingiu os pedínculos e se alojou na coluna vertebral. Bem aqui", mostrei a ele.

"Não estou vendo a bala." Marino se aproximou.

"Não está aí. Mas dá para ver o buraco."

"Vejo um monte de buracos."

"Este aqui é o buraco da bala. Os outros são forames, orifícios para os vasos vasculares que fornecem sangue ao osso e à medula."

"E onde estão os peditos que você falou?"

"Pedínculos", corrigi com paciência. "Não os encontrei. Devem estar em pedaços, provavelmente lá no mato, ainda. Temos a entrada do projétil, mas não a saída. Ela levou o tiro pelas costas, portanto, e não no abdome."

"Encontrou um furo de bala na roupa?"

"Não."

Numa mesa próxima havia uma bandeja plástica na qual eu havia colocado os pertences de Deborah, inclusive roupas, jóias e a bolsa de náilon vermelho. Ergui cuidadosamente o agasalho esportivo, em trapos, podre, escuro.

"Como pode ver", mostrei, "a parte de trás, em particular, encontra-se num estado lastimável. A maior parte do tecido se perdeu; apodreceu ou foi arrancado por predadores. O mesmo ocorreu com a cintura da calça, nas costas. Faz sentido, uma vez que essas partes da roupa deviam conter sangue. Ou seja, a parte da roupa na qual poderíamos encontrar o furo de tiro se perdeu."

"E quanto à distância? Tem alguma idéia?"

"Como já disse, a bala não saiu. Isso me leva a suspeitar que não se trata de um disparo à queima-roupa. Não posso garantir, porém. Quanto ao calibre, também só posso fazer uma conjetura. Trinta e oito ou maior, a julgar pelo diâmetro do orifício. Não podemos saber com certeza, até que eu abra a vértebra e leve a bala para o laboratório de armas de fogo, lá em cima."

"Muito esquisito", Marino disse. "Já deu uma olhada no Cheney?"

"Tiramos raios X. Nenhuma bala. Ainda não o examinei, no entanto."

"Esquisito", ele repetiu. "Não se encaixa. Esse tiro nas costas dela não tem nada a ver com os outros casos."

"Não", concordei. "Não tem nada a ver, mesmo."

"Foi isso que a matou?"

"Não sei."

"Como assim, não sabe?", ele me encarou.

"Esse tipo de ferimento não mata na hora, Marino. Como a bala não atravessou, ela não seccionou a aorta. Se isso tivesse acontecido, na região lombar, ela sofreria uma hemorragia que a mataria em poucos minutos. Sabemos, por outro lado, que o tiro atingiu a medula, paralisando-a instantaneamente da cintura para baixo. E, claro, os vasos sanguíneos foram atingidos. Ela sangrou bastante."

"Quanto tempo poderia sobreviver?"

"Algumas horas."

"E quanto à possibilidade de ataque sexual?"

"A calcinha e o sutiã estavam no lugar", respondi. "Isso não quer dizer que ela não tenha sido violentada. Pode ter posto a roupa novamente, depois do ataque. Presumindo que tenha sido molestada antes de levar o tiro, claro."

"E por quê?"

"Se a pessoa foi violentada", expliquei, "e o atacante ordena que se vista novamente, ela deduz que vai viver. A esperança ajuda a controlar a vítima, faz com que ela obedeça. Se a pessoa enfrentar o atacante, ele pode mudar de idéia."

"Não faz sentido, doutora", Marino disse, franzindo o cenho. "Não creio que isso tenha ocorrido."

"Trata-se de uma possibilidade. Não sei o que aconteceu. Só posso afirmar com certeza que não encontrei nenhuma peça de roupa rasgada, cortada, pelo avesso ou desabotoada. Quanto a fluido seminal, após tantos meses no mato, podemos esquecer." Passei-lhe uma prancheta e um lápis e acrescentei: "Se vai ficar por aqui, pode fazer as anotações para mim".

"Pretende contar isso a Benton?", Marino perguntou.

"Por enquanto, não."

"E quanto a Morrell?"

"Vou dizer que ela levou um tiro, sem dúvida", falei. "Caso tenha sido uma automática ou semi-automática, o cartucho ainda pode estar no local. Se a polícia não souber guardar segredo, problema deles. Eu não vou divulgar nada."

"Nem para a senhora Harvey?"

"Ela e o marido já sabem que a filha e Fred foram identificados. Liguei para as duas famílias assim que tive certeza. Não liberarei nenhuma informação adicional até concluir os exames."

As costelas estalavam como brinquedos de madeira, conforme eu separava silenciosamente as esquerdas das direitas.

"Doze de cada lado", comecei a ditar. "Ao contrário da lenda, mulheres não têm uma costela a mais."

"Hein?" Marino ergueu os olhos da prancheta.

"Você nunca leu o Gênesis?"

Ele olhou para as costelas, impassível. Eu as dispusera dos dois lados das vértebras torácicas.

"Deixe para lá", falei.

Em seguida, passei a procurar carpais, os ossos pequenos entre o antebraço e a mão, que pareciam seixos de rio ou de jardim. É difícil distinguir os direitos dos esquerdos, e para isso o esqueleto anatômico se mostraria útil. Aproximei-o e apoiei as mãos ossudas na beirada da mesa, para fazer a comparação. Repeti o processo nas falanges distais e proximais, ou seja, os ossos dos dedos.

"Pelo jeito, faltam onze ossos na mão direita e dezessete na esquerda", relatei.

Marino anotou a observação. "De quantos?"

"Há vinte e sete ossos na mão", respondi, enquanto trabalhava. "Isso dá a ela uma flexibilidade incrível. Permite pintar, tocar violino, fazer amor pelo toque."

E também possibilita a defesa.

Só na tarde seguinte percebi que Deborah Harvey tentara defender-se de um atacante que tinha outra arma, além do revólver. Lá fora, o tempo abrira, fazendo com que a temperatura subisse. A polícia passou o dia peneirando terra. Por volta das quatro da tarde Morrell passou no departamento para entregar alguns ossos pequenos, recuperados no local. Cinco pertenciam a Deborah, e na superfície dorsal da falange proximal esquerda — no dorso do osso mais longo do indicador — encontrei um corte de um centímetro.

A primeira pergunta que faço, ao encontrar um ferimento no osso ou no tecido, é se ele ocorreu antes ou depois do óbito. Se uma pessoa não tem noção do que pode acontecer após a morte, pode cometer erros graves.

Pessoas mortas em incêndios apresentam fraturas nos ossos e hemorragias epidurais, parecendo ter sido assassinadas e depois abandonadas numa casa em chamas para ocultar a ocorrência do homicídio. Na verdade, esses sinais são causados pelo intenso calor, após a morte. Corpos atirados na praia ou encontrados nos rios e lagos com freqüência dão a impressão de que um assassino sádico mutilou o rosto, os órgãos genitais, as mãos e os pés. No entanto, foram os caranguejos, peixes e tartarugas os autores dos estragos.

Cadáveres são mordidos, arranhados e mutilados por ratos, urubus, cachorros e gambás.

Predadores de quatro patas, alados ou aquáticos, causam muitos danos. Felizmente, porém, isso ocorre apenas depois que a vítima está morta. A natureza inicia rapidamente o processo de reciclagem. Cinzas às cinzas. Pó ao pó.

O corte na falange proximal de Deborah Harvey era linear e uniforme demais para ter sido causado por presa ou garra, na minha opinião. Contudo, ainda restava muita margem a dúvidas e especulações, inclusive a suspeita de que eu mesma havia inadvertidamente marcado o osso com o bisturi, durante a autópsia.

Na quarta-feira à tarde a polícia confirmou a morte de Deborah e Fred para a imprensa. Nas quarenta e oito horas seguintes houve tantos telefonemas que os funcionários da recepção não conseguiram desempenhar suas tarefas rotineiras. Ficaram o tempo inteiro atendendo ao telefone. Rose informou a todos, inclusive a Benton Wesley e Pat Harvey, que os casos estavam pendentes enquanto eu continuasse no necrotério.

No domingo à noite vi que não poderia fazer mais nada. Os restos mortais de Deborah e Fred haviam sido descarnados, desengordurados e fotografados de todos os ângulos. Terminara o inventário dos ossos, que eu estava guardando numa caixa de papelão quando ouvi a campainha nos fundos. Aos passos do vigia noturno no corredor seguiu-se a abertura da porta. Marino entrou.

"Anda dormindo aqui, por acaso?", perguntou.

Ergui os olhos para ele e notei surpresa que o cabelo e o casaco estavam molhados.

"Está nevando", ele disse, tirando a luva para colocar o rádio portátil na beira da mesa de autópsia na qual eu trabalhava.

"Era só o que faltava", falei, suspirando.

"Nevando pra cacete, doutora. Mas eu estava passando e vi seu carro no estacionamento. Deduzi que estava enfiada aqui desde que o dia raiou. Nem tinha como saber."

Dei-me conta de uma coisa enquanto cortava uma tira comprida de fita adesiva para lacrar a caixa. "Pensei que estivesse no turno da noite, esta semana."

"Pois é. E eu pensei que você tivesse me convidado para jantar."

Parei e o encarei, curiosa. Aí, me lembrei. "Minha nossa", murmurei, olhando para o relógio. Passava das oito da noite. "Marino, lamento muito."

"Não tem importância. Estou mesmo precisando resolver um assunto."

Sempre sabia quando Marino mentia. Ele não me encarava, além de enrubescer. Não estava passando ali por coincidência, vendo meu carro no estacionamento. Procurava por mim, e não era apenas por causa do jantar. Tinha algo em mente.

Encostei na mesa e prestei muita atenção.

"Achei que ia querer saber que Pat Harvey passou o fim de semana em Washington. Foi falar com o diretor", ele disse.

"Benton lhe contou isso?"

"Foi. Também disse que tentou falar com você, mas não conseguiu. Assim como ele, a diretora da Cruzada Antidrogas queixou-se de que você não retornou as ligações.

"Não retornei telefonemas de ninguém", retruquei, desanimada. "Andei preocupada, para dizer o mínimo. E não tenho nada a declarar, no momento."

Olhando para a caixa sobre a mesa, ele disse: "Você sabe que Deborah levou um tiro. Foi homicídio. O que mais está esperando?".

"Não sei como Fred Cheney morreu nem se existe a possibilidade de envolvimento com drogas. Estou esperando os relatórios toxicológicos e não pretendo falar nada até recebê-los e ter uma chance de conversar com Vessey."

"O cara do Smithsonian?"

"Vou falar com ele amanhã de manhã."

"Espero que tenha um veículo com tração nas quatro rodas."

"Você não disse a razão da visita de Pat Harvey ao diretor."

"Ela acusou seu departamento de sonegação de informações. Disse que o FBI tomou a mesma atitude. Está possessa. Quer o relatório da autópsia da filha, boletim de ocorrência e o que mais houver. Ameaçou arranjar uma ordem do juiz e botar a boca no mundo se não for atendida imediatamente."

"Isso é loucura."

"Bidu. Mas, se eu fosse você, doutora, ligava para Benton ainda hoje."

"Por quê?"

"Não quero que se meta numa fria."

"Do que está falando, Marino?" Desabotoei o traje cirúrgico.

"Quanto mais evitar as pessoas, mais lenha estará jogando na fogueira. Segundo Benton, a senhora Harvey está convencida de que andam querendo abafar o caso. E todos nós estamos envolvidos."

Não respondi, e ele disse: "Está me ouvindo?".

"Sim. Ouvi cada palavra que você disse."

Ele ergueu a caixa.

"É incrível pensar que há duas pessoas aqui dentro", ele falou, espantado.

Era incrível mesmo. A caixa não era maior do que um forno de microondas e pesava cinco ou seis quilos. Quando ele a colocou no porta-malas do meu carro, falei em voz baixa: "Obrigada por tudo".

"Como é?"

Sabia que ele me escutara. Desejava apenas que eu repetisse o agradecimento.

"Fico contente com sua preocupação, Marino. Sério mesmo. E lamento muito ter esquecido do jantar. Não sei o que dá em mim, às vezes."

Caía muita neve e ele não usava chapéu, como sempre. Dei a partida no carro e liguei o aquecimento no máximo. Olhei-o e achei estranho encontrar nele tanto apoio. Marino me enervava mais do que qualquer outra pessoa. No entanto, não conseguia imaginar que ele pudesse não estar por perto.

Trancando a porta, ele disse: "É, você fica me devendo essa".

"*Semifreddo di cioccolato.*"

"Adoro quando você fala palavrão."

"É uma sobremesa. Minha especialidade, seu bobão. Musse de chocolate, que eu sirvo com dedos-de-dama."

"*Dedos-de-dama?*" Ele virou a cabeça na direção do necrotério, de modo exagerado, fingindo horror.

A volta para casa demorou demais. Arrastei-me pelas ruas cobertas de neve, tão concentrada que a cabeça estava para explodir quando me sentei na cozinha para tomar um drinque. Acendi um cigarro e telefonei para Benton Wesley.

"O que você descobriu?", ele perguntou, imediatamente.

"Deborah Harvey levou um tiro nas costas."

"Morrell me contou. Disse que o projétil é incomum. Hydra-Shok nove milímetros."

"Correto."

"E quanto ao namorado?"

"Não sei o que o matou. Estou esperando os resultados dos exames toxicológicos. Além disso, preciso conversar com Vessey, no Smithsonian. Os dois casos continuam em aberto, por enquanto."

"E quanto mais tempo permanecerem em aberto, melhor."

"Como assim?"

"Estou dizendo que gostaria que você segurasse os casos enquanto for possível, Kay. Não quero que os relatórios sejam enviados a ninguém, nem mesmo aos pais. Principalmente Pat Harvey. Ninguém pode saber que Deborah Harvey levou um tiro..."

"Está me dizendo que a família Harvey não sabe?"

"Quando Morrell me contou, fiz com que prometesse guardar segredo. Portanto, a família Harvey não sabe de nada. Bem, a polícia não contou. Eles só foram informados da morte da filha e de Cheney." Ele fez uma pausa, acrescentando: "A não ser que você tenha dito algo sem me avisar".

"A senhora Harvey tentou entrar em contato comigo várias vezes, mas não a atendi. Não falei com ninguém, nos últimos dias."

"Continue assim que está ótimo", Wesley disse, autoritário. "Gostaria que desse informações apenas a mim."

"Vai chegar o momento, Benton", falei no mesmo tom, "que serei obrigada a informar a causa e modo da morte. A família de Fred e a de Deborah têm o direito de saber. É a lei."

"Adie isso enquanto for viável."

"Poderia fazer a gentileza de me dizer a razão?"

Silêncio.

"Benton?" Quase concluí que a ligação havia caído.

"Não faça nada sem me consultar primeiro", ele disse, hesitante. "Presumo que esteja a par dessa história de Abby Turnbull escrever um livro."

"Li alguma coisa no jornal", respondi, furiosa.

"Ela entrou em contato com você outra vez? Recentemente?"

Outra vez? Como Wesley sabia que Abby me visitara no outono? Mark, pensei. Desgraçado. Quando ele me telefonou, mencionei que Abby estava em minha casa, naquela noite.

"Não soube mais nada a respeito dela", respondi secamente.

6

Uma camada grossa de neve cobria a frente da minha casa, na segunda-feira de manhã. O céu cinzento prometia mais tempo ruim. Preparei um café e o tomei refletindo se era uma boa idéia ir de carro até Washington. Disposta a desistir de meu plano, liguei para a polícia rodoviária e soube que a I-95 Norte estava limpa. A neve não chegava a dois centímetros, já nas imediações de Fredericksburg. Calculei que a perua do departamento não passaria pela neve na entrada e coloquei a caixa de papelão na Mercedes.

Ao entrar na Interestadual, me dei conta de que não seria fácil explicar à polícia, caso sofresse um acidente ou fosse parada, por que viajava para o norte com esqueletos humanos no porta-malas, num carro particular. Às vezes, mostrar minha identidade de legista não bastava. Nunca me esquecerei de quando viajei para a Califórnia com uma mala grande, lotada de parafernália para práticas sexuais sadomasoquistas. A mala passou pelo sistema de raios X do aeroporto e imediatamente o pessoal da segurança me deteve para interrogatório. Não adiantou explicar que eu era médica-legista, a caminho do congresso anual da Associação Nacional dos Médicos-Legistas, no qual eu faria uma conferência sobre asfixia erótica na masturbação. Eles se recusavam a acreditar que as algemas, coleiras, cintos de couro e outros equipamentos suspeitos eram provas recolhidas em casos antigos e que não *pertenciam* a mim.

Cheguei a Washington D. C. às dez e meia. Consegui achar uma vaga para estacionar a uma quadra da esquina da Constitution Avenue com a Twelfth. Não ia ao Museu de História Natural do Smithsonian desde que freqüentara um curso sobre antropologia forense, anos antes. Ao entrar carregando a caixa de papelão no lobby perfumado pelas orquídeas dos vasos e cheio de turistas barulhentos, desejei poder passear tranqüilamente por lá, observando dinossauros e diamantes, sarcófagos e mastodontes, desconhecendo os tesouros macabros ocultos atrás daquelas paredes.

Do chão ao teto, em todos os cantos disponíveis e inacessíveis aos visitantes, havia gavetas verdes de madeira contendo, entre outras coisas mortas, mais de trinta mil esqueletos humanos. Ossos de todos os tipos chegavam todas as semanas pelo correio, como encomenda registrada, para que o doutor Alex Vessey os examinasse. Alguns achados eram arqueológicos, outros não passavam de garras de ursos e castores, crânios de vacas hidrocéfalas, ossadas aparentemente humanas encontradas na beira de um rio ou desenterradas por arados que se acreditava pertencer a uma vítima de morte violenta. Alguns pacotes, no entanto, realmente continham más notícias, restos de uma pessoa assassinada. Além de especialista em ciências naturais e curador do museu, o dr. Vessey trabalhava para o FBI e ajudava pessoas como eu.

O guarda de segurança carrancudo entregou o crachá, que prendi na altura do peito enquanto seguia para o elevador de latão que me levaria ao terceiro piso. Percorri um corredor estreito e escuro com paredes cheias de gavetas, deixando para trás a algazarra das pessoas que se amontoavam em volta do elefante empalhado. Comecei a sentir claustrofobia. Lembrei-me da desesperada necessidade de estímulo sensorial após oito horas de aula naquele prédio. Quando finalmente escapava, no final do dia, até as ruas cheias de gente e o ruído do trânsito eram um alívio.

Encontrei o dr. Vessey no mesmo local em que o vira da última vez, enfiado num laboratório lotado de carrinhos de aço com esqueletos de pássaros e mamíferos, dentes, fêmures, mandíbulas. Nas prateleiras havia mais ossos e outras relíquias humanas deprimentes, como crânios e cabeças encolhidas. O dr. Vessey tinha cabelos brancos e usava óculos grossos. Falava ao telefone em sua mesa. Enquanto ele concluía o diálogo, abri a caixa e tirei o envelope contendo o osso da mão esquerda de Deborah.

"Da filha da diretora da cruzada?", ele perguntou imediatamente, apanhando o envelope.

Parecia uma pergunta estranha. Mas, de certa forma, fora formulada corretamente, pois Deborah fora reduzida a uma curiosidade científica, a um fragmento de prova material.

"Sim", respondi, enquanto ele tirava a falange do envelope para girá-la lentamente contra a luz.

"Posso dizer, sem a menor hesitação, Kay, que não se trata de um corte *post-mortem*. Embora marcas antigas possam parecer recentes, marcas recentes não podem parecer antigas", ele disse. "A parte interna do corte está desbotada pela ação do tempo, num padrão idêntico ao do resto da superfície do osso. Além disso, o modo como a beira do corte está curvada indica que esse golpe não foi dado num osso morto. Ossos vivos são flexíveis. Mortos, não."

"Exatamente a minha conclusão", falei, puxando uma cadeira. "No entanto, você sabe que a pergunta será feita, Alex."

"E deve ser, mesmo", ele disse, olhando para mim por cima dos óculos. "Você não acreditaria nas coisas que aparecem por aqui."

"Aposto que acreditaria", falei, recordando desanimada da enorme variação da competência dos legistas, de um estado para outro.

"Um legista mandou um caso, há poucos meses. A prova consistia num pedaço de osso recoberto de tecido mole, que segundo ele pertencia ao cadáver de um recém-nascido jogado no esgoto. A dúvida dele era quanto ao sexo e à raça. A resposta foi um cachorro da raça beagle, macho, com duas semanas. Pouco tempo antes, outro legista que não conseguia distinguir animais de plantas mandou um esqueleto encontrado numa cova rasa. Não tinha a menor idéia de como a pessoa havia morrido. Contei mais de quarenta cortes, com as beiradas curvadas, exemplos cabais de plasticidade óssea. Definitivamente, não foi uma morte por causas naturais." Ele limpou os óculos com a barra do jaleco. "Claro, há o outro lado. Ossos cortados durante a autópsia."

"Alguma chance de que o corte tenha sido causado por um predador?", falei, embora não conseguisse imaginar como isso poderia ter ocorrido.

"Bem, cortes nem sempre são fáceis de distinguir das marcas provocadas por carnívoros. No caso, porém, tenho quase certeza de que se trata de corte feito por alguma lâmina." Levantando-se, ele acrescentou, animado: "Vamos dar uma olhada".

Os detalhes que me desanimavam enchiam o dr. Vessey de entusiasmo. Ele seguiu animado para o microscópio de dissecação que estava numa bancada e posicionou o osso. Após um longo tempo ajustando as lentes em silêncio, ele começou a observar o osso e movê-lo. "Puxa vida, isso é muito interessante."

Esperei.

"Foi o único corte encontrado?"

"Sim", respondi. "Talvez o senhor possa encontrar mais alguma coisa, quando fizer seu próprio exame. Eu não vi mais nada, além do ferimento a bala que mencionei. Na região lombar, na espinha."

"Alguma idéia do local em que foi dado o tiro?"

"Não sabemos em que local da mata ela se encontrava — nem se estava mesmo na mata — quando levou o tiro."

"E tinha este corte na mão", o dr. Vessey comentou, debruçando-se novamente sobre o aparelho. "Não dá para saber qual ocorreu primeiro. Ela deve ter ficado paralisada da cintura para baixo ao levar o tiro, mas ainda podia mover as mãos."

"Um ferimento de defesa?", perguntei, para confirmar minhas suspeitas.

"Muito inusitado, Kay. O corte é dorsal, e não palmar." Ele se recostou na cadeira e olhou para mim. "A maioria dos ferimentos de defesa nas mãos é palmar." Ele ergueu as mãos, com as palmas para fora. "Mas ela foi ferida nas costas da mão." Ele virou as palmas para dentro. "Normalmente, associo cortes dorsais na ponta dos dedos a pessoas agressivas na defesa."

"Que dão socos", concluí.

"Isso mesmo. Se alguém a ataca com uma faca, e você desfere socos para se defender, corre o risco de levar golpes no dorso da mão. Certamente, não sofrerá ferimentos na palma, a não ser que abra a mão em algum momento. Porém, o mais significativo é que os ferimentos de defesa em geral são cortes simples. O atacante brande a faca, apunhalando ou cortando. A vítima ergue a mão ou o antebraço para desviar a lâmina. Se o corte é fundo o bastante para atingir o osso, normalmente não posso dizer muita coisa sobre a superfície do corte."

"Se a superfície cortante é serrilhada", interrompi, "a lâmina cobre suas próprias marcas no corte."

"Esse é um dos motivos que tornam esse corte interessante", ele disse. "Não há dúvida de que tenha sido infligido por uma lâmina serrilhada."

"Então não foi um corte, mas uma *batida*?", perguntei.

"Sim." Ele devolveu o osso ao envelope. "O padrão serrilhado indica que pelo menos um centímetro da lâmina golpeou o dorso da mão." Retornando à mesa, ele acrescentou: "Temo que seja apenas isso o que se poderia deduzir em relação à arma e ao que ocorreu. Como você sabe, há inúmeras variáveis. Não posso dizer o tamanho da lâmina, por exemplo. Nem que o ferimento foi provocado antes ou depois do tiro, ou a posição em que ela se encontrava quando recebeu o corte".

Deborah podia estar deitada de costas. Ajoelhada ou de pé. Voltando para o carro, comecei a analisar os dados obtidos. O corte profundo na mão provocou muito sangramento. O fato a situava na estradinha vicinal ou na mata, quando sofreu o ferimento, pois não havia sangue dentro do jipe. Uma ginasta de cinqüenta quilos enfrentou o atacante? Teria tentado socá-lo? Estaria aterrorizada, lutando para salvar a vida, pois Fred já estava morto? E onde se encaixava uma arma de fogo? Por que o assassino portava duas armas, quando tudo indicava que não precisou disparar para matar Fred?

Eu estava propensa a acreditar que a garganta de Fred havia sido cortada. Da mesma forma, depois que Deborah levou o tiro, sua garganta também fora cortada, ou então ela havia sido estrangulada. Não levou um tiro e foi abandonada para morrer aos poucos. Ela não se arrastou, semiparalítica, até se aproximar de Fred, para colocar o braço debaixo do braço dele. Os cadáveres haviam sido deliberadamente posicionados daquela maneira.

Seguindo pela Constitution, finalmente encontrei a Connecticut, que me levaria ao setor noroeste da cidade. A área seria pouco mais do que uma favela, não fosse pelo Washington Hilton. Erguido numa elevação gramada que ocupava um quarteirão, o hotel era um transatlântico branco magnificamente luxuoso rodeado pelo imundo mar revolto das lojas de bebidas, lavanderias e boates que anunciavam "dançarinas nuas". Fileiras de casas com janelas quebradas protegidas por tábuas e pórticos de alvenaria quase na calçada. Deixei o carro na garagem subterrânea do hotel, atravessei a Florida Avenue e subi os degraus de um prédio bege decadente com toldo azul desbotado na frente. Apertei a campainha do apartamento 28, no qual morava Abby Turnbull.

"Quem é?"

Mal reconheci a voz despersonalizada no interfone. Quando disse meu nome, não entendi a reação de Abby.

Talvez tenha apenas engasgado. A fechadura eletrônica abriu-se com um estalo.

Entrei no vestíbulo mal iluminado revestido com carpete marrom-desbotado e uma fileira de caixas de correio de latão encardido na parede de aglomerado. Lembrei-me de Abby ter dito que temia haver alguém interceptando sua correspondência. Não me parecia muito fácil passar pela porta da frente do prédio sem ter chave. As caixas de correio também estavam trancadas. Tudo que ela me contara em Richmond, da última vez, soava falso. Quando terminei de subir os cinco andares até seu apartamento, estava sem fôlego e furiosa.

Abby me esperava, à porta.

"O que está fazendo aqui?", ela murmurou, pálida.

"Só conheço você, neste prédio. O que acha que vim fazer aqui?"

"Você não veio a Washington apenas para me ver." Os olhos dela denunciavam medo.

"Estou na cidade a serviço."

Pela porta aberta vi mobília branca, almofadas em tons pastel e gravuras monocromáticas no estilo Gregg Garbo. Reconheci as peças, pois eram de sua antiga casa, em Richmond. Por um momento, as recordações daquele dia terrível me incomodaram. Vi o corpo decomposto de sua irmã na cama do quarto, no andar superior. Vi a polícia e os paramédicos correndo de um lado para outro enquanto Abby, sentada no sofá, fumava com mãos tão trêmulas que mal conseguia segurar o cigarro. Só conhecia sua reputação, jamais a vira antes, e antipatizei com ela. Quando a irmã foi assassinada, Abby contava apenas com minha compaixão. Foi preciso muito tempo para que ganhasse minha confiança.

"Sei que não vai acreditar em mim", Abby disse, sempre com voz abafada, "mas eu pretendia visitá-la na semana que vem."

"Tenho telefone."

"Não deu para ligar", ela se justificou. Conversávamos do lado de fora, no corredor.

"Não vai me convidar para entrar, Abby?"

Ela fez que não.

Um arrepio de medo me percorreu a espinha.

Olhando por cima do ombro dela, perguntei: "Tem alguém aí?".

"Vamos dar uma volta", ela sussurrou.

"Abby, pelo amor de Deus..."

Ela olhou para mim e levou o dedo esticado aos lábios.

Convenci-me de que perdera o juízo. Sem saber o que mais eu poderia fazer, esperei no corredor enquanto ela entrava para apanhar um agasalho. Segui-a até sairmos do prédio. Por quase meia hora caminhamos apressadamente pela Connecticut Avenue, e nenhuma de nós falou. Ela me levou para o hotel Mayflower e escolheu uma mesa no canto mais escuro do bar. Pedi um café expresso e me acomodei na poltrona de couro, olhando-a tensamente do outro lado da mesa encerada.

"Sei que você não está entendendo nada", ela começou, olhando em volta de modo nervoso. Naquela hora da tarde, o bar estava praticamente deserto.

"*Abby! Está tudo bem?*"

Seu lábio inferior tremia. "Eu não podia telefonar para você. Nem podemos conversar dentro do meu apartamento, porra! É como eu falei para você em Richmond. Só que piorou mil vezes."

"Você precisa procurar ajuda", falei com calma.

"Não estou ficando louca."

"Você está a um passo de um colapso nervoso."

Tomando fôlego, ela me encarou com olhos arregalados. "Kay, estou sendo seguida. Tenho certeza de que grampearam meu telefone e desconfio que haja escuta em minha própria casa. Por isso, não podia convidá-la a entrar. Então, vá em frente. Conclua que estou paranóica, psicótica, qualquer coisa. Mas vivo num mundo diferente do seu. Sei muito bem o que anda acontecendo comigo. Sei o que está por trás desses casos e o que começou a acontecer comigo desde que me envolvi nisso tudo."

"E o que está acontecendo a você, exatamente?"

A garçonete voltou com nosso pedido. Depois que ela se afastou, Abby disse: "Menos de uma semana depois que estive em Richmond conversando com você meu apartamento foi invadido".

"Você foi roubada?"

"Ah, não!" Seu riso era oco. "Claro que não. A pessoa — ou pessoas — era muito esperta. Nada foi levado."

Olhei-a, intrigada.

"Tenho um computador em casa, para escrever meus textos, e no disco rígido há um arquivo sobre os casais que morreram de maneira estranha. Estou fazendo anotações há muito tempo, que guardo nesse arquivo. O processador de texto que uso tem um recurso que faz uma cópia automaticamente, sempre que estou trabalhando. Programei o *back-up* para cada dez minutos. Sabe, para garantir que nada se perca, caso falte energia. Especialmente no meu prédio, que..."

"Abby", interrompi. "Do que você está falando, pelo amor de Deus?"

"Estou dizendo que, se alguém consultar esse arquivo, por dez minutos ou mais, o programa faz uma cópia automática, registrando data e hora da gravação. Está me entendendo?"

"Não tenho certeza." Estendi a mão para apanhar a xícara de café.

"Lembra-se de quando fui vê-la?"

Fiz que sim.

"Anotei a conversa com a moça do caixa, no Seven-Eleven."

"Sim, eu me lembro."

"E depois falei com outras pessoas. Inclusive, Pat Harvey. Pretendia passar as anotações das entrevistas para o computador, quando voltasse para casa. Mas deu tudo errado. Como deve se lembrar, estivemos juntas na terça à noite, e eu voltei para cá no dia seguinte, pela manhã. Muito bem. Naquele mesmo dia, quarta-feira, conversei com meu editor, na hora do almoço. De repente, ele não estava mais interessado no caso. Disse que preferia deixar de lado a matéria sobre Harvey-Cheney porque o jornal ia publicar uma série no final de semana sobre AIDS."

"Foi muito estranho", ela prosseguiu. "A reportagem sobre o caso Harvey-Cheney era quente, e o *Post* estava com pressa para publicar o material. Aí eu volto de Richmond e de repente recebo uma nova pauta." Ela fez uma pausa para acender o cigarro. "Como era de esperar, não tive um momento livre sequer, até sábado, quando finalmente me sentei na frente do computador para acessar o arquivo do caso. Não entendi a data e a hora listados no arquivo. Sexta-feira, 12 de setembro, duas e treze da tarde, *quando eu nem estava em casa.* O arquivo foi aberto, Kay. Alguém o acessou, e sei que não fui eu, pois não mexi no computador — nem uma única vez — até o sábado, dia 21, quando tive tempo."

"Talvez o relógio de seu computador esteja errado..."

Ela balançou a cabeça. "Nada disso. Foi a primeira coisa que chequei."

"Como alguém poderia fazer isso?", indaguei. "Como alguém conseguiria entrar em seu apartamento sem ser visto, sem que você soubesse?"

"O FBI poderia."

"Abby", falei, exasperada.

"Tem muita coisa que você não sabe."

"Então me conte, por favor."

"Por que acha que eu pedi uma licença no *Post*?"

"Segundo o *New York Times*, você está escrevendo um livro."

"E você deduziu que eu já sabia que ia escrever esse livro quando estivemos juntas em Richmond."

"É mais do que presunção", falei, sentindo voltar a raiva.

"Mas eu juro que não estava." Debruçando-se sobre a mesa, ela acrescentou, a voz trêmula de emoção: "Fui transferida de editoria. Minhas pautas mudaram. Entende o que isso significa?".

Fiquei sem fala.

"Só uma coisa teria sido pior. A demissão. Mas eles não podiam fazer isso. Não havia razão, puxa vida. Ganhei um prêmio de reportagem no ano passado, e de repente eles querem que eu faça matérias frias. *Perfis.* Entendeu? Agora, me diga o que acha."

"Não faço a menor idéia, Abby."

"Eu também não sei direito o que houve." Ela piscou para afugentar as lágrimas. "Mas tenho amor-próprio. Sei que algo está acontecendo. Tenho uma matéria quente. E vendi os direitos. É isso. Pense o que quiser, mas eu preciso sobreviver. Preciso pagar minhas contas e ficar longe do jornal por uns tempos. *Perfis.* Kay, estou apavorada."

"Fale a respeito do FBI", pedi com firmeza.

"Já lhe contei uma boa parte. Sobre o caminho que eu errei e me levou a Camp Peary. Sobre os agentes do FBI que me visitaram."

"Isso não é o bastante."

"O valete de copas, Kay", ela disse, como se estivesse contando algo que eu já soubesse.

Quando ela se deu conta de que eu não sabia do que estava falando, sua expressão mudou, revelando espanto.

"Você não sabe?", ela perguntou.

"Que valete de copas?"

"Em cada um dos casos, encontraram uma carta de baralho." Seus olhos incrédulos me fitavam, intensos.

Recordei-me de uma vaga menção ao fato, numa das raras transcrições dos interrogatórios policiais que consegui ler. O investigador de Gloucester conversara com um amigo de Bruce Phillips e Judy Roberts, o primeiro casal. O que ele perguntou, mesmo? Sei que me chamou a atenção, pelo inusitado. Cartas. Judy e Bruce jogavam cartas? O amigo vira um baralho no Camaro de Bruce?

"Fale sobre as cartas, Abby", pedi.

"Está familiarizada com o ás de espadas? Como era usado no Vietnã?"

Confessei que não.

"Quando um grupo de soldados americanos queria dar um recado, depois de matar alguém, deixava um ás de espadas sobre o corpo. Na verdade, a empresa que fabricava os baralhos fornecia caixas dessa carta, para ser usada com esse objetivo."

"O que isso tem a ver com os crimes na Virgínia?", perguntei, pasma.

"Há um paralelismo. Só que não estamos falando de um ás de espadas, mas de um valete de copas. Em cada um dos primeiros quatro casos, um valete de copas foi encontrado no carro abandonado."

"Onde conseguiu essa informação?"

"Você sabe que não posso revelar, Kay. Mas posso garantir que soube por mais de uma fonte. Por isso estou tão segura."

"E alguma de suas *fontes* contou que um valete de copas foi achado também no jipe de Deborah Harvey?"

"E foi?", ela sacudiu preguiçosamente o drinque.

"Não brinque comigo", avisei.

"Não estou brincando." Ela me encarou de volta. "Se encontraram um valete de copas dentro do jipe, ou em qualquer outro lugar, eu não soube de nada. É óbvio que se trata de um detalhe importante, pois vincularia definitivamente as mortes de Deborah Harvey e Fred Cheney ao assassinato dos quatro primeiros casais. Sabe, estou tentando confirmar esse vínculo. Não tenho certeza de que ele existe. E, se existir, o que significa."

"O que isso tudo tem a ver com o FBI?", perguntei, relutante. Não sabia se queria ouvir a resposta.

"Eles ficaram preocupados com esses casos desde o início, Kay. E a coisa vai muito além da participação normal do VICAP. O FBI sabe a respeito das cartas há bastante tempo. Quando o valete de copas foi encontrado dentro do Camaro do primeiro casal — no painel — ninguém deu muita importância. Então o segundo casal desapareceu, e havia outra carta, dessa vez no banco do passageiro. Quando Benton Wesley soube disso, ele imediatamente passou a controlar tudo. Procurou o investigador da comarca de Gloucester e pediu que não dissesse nada a respeito do valete de copas encontrado dentro do Camaro. Falou a mesma coisa ao investigador encarregado do segundo caso. Sempre que encontravam um dos carros, Wesley telefonava para o investigador encarregado."

Ela fez uma pausa e me estudou como se quisesse adivinhar meus pensamentos. "Na verdade, eu não deveria estar surpresa por você não saber disso", ela acrescentou. "Imagino que não seja difícil, para a polícia, esconder de você o que foi encontrado dentro dos carros."

"Não é difícil mesmo", concordei. "Se as cartas tivessem sido encontradas nos corpos, a história seria outra. Não haveria como esconder o fato de mim."

Enquanto falava a frase, já sentia a dúvida se alojar em minha mente. A polícia esperara várias horas até me convocar à cena. Quando lá cheguei, Wesley já se encontrava no local, e os corpos de Deborah Harvey e Fred Cheney já haviam sido revistados, na busca por objetos pessoais.

"Entendo a preocupação do FBI em preservar o sigilo", tentei racionalizar. "Esse detalhe poderia ser crucial para a investigação."

"Estou com o saco cheio de ouvir esses argumentos", Abby disse, revoltada. "O detalhe da carta deixada pelo assassino só é crucial para a investigação se o criminoso aparecer e confessar tudo, dizer que deixou uma carta de baralho em cada carro, pois não poderia saber disso a não ser que tivesse realmente matado os casais. E eu duvido muito que isso venha a ocorrer. Não creio que o FBI tenha escondido o fato pensando apenas no sucesso da investigação."

"Então, qual seria o motivo?", perguntei, preocupada.

"Não se trata apenas de um serial killer. Não estamos falando de um maníaco que odeia casais. Essa história tem um lado político. Só pode ser isso."

Ela ficou em silêncio e chamou a garçonete. Abby não disse uma única palavra até beber alguns goles da segunda rodada de drinques.

"Kay", ela prosseguiu, mais calma, "você ficaria surpresa se soubesse que Pat Harvey conversou comigo quando eu estava em Richmond?"

"Francamente, sim."

"Tem alguma idéia do que a levou a me atender?"

"Acho que ela faria qualquer coisa para ter a filha de volta", falei. "E a publicidade poderia ajudar."

Abby balançou a cabeça. "Quando falei com Pat Harvey, ela me contou muitas coisas que eu jamais poderei publicar. E não foi nosso primeiro encontro. Não mesmo."

"Não entendo." Eu estava tremendo, e não era por causa do café expresso.

"Você tem acompanhado a cruzada dela contra as instituições de caridade que servem de fachada para atividades ilegais?"

"Vagamente", respondi.

"A dica que a alertou para a questão foi dada por mim, originalmente."

"Por *você?*"

"No ano passado, comecei uma reportagem investigativa sobre tráfico de drogas. Descobri um monte de coisas que não pude confirmar, entre elas o esquema fraudulento das entidades antidrogas. Pat Harvey tinha um apartamento aqui, no edifício Watergate. Certa tarde fui entrevistá-la, para pegar algumas declarações para a reportagem. Começamos a conversar. Acabei mencionando as acusações que eu tinha ouvido, para ver se ela poderia confirmar alguma. Foi assim que tudo começou."

"E quais eram as acusações, exatamente?"

"Para começar, contra a UMARCOD, a União das Mães Americanas Revoltadas Contra as Drogas", Abby disse. "Soube que algumas entidades do tipo eram na verdade apenas uma fachada para os cartéis de traficantes e outras atividades ilegais na América Central. Contei a ela que, segundo uma fonte em minha opinião confiável, milhões de dólares doados anualmente para o combate ao tráfico acabavam no bolso de figuras como Manuel Noriega. Claro, isso aconteceu antes da prisão dele. De todo modo, acredita-se que os fundos da UMARCOD e outras instituições estão sendo usados para comprar informações de agentes da inteligência norte-americana e facilitar o tráfico de heroína em aeroportos e alfândegas da América e do Extremo Oriente."

"E Pat Harvey, antes de sua ida ao apartamento dela, não sabia de nada disso?"

"Não, Kay. Acho que não tinha a menor noção. Ela ficou indignada. Começou a investigar e acabou enviando um relatório ao Congresso. O subcomitê formado para esclarecer a questão convidou-a para atuar como consultora, como você deve saber. Evidentemente, ela descobriu muita coisa, e a audiência foi marcada para abril. Muita gente ficou contrariada, inclusive o Departamento de Justiça."

Comecei a entender aonde ela queria chegar.

"Havia o envolvimento de certos informantes", Abby prosseguiu, "que o DEA, o FBI e a CIA queriam pegar fazia anos. Você sabe como o esquema funciona. O Congresso, quando se mete, tem o poder de oferecer imunidade em troca de informações. Quando os informantes testemunharem na audiência, acaba a brincadeira. O Departamento de Justiça não pode mais processá-los."

"Isso significa que o Departamento de Justiça não ficou lá muito contente com a atuação de Pat Harvey."

"Significa que o Departamento de Justiça vai festejar se os esforços dela acabarem dando em nada."

"A diretora do Programa Nacional de Combate às Drogas, ou Cruzada Antidrogas, está subordinada ao procurador-geral, que comanda o FBI e o DEA. Se a senhora Harvey entrou em rota de colisão com o Departamento de Justiça, por que o procurador não interferiu?"

"Porque o problema dela não é com o procurador, Kay. A investigação renderá frutos políticos para ele, e também para a Casa Branca. A diretora da Cruzada Antidrogas abalou os traficantes. Mas o cidadão comum não entende que, no caso do FBI e DEA, as conseqüências dessa audiência no Congresso não são suficientemente amplas. Só ocorrerá o desmascaramento das instituições que servem de fachada. O público só saberá o que elas andam fazendo, na verdade. A publicidade tirará grupos como a UMARCOD da jogada, mas os chefões envolvidos sofrerão apenas um arranhão. Os agentes que trabalham no caso sairão de mãos abanando, pois ninguém será preso. Os maus continuarão a praticar maldades. É como fechar um prostíbulo. Duas semanas depois, ele é reaberto em outro endereço."

"Só não consigo ver o que tudo isso tem a ver com a morte da filha da senhora Harvey", insisti.

"Vamos começar pelo seguinte. Se você anda às turras com o FBI, e sua filha desaparece, como se sentiria sabendo que o próprio FBI estaria encarregado de investigar o caso?", Abby perguntou.

Era uma perspectiva nada agradável. "Justificadamente ou não, eu me sentiria muito vulnerável e paranóica. Imagino que dificilmente confiaria neles."

"Bem, você tocou apenas de leve nos sentimentos de Pat Harvey. Creio que ela acredita que alguém está usando a filha para prejudicá-la, e que Deborah não foi uma vítima escolhida ao acaso. Ela foi executada, e ela desconfia do envolvimento do FBI..."

"Explique isso melhor", falei, interrompendo-a. "Você está insinuando que Pat Harvey suspeita do envolvimento do FBI na morte de Deborah e Fred?"

"Passou pela cabeça dela a possibilidade."

"Meu Deus", sussurrei.

"Sei que isso parece maluquice. Contudo, no mínimo eu acho que o FBI sabe o que está acontecendo e talvez até saiba quem é o responsável. Por isso sou um problema. Os federais não querem que eu fique fuçando por aí. Estão morrendo de medo que eu descubra o que há por trás dessa história toda."

"Se for este o caso", falei, chamando sua atenção para um outro aspecto, "tenho a impressão de que o *Post* lhe daria um aumento, em vez de mudá-la para uma editoria irrelevante. Sempre achei que não é fácil intimidar o *Post.*"

"Não sou Bob Woodward", ela disse com amargura. "Não estou aqui há muito tempo, e a reportagem policial é o cocô do cavalo do bandido. Normalmente, serve para treinar os focas. Se o diretor do FBI ou alguém da Casa Branca resolver discutir a possibilidade de processar o *Post* ou pedir um favor, diplomaticamente, ninguém vai me convidar para a reunião, nem me contar o que aconteceu."

Ela provavelmente tinha razão quanto a isso, pensei. Se o comportamento de Abby na redação mantinha o tom que usava no momento, duvido que alguém discutiria a questão com ela. Nem sei se a transferência de Abby para outra editoria era mesmo surpreendente.

"Lamento, Abby", falei. "Talvez eu possa aceitar que a política seja um fator relevante no caso de Deborah. Mas, e os outros? Onde os outros casais se encaixam? O primeiro casal desapareceu dois anos e meio antes do sumiço de Deborah e Fred."

"Kay, eu não tenho as respostas", ela disse, com intensidade. Mas juro por Deus que alguma coisa está sendo encoberta. O governo ou o FBI não querem que o público saiba. Anote minhas palavras. Mesmo que os assassinatos cessem, o caso jamais será resolvido, se depender do FBI. E é isso que estou combatendo. E é isso que você está enfrentando, também." Terminando a bebida, ela continuou: "Talvez seja melhor assim — desde que os assassinatos parem. O problema, porém, é *quando* eles vão parar. E o assassino não poderia já ter sido detido?".

"Por que está me contando tudo isso?", perguntei, à queima-roupa.

"Estamos falando de adolescentes inocentes brutalmente assassinados. E não preciso mencionar o óbvio — confio em você. Acho que preciso de uma amiga."

"Vai continuar escrevendo o livro?"

"Sim. E torço para que haja um capítulo final."

"Por favor, tome cuidado, Abby."

"Pode deixar", ela disse. "Estou tomando todo o cuidado."

Já havia escurecido e esfriado muito quando saímos do bar. Mil coisas passavam pela minha mente enquanto enfrentávamos a multidão que tomava as calçadas. Não me senti melhor na volta de carro para Richmond. Queria conversar com Pat Harvey, mas não ousava fazer isso. Queria falar com Wesley, mas sabia que ele não revelaria seus segredos para mim, caso houvesse algum. Mais do que nunca, eu duvidava de nossa amizade.

Assim que cheguei em casa, liguei para Marino.

"Onde Hilda Ozimek mora, na Carolina do Sul?", perguntei.

"Por quê? O que descobriu no Smithsonian?"

"Responda a minha pergunta, por favor."

"Numa cidadezinha fuleira chamada Six Mile."

"Obrigada."

"Ei! Antes de desligar, poderia me contar o que aconteceu em Washington?"

"Esta noite não dá, Marino. Se eu não ligar para você amanhã, pode mandar me procurar."

7

O aeroporto internacional de Richmond estava deserto às 5h45 da manhã. Entre restaurantes fechados e pilhas de jornais na frente das bancas trancadas, um funcionário da limpeza empurrava lentamente uma lata de lixo sobre rodas, feito um sonâmbulo a recolher pontas de cigarro e embalagens de goma de mascar.

Encontrei Marino no terminal da USAir, olhos fechados e capa de chuva dobrada embaixo da cabeça, cochilando numa sala abafada, artificialmente iluminada, com cadeiras vazias e carpete de bolinhas azuis. Por um instante eu não o reconheci e fiquei com o coração apertado de tristeza e carinho. Marino envelhecera.

Quando o conheci, estava praticamente estreando no cargo. Eu estava fazendo uma autópsia no necrotério quando aquele sujeito enorme de rosto impassível entrou e parou do outro lado da mesa. Lembro-me de seu exame gélido. Tive a desconfortável sensação de que ele me dissecava do mesmo modo que eu dissecava o cadáver.

"Então você é a nova legista-chefe." Ele pronunciou o comentário em tom de confronto, como se me desafiasse a confirmar que eu ocupava um cargo nunca antes assumido por uma mulher.

"Sou a doutora Scarpetta", falei. "Suponho que você trabalhe na polícia de Richmond."

Ele resmungou o nome e esperou em silêncio enquanto eu removia diversos projéteis de seu caso de homicídio.

Entreguei as balas, peguei o recibo e ele se afastou sem nem dizer "até logo" ou "prazer em conhecê-la". Com isso, nosso relacionamento profissional ficou estabelecido. Achei que ele se ressentia de minha presença apenas por eu ser mulher. Concluí que se tratava de um retardado com cérebro encharcado de testosterona. No fundo, ele me intimidou de um jeito terrível.

Era difícil olhar para Marino agora e imaginar que um dia eu o considerara ameaçador. Parecia velho e cansado. A camisa estava justa na altura da barriga enorme, o cabelo grisalho desgrenhado. A testa formava rugas que não indicavam desprezo nem curiosidade: eram apenas marcas profundas da erosão causada pela tensão e pelo sofrimento.

"Bom dia", falei, tocando seu ombro de leve.

"O que tem na sacola?", ele disse, sem abrir os olhos.

"Pensei que você estivesse dormindo", falei, surpresa.

Ele sentou e espreguiçou.

Acomodei-me a seu lado e abri o saco de papel com dois cafés e dois sanduíches de queijo para viagem que preparara em casa e esquentara no microondas antes de sair.

"Com certeza você ainda não comeu nada", falei, passando o pão embrulhado no guardanapo.

"Parece pão caseiro."

"E é mesmo", falei, desembrulhando o meu.

"Você não havia dito que o avião saía às seis?"

"Seis e meia. Tenho certeza de que lhe disse isso. Espero que não tenha esperado muito."

"É, esperei um bocado."

"Desculpe."

"Trouxe as passagens, espero."

"Estão na bolsa", respondi. Em certos momentos, Marino e eu nos comportávamos como um casal de velhos.

"Se quer mesmo saber, acho que essa sua idéia não vale a pena. Eu jamais pagaria as passagens, mesmo que tivesse dinheiro. Não gosto da idéia de ver você gastando tanto, doutora. Eu me sentiria melhor se pelo menos pedisse o reembolso."

"Isso não faria com que eu me sentisse melhor." Já havíamos discutido o assunto antes. "Não vou apresentar um relatório de despesas, e você também não. A papelada seria uma pista. Além do mais", acrescentei, tomando um gole de café, "posso arcar com esta despesa."

"Se fosse para economizar seiscentos dólares, eu deixaria uma pista daqui à Lua."

"Bobagem. Você sabe muito bem que não."

"Bobagem é a palavra certa. Essa história toda está muito esquisita." Ele usou vários saquinhos de açúcar para adoçar o café. "Acho que a conversa com Abby deixou você pirada."

"Obrigada", respondi, secamente.

Os outros passageiros começaram a chegar. Era incrível a capacidade de Marino para fazer com que o mundo girasse ligeiramente em seu eixo. Escolhera para sentar uma área destinada aos não-fumantes, mas trouxera o cinzeiro que estava do outro lado para perto de sua poltrona. Isso serviu como convite para que outros fumantes sonolentos se acomodassem perto de nós. Alguns apanharam cinzeiros também. Quando chegou a hora de embarcar, praticamente não havia mais cinzeiros na área para fumantes e ninguém sabia direito onde se sentar. Constrangida e decidida a não tomar parte naquela provocação, deixei o maço quieto na bolsa.

Marino, que detestava voar, mais ainda do que eu, foi dormindo até Charlotte, onde pegamos um avião menor que serviu para me lembrar o quanto é pequena a distância entre a frágil carne humana e o ar rarefeito. Já havia trabalhado em desastres aéreos e vira restos de aeronaves e passageiros espalhados por quilômetros. Notei que não havia toaletes nem serviço de bordo. Quando os motores foram ligados, o avião tremeu como se estivesse sofrendo um ataque. Durante a primeira parte da viagem tive o raro prazer de acompanhar o trabalho dos pilotos, que espreguiçavam e bocejavam.

Depois, a aeromoça fechou a cortina. A atmosfera ficou mais turbulenta, as montanhas apareciam e sumiam na névoa. Na segunda vez em que o avião perdeu altitude, empurrando meu estômago até a garganta, Marino segurou os braços da poltrona com tanta força que os nós dos dedos ficaram brancos.

"Minha nossa", ele murmurou, e eu me arrependi de ter levado o café da manhã para ele. Parecia a ponto de vomitar. "Se esta lata velha chegar lá embaixo inteira, vou tomar um drinque. Dane-se que ainda é cedo."

"Pode deixar que eu pago", disse um sujeito na poltrona da frente, virando-se.

Marino observava um estranho fenômeno que ocorria num trecho do corredor, um pouco adiante. Em volta do acabamento de metal que prendia o carpete havia uma condensação gelada que eu nunca vira em vôos anteriores. Parecia que as nuvens estavam entrando no avião. Marino apontou para o local e perguntou à aeromoça: "Que diabo é isso?". Mas ela o ignorou completamente.

"Na próxima vez vou colocar fenobarbital em seu café", falei por entre os dentes.

"Na próxima vez que você resolver conversar com uma bruxa que mora nos cafundós do mundo não adianta me convidar que eu não vou."

Sobrevoamos Spartanburg por meia hora, corcoveando e pulando, enquanto a chuva gelada martelava os vidros. Não podíamos pousar por causa da neblina, e confesso que me ocorreu a possibilidade de morrer. Pensei em minha mãe. Pensei em Lucy, minha sobrinha. Deveria ter ido passar o Natal com a família, mas estava entretida demais com meus problemas e não queria que me perguntassem nada a respeito de Mark. *Estou muito ocupada, mãe. No momento, vai ser impossível sair daqui.* "Mas é Natal, Kay." Não me lembro da última vez que vi minha mãe chorar, mas sabia quando ela estava com vontade de fazer isso. O tom de voz mudava. Falava espaçando as palavras. "Lucy vai ficar tão desapontada", ela disse. Mandei um cheque generoso para Lucy e telefonei para ela na manhã de Natal. Ela disse que estava com muita saudade. E eu sentia uma falta terrível dela.

As nuvens se abriram de repente e o sol iluminou as janelas. Espontaneamente, eu e todos os passageiros batemos palmas para Deus e o piloto. Celebramos nossa sobrevivência conversando com os desconhecidos companheiros de viagem como se fôssemos amigos de anos.

"Então Hilda, a bruxa, está cuidando de nós", Marino disse sarcástico, com a cara banhada em suor.

"Talvez esteja mesmo", falei, respirando fundo. Pousamos.

"Claro. Bem, agradeça a ela em meu nome."

"Você mesmo pode fazer isso, Marino."

"Certo", ele disse, espreguiçando, plenamente recuperado.

"Talvez ela seja uma pessoa incrível. Para variar, você poderia deixar de lado os preconceitos."

"Certo", ele repetiu.

Quando consegui o número do telefone de Hilda Ozimek no auxílio à lista e liguei para ela, esperava uma mulher gananciosa e desconfiada, que encaixava em todos os comentários um cifrão. No entanto, ela se mostrou gentil e acessível, além de surpreendentemente crédula. Não fez perguntas nem pediu que eu provasse ser quem era. Sua voz traiu preocupação apenas uma vez, quando ela disse que não poderia nos esperar no aeroporto.

Como eu estava pagando e não queria dirigir, deixei Marino escolher o que bem entendesse. Como um moleque de dezoito anos em seu primeiro passeio rumo à vida adulta, ele escolheu um Thunderbird preto, novo, com teto solar, toca-fitas, vidro elétrico e banco de couro. Seguiu no rumo oeste com o teto solar aberto e o aquecimento ligado, enquanto eu contava em detalhes o que Abby me revelara em Washington.

"Sei que os corpos de Deborah Harvey e Fred Cheney foram movidos", expliquei. "E agora desconfio que sei o motivo."

"Eu não sei ainda", ele disse. "Por que não me conta tudo tintim por tintim?"

"Você e eu chegamos à área de descanso antes que alguém pudesse revistar o jipe", falei. "E não vimos um valete de copas no painel, no banco ou em qualquer outro lugar."

"Mas a carta poderia estar no porta-luvas ou em outro lugar. A polícia pode ter encontrado depois que os cachorros terminaram de farejar." Ajustando o controle de velocidade, ele disse: "*Se* essa história de carta de baralho for verdadeira. Como já falei, ninguém me falou nada a respeito".

"Vamos supor que seja verdadeira."

"Prossiga."

"Wesley chegou à área de descanso depois de nós, de modo que ele também não viu a carta. Mais tarde, o jipe foi revistado pela polícia. Pode apostar que Wesley acompanhou a busca, ou ligou para Morrell querendo saber o que havia sido encontrado. Se não havia sinal do valete de copas, e aposto que não havia, Wesley ficou desconfiado. Só pode ter pensado que o desaparecimento de Deborah e Fred não tinha relação com o desaparecimento e morte dos outros casais, ou então que Deborah e Fred já estavam mortos. Nesse caso, seria possível que a carta estivesse no local em que se encontravam os corpos."

"E está pensando que esse foi o motivo para moverem os cadáveres antes de sua chegada? A polícia procurava a carta?"

"Ou Benton. Sim, estou achando que pode ter sido isso. Caso contrário, não faz muito sentido, para mim. Benton e a polícia *sabem* que não devem tocar em um corpo antes da chegada do legista. Mas Benton não queria correr o risco de que um valete de copas fosse levado para o necrotério junto com os corpos. Ele não queria que eu ou qualquer outra pessoa descobrisse ou ficasse sabendo desse detalhe."

"Se fosse assim, faria mais sentido ele nos pedir para ficar de bico calado, em vez de prejudicar a investigação mexendo nos corpos", Marino argumentou. "Ele não estava sozinho lá no meio do mato. Havia outros policiais na área. Eles teriam notado, caso Benton tivesse achado uma carta."

"Claro que sim", falei. "Mas ele pode ter pensado que seria melhor que pouca gente soubesse do fato. Quanto menos, melhor. Se eu encontrasse uma carta de baralho no meio das coisas de Deborah e Fred, registraria isso em meu relatório escrito. Promotores de justiça, membros da minha equipe, famílias, companhias de seguros acabariam vendo o relatório, mais cedo ou mais tarde."

"Certo, certo." Marino dava sinais de impaciência. "Mas e daí? Qual é o problema?"

"Não sei. Se o que Abby contou é verdade, essas cartas devem ser muito importantes para alguém."

"Sem querer ofender, doutora, mas eu nunca fui muito com a cara de Abby Turnbull. Não gostava dela quando trabalhava em Richmond e com certeza continuo não gostando agora que ela está no *Post.*"

"Ela nunca mentiu para mim", falei.

"Não que você saiba."

"O investigador de Gloucester falou em cartas de baralho na transcrição do interrogatório que eu li."

"E talvez tenha sido lá que Abby pegou a dica. Agora está espalhando a história para ver no que dá. Tirando conclusões precipitadas. Chutando. Ela só está preocupada com o tal livro que resolveu escrever."

"Ela não anda muito bem. Pode estar amedrontada, furiosa. Mas não concordo com você na questão do caráter."

"Tudo bem", ele disse. "Ela vai a Richmond, banca a amiga íntima saudosa. Diz que não quer nenhuma informação sua. Em seguida, você tem que ler o *New York Times* para saber que ela está escrevendo um livro a respeito dos casos. Claro, ela é sua melhor amiga, doutora."

Fechei os olhos e concentrei a atenção na música country suave que tocava no rádio. O sol batia no pára-brisa, aquecendo meu colo. Ter acordado cedo fez o efeito de uma bebida forte. Cochilei. Quando acordei, estávamos sacudindo em uma estradinha de terra, no meio do nada.

"Seja bem-vinda à grande cidade de Six Mile", Marino declarou.

"Que cidade?"

Não havia prédios para tapar o horizonte, nem mesmo uma loja de conveniência ou posto de gasolina à vista. A beira da estrada era cheia de árvores e avistavam-se os contornos de Blue Ridge ao longe, na névoa. As casas eram tão raras e afastadas que alguém poderia disparar um canhão sem que o vizinho ouvisse.

Hilda Ozimek, a sensitiva do FBI e oráculo do Serviço Secreto, vivia numa casinha de madeira com pneus pintados de branco no jardim, para proteger as tulipas e amores-perfeitos que ela provavelmente cultivava na primavera. Havia pés de milho secos encostados na varanda e um Chevrolet Impala enferrujado com pneus furados na entrada de carro. Um cão macilento começou a latir, feio como a necessidade mas grande o suficiente para me fazer pensar se era uma boa idéia descer do carro. Ele se afastou, porém, trotando com três pernas para poupar a pata dianteira direita, quando a porta se abriu rangendo e uma mulher forçou os olhos para nos ver na manhã clara e fria.

"Quieto, Tootie", ela disse, afagando o pescoço do cachorro. "Vá para o quintal." O cachorro baixou a cabeça e seguiu para os fundos, balançando o rabo.

"Bom dia", Marino disse, batendo os pés ao subir os degraus de madeira da varanda.

Pelo menos tencionava se comportar com educação, o que já era mais do que eu esperava.

"Lindo dia", Hilda Ozimek respondeu.

Ela aparentava sessenta anos e parecia mais caipira do que uma broa de milho. A calça justa de poliéster moldava os quadris largos. Usava ainda um suéter bege abotoado até o pescoço, meias grossas e tênis. Os olhos eram azuis, bem claros, e ela usava o cabelo preso com um pano vermelho. Faltavam-lhe vários dentes. Duvido que Hilda Ozimek se olhasse no espelho ou se ocupasse de seu corpo físico, exceto nos momentos de desconforto ou dor.

Fomos conduzidos a uma sala de visitas pequena, superlotada de móveis antiquados e estantes cheias de livros inusitados, sem ordem aparente. Havia obras de religião e psicologia, biografias e livros de história, além de uma série surpreendente de romances de meus autores favoritos: Alice Walker, Pat Conroy e Keri Hulme. A única pista do pendor sobrenatural da dona da casa eram vários volumes de Edgar Cayce e meia dúzia de cristais espalhados pelas mesas e prateleiras. Marino e eu nos acomodamos num sofá, perto do aquecedor a querosene. Hilda ocupou uma poltrona estofada à nossa frente. O sol brilhava atrás dela, entrando pelas venezianas, desenhando listas brancas em seu rosto.

"Espero que tenham chegado aqui sem dificuldade. Lamento muito não ter podido ir buscá-los. É que eu não dirijo mais."

"Suas indicações foram perfeitas", respondi para tranqüilizá-la. "Não tivemos problemas para localizar sua casa."

"Se não se importa com a pergunta", Marino disse, "como a senhora se movimenta? Não vi nenhuma loja ou coisa que o valha nas imediações."

"Muita gente vem aqui para conversar comigo ou se consultar. Acabo conseguindo o que preciso, ou ganhando uma carona."

O telefone tocou no outro cômodo, e foi instantaneamente atendido pela secretária eletrônica.

"Em que posso ajudá-los?", Hilda perguntou.

"Trouxemos algumas fotos", Marino respondeu. "A doutora disse que desejava vê-las. Mas eu gostaria de esclarecer algumas coisas antes. Sem querer ofender, senhora Ozimek, mas essa história de telepatia nunca me convenceu. Talvez possa me ajudar a entender melhor esse negócio."

Para Marino, ser tão direto sem nenhum resquício de agressividade em seu tom de voz era algo incomum, e eu olhei para ele, surpresa. Estava estudando Hilda com a inocência de uma criança. Sua expressão misturava curiosidade e melancolia.

"Em primeiro lugar, saiba que não sou telepata", Hilda respondeu, objetiva. "Nem me sinto à vontade quando me chamam de sensitiva. Contudo, por falta de um termo melhor é assim que me chamam, e eu acabei me conformando com isso. Todos nós temos um dom. Um sexto sentido, uma parte do cérebro que as pessoas em geral preferem não usar. Explico isso como intuição desenvolvida. Sinto a energia que emana das pessoas e confio nas impressões que penetram em minha mente."

"Foi isso que fez quando Pat Harvey conversou com você?", ele perguntou.

Ela concordou com um movimento de cabeça. "Ela me levou ao quarto de Debbie, mostrou fotos da filha e depois foi comigo até a área de descanso onde encontraram o jipe."

"E qual foi sua impressão?", perguntei.

Seu olhar se perdeu no vazio, e ela ficou pensativa por um momento. "Não consigo me lembrar de tudo. Sempre é assim. O mesmo ocorre quando faço consultas. As pessoas voltam para falar comigo e mencionam coisas que eu falei e que acabaram acontecendo. Às vezes não consigo me lembrar do que disse, até alguém repetir."

"Lembra-se do que disse para a senhora Harvey?" Marino estava louco para saber e revelava seu desapontamento.

"Quando ela me mostrou a foto de Debbie, percebi imediatamente que a moça estava morta."

"E quanto ao namorado?", Marino perguntou.

"Vi a fotografia dele no jornal e soube que estava morto. Que os dois haviam morrido."

"Então andou lendo sobre os casos no jornal", Marino disse.

"Não", Hilda respondeu. "Não assino nenhum jornal. Mas vi a foto do rapaz porque a senhora Harvey tinha um recorte de jornal com ela. Não tinha uma fotografia dele, só da filha, entende?"

"Importa-se em explicar como soube que eles estavam mortos?"

"Senti, apenas. Tive a impressão, quando toquei as fotos."

Puxando a carteira do bolso traseiro da calça, Marino disse: "Se eu lhe der o retrato de alguém, pode fazer a mesma coisa? Dizer suas impressões?".

"Posso tentar", ela respondeu, quando ele entregou uma foto pequena.

Fechando os olhos, ela esfregou a ponta dos dedos na foto, desenhando pequenos círculos lentamente. Passou cerca de um minuto fazendo isso, antes de falar novamente. "Estou sentindo culpa. Bem, não sei se a mulher sentia culpa quando a foto foi tirada ou se ela está sentindo isso agora. Mas o sentimento de culpa é algo muito forte. Conflito, culpa. Idas e vindas. Ela toma uma decisão, depois hesita e recua. Vai e vem."

"Ela está viva?", Marino perguntou, limpando a garganta.

"Sinto que ela está viva", Hilda respondeu, sem parar de esfregar. "Também tenho a impressão de um hospital. Algo relacionado à medicina. Não sei se isso quer dizer que está doente ou se é alguém próximo a ela. Mas existe doença envolvida. Preocupação. Talvez isso venha a surgir no futuro."

"Mais alguma coisa?", Marino quis saber.

Ela fechou os olhos e esfregou a foto por mais algum tempo. "Intenso conflito", repetiu. "Como se algo fizesse parte do passado, mas lhe fosse muito difícil deixar para trás. Dor. Contudo, ela acha que não tem escolha. É tudo que estou sentindo." Ela olhou para Marino.

Vi que Marino enrubescera quando apanhou a foto de volta. Ele a guardou na carteira sem dizer uma palavra, depois abriu a pasta e tirou o gravador microcassete e um envelope pardo contendo uma série de fotos seqüenciais que começavam na estradinha vicinal na comarca de New Kent e terminavam na mata onde foram encontrados os corpos de Deborah Harvey e Fred Cheney. Hilda as espalhou em cima da mesa de centro e começou a esfregar os dedos em cada uma delas. Por um longo tempo ela não disse nada, mantendo os olhos fechados, enquanto o telefone continuava a tocar na sala ao lado. A secretária eletrônica registrava os recados, e ela nem parecia perceber o que ocorria. Concluí que suas habilidades eram mais solicitadas do que as de qualquer médico.

"Estou percebendo o medo", ela começou a falar depressa. "Bem, não sei se alguém estava sentindo medo quando a foto foi tirada, ou se alguém passou medo nesse lugar, num outro momento. Mas noto o medo." Ela balançou a cabeça, ainda de olhos fechados. "Sem dúvida, estou captando o medo, em todas as fotos. Em cada uma delas. Muito medo."

Como uma cega, Hilda movia os dedos de uma foto para outra, lendo algo que parecia tão tangível para ela quanto os traços do rosto de uma pessoa.

"Sinto a morte, aqui", ela prosseguiu, tocando três fotos diferentes. "Sinto isso com muita força." Eram fotos da clareira onde os corpos haviam sido encontrados. "Mas não a sinto aqui." Seus dedos passaram para as fotos do trecho de mata que eu havia percorrido para chegar à clareira, sob a chuva.

Olhei de relance para Marino. Ele estava debruçado para a frente, no sofá, com os cotovelos nos joelhos e os olhos fixos em Hilda. Até o momento, ela não fizera nenhuma revelação sensacional. Marino e eu não achávamos que Deborah e Fred tivessem sido assassinados na estradinha, e sim na clareira onde seus corpos foram encontrados.

"Vejo um homem", Hilda prosseguiu. "Claro. Não muito alto. Nem baixo. Altura média, magro. Mas não esquelético. Não sei quem é, mas sinto intensamente sua presença. Suponho que seja alguém que teve contato com o casal. Percebo cordialidade. Ouço risos. Como se ele fosse amigo do casal. Talvez eles o tenham encontrado em algum lugar. Não sei dizer por que estou pensando isso. Mas vejo que eles riram com ele em determinado momento. Confiaram nele."

"Pode dizer algo mais a seu respeito? Sobre sua aparência?", Marino falou.

Ela continuou a esfregar as fotos. "Estou sentindo a escuridão. Talvez tivesse barba escura ou algo escuro no rosto. Talvez usasse roupa escura. Isso definitivamente tem a ver com o casal e com o local onde as fotos foram batidas."

Abrindo os olhos, ela fitou o teto. "Sinto que o primeiro encontro foi amistoso. Não houve nada que pudesse assustar o casal. Depois, porém, surgiu o medo. É muito forte neste local, na mata."

"O que mais?" Marino estava tão atento que as veias saltavam no pescoço. Se chegasse mais um centímetro para a frente, cairia do sofá.

"Duas coisas", ela disse. "Talvez não queiram dizer nada, mas foram transmitidas a mim. Tenho uma sensação de que há um outro lugar, que não aparece nas fotos, ligado à moça. Ela pode ter ido a algum lugar, ou sido levada para lá. Talvez seja um local próximo, talvez não. Sinto também uma sensação de ajuntamento, de coisas que agarram. Pânico, muito barulho e movimento. Nenhuma dessas impressões é boa. E há um objeto perdido. Vejo que é de metal e tem a ver com a guerra. Não sinto mais nada, exceto que não parece ser algo ruim — não creio que o objeto em si seja capaz de causar algum mal."

"Quem perdeu esse tal objeto de metal?", Marino perguntou.

"Tenho a sensação de que foi uma pessoa que continua viva. Não consigo visualizá-la, mas sei que é homem. Ele sabe que o objeto foi perdido, e não descartado, mas não se preocupa muito com isso. Mas se preocupa um pouco. Esse objeto perdido retorna a sua mente, de vez em quando."

Ela ficou em silêncio enquanto o telefone tocava novamente.

"Você mencionou tudo isso a Pat Harvey, no outono passado?", perguntei.

"Quando ela pediu para se encontrar comigo", Hilda respondeu, "os corpos ainda não haviam sido encontrados. Eu não tinha essas fotos."

"Então não teve as mesmas impressões?"

Ela esforçou-se para recordar. "Fomos à área de descanso à beira da rodovia. Ela me levou direto para o ponto onde o jipe fora encontrado. Fiquei por lá algum tempo. Lembro-me de que havia uma faca."

"Que faca?", Marino perguntou.

"Vi uma faca."

"Que tipo de faca?", perguntei, recordando que Gail, a encarregada dos cães, pedira emprestado o canivete suíço de Marino para abrir as portas do jipe.

"Uma faca comprida", Hilda disse. "Como uma faca de caça, ou quem sabe de campanha, tipo militar. Acho que havia algo diferente no cabo. Preto, emborrachado, talvez. Com aquelas lâminas usadas para cortar coisas duras, como madeira."

"Não sei se entendi direito", falei, embora soubesse muito bem o que ela estava dizendo. Não queria dar pistas.

"Com dentes. Como uma serra. Acho que era serrilhada, como dizem", Hilda respondeu.

"Foi isso que passou pela sua cabeça quando estava na área de descanso?", Marino perguntou, olhando-a desconfiado.

"Não senti ameaça nem medo", ela disse. "Mas vi a faca e percebi que o casal não estava no jipe quando o carro foi abandonado lá. Não senti a presença deles na área de descanso. Eles nunca estiveram lá." Ela parou, fechando os olhos novamente e franzindo o cenho. "Lembro-me de ter notado ansiedade. Tive a impressão de que alguém estava ansioso e com pressa. Vi escuridão. Alguém caminhava apressadamente. Não pude ver quem era."

"Pode ver esse indivíduo agora?", perguntei.

"Não. Eu não consigo vê-lo."

"É homem?", perguntei.

Ela fez uma nova pausa. "Acredito que minha sensação foi de que se tratava de um homem."

Marino resolveu falar: "Disse tudo isso a Pat Harvey quando esteve com ela na área de descanso?".

"Disse, pelo menos em parte", Hilda respondeu. "Não me lembro de tudo que eu digo."

"Quero dar uma volta", Marino murmurou, levantando-se do sofá. Hilda não se mostrou surpresa nem preocupada quando ele saiu, batendo a porta de tela atrás de si.

"Hilda", falei, "quando você se encontrou com Pat Harvey, percebeu alguma coisa nela? Por exemplo, a respeito do que poderia ter acontecido com a filha?"

"Senti a presença de uma culpa muito grande, como se ela se considerasse responsável. Isso, porém, já era de esperar. Quando lido com parentes de pessoas desaparecidas ou assassinadas, sempre capto alguma culpa. Por outro lado, considerei bem incomum a aura dela."

"A *aura*?"

Sabia o que era aura em medicina, uma sensação que pode preceder a crise paroxística. Mas podia apostar que Hilda não se referia a isso.

"As auras são invisíveis para a maioria das pessoas", ela explicou. "Vejo-as como cores. A aura cerca a pessoa. Uma cor. A de Pat Harvey era cinza."

"E isso significa algo?"

"Cinza não é vida nem morte", ela disse. "Associo cinza com doença. Alguém doente de corpo, mente ou alma. Como se algo sugasse a cor de sua vida."

"Suponho que faça sentido, se levarmos em conta o estado emocional dela no momento", argumentei.

"Talvez. Mas eu me lembro de que isso me deu uma sensação ruim. Pressenti que ela poderia estar correndo algum perigo. Sua energia não era boa, não era positiva nem saudável. Senti que ela corria o risco de se expor ao perigo, ou talvez provocar algum mal a si própria, como conseqüência de seus atos."

"Já tinha visto uma aura cinza antes?"

"Não com freqüência."

Não consegui resistir e perguntei: "Está vendo alguma cor em mim?".

"Amarelo, com um pouco de marrom misturado."

"Isso é interessante", falei, surpresa. "Nunca uso roupas dessas duas cores. Na verdade, acho que não há nada amarelo ou marrom em minha casa. Mas eu adoro sol e chocolate."

"Uma aura não tem nada a ver com cores ou alimentos de sua preferência." Ela sorriu. "Amarelo quer dizer espiritual. E marrom eu associo a bom senso, praticidade. Uma pessoa com os pés no chão. Vejo sua aura como muito espiritual e muito prática. No entanto, essa é apenas minha interpretação. Para cada pessoa, a cor significa algo diferente."

"E Marino?"

"Uma fina beirada vermelha. É o que vejo em torno dele. Vermelho com freqüência significa raiva. Mas ele precisa de mais vermelho, creio."

"Você está brincando", falei. A última coisa que eu poderia achar que Marino precisava era de mais raiva.

"Quando as pessoas estão com pouca energia, sugiro que coloquem mais vermelho em sua vida. Isso lhes dá energia. Leva as pessoas a realizar coisas, lutar contra os problemas. O vermelho pode ser muito bom, se for canalizado para o lado criativo. Contudo, tenho a sensação de que Marino tem medo do que está sentindo, e que isso o enfraquece."

"Hilda, você viu as fotos dos outros casais desaparecidos?"

Ela fez que sim. "A senhora Harvey tinha as fotos. Do jornal."

"E você as tocou, sentiu algo?"

"Sim."

"E o que foi?"

"Morte", ela disse. "Todos aqueles jovens estavam mortos."

"E quanto ao sujeito de pele clara que talvez use barba ou algo escuro no rosto?"

Ela fez uma pausa. "Não sei. Mas eu me lembro de ter percebido a cordialidade que já mencionei. O primeiro contato não provocou medo. Tive a impressão de que no início nenhum dos jovens sentiu medo."

"Agora eu gostaria de perguntar a respeito de uma carta", falei. "Você disse que lê cartas para as pessoas. Está falando de cartas de jogar?"

"Pode-se usar qualquer coisa. Cartas de tarô, bola de cristal. Não faz diferença. Essas coisas são instrumentos. Servem para fazer com que a pessoa se concentre. De todo modo, é verdade, costumo usar um baralho comum."

"E como isso é feito?"

"Peço que a pessoa corte o baralho. Depois, começo a tirar as cartas, uma de cada vez, e revelo as impressões que me vêm à mente."

"Se você pegasse um valete de copas, a carta teria algum significado especial?", perguntei.

"Depende da pessoa com quem estou lidando, da energia que emana daquele indivíduo específico. Mas o valete de copas é igual ao cavaleiro de copas do tarô."

"Trata-se de uma carta boa ou ruim?"

"Depende de quem a carta representa, em relação ao indivíduo para quem estou lendo a sorte", ela disse. "No baralho do tarô, as cartas de copas indicam amor e emoção, assim como espadas e pentáculos indicam dinheiro e negócios. O valete de copas seria, portanto, uma carta do amor e da emoção. Isso pode ser muito bom. Mas também pode ser ruim, se o amor se encheu de ódio e amargura, tornando-se vingativo."

"E qual seria a diferença entre o valete de copas e o dez de copas, ou a rainha de copas, por exemplo?"

"O valete de copas é uma figura", ela disse. "Pode-se dizer que a carta representa um homem. O rei de copas também é uma figura, mas eu associaria o rei ao poder, alguém que consideram ou se considera no comando, controlando tudo. Como o pai ou o patrão. Um valete, como o cavaleiro, pode representar alguém que se vê como soldado, defensor, paladino. Pode ser alguém batalhando no mundo dos negócios. Ou esportista, competidor. Poderia ser muitas coisas, mas como copas é o naipe do coração, emoção, amor, isso me levaria a dizer que o valete de copas, seja lá quem for que ele represente, aponta para um elemento emotivo, em oposição a dinheiro ou trabalho."

O telefone tocou de novo.

Ela me disse: "Você não deve confiar sempre no que ouve, doutora Scarpetta".

"Como assim?", perguntei, surpresa.

"Alguma coisa, que significa muito para você, está causando infelicidade e sofrimento. Isso tem a ver com uma pessoa. Um amigo, um envolvimento amoroso. Pode ser membro de sua família. Não sei. Mas, definitivamente, é alguém muito importante em sua vida. Mas você está ouvindo e provavelmente imaginando muitas coisas. Tome cuidado ao acreditar."

Mark, pensei, ou Benton Wesley. Não pude resistir e perguntei: "É alguém que está em minha vida atualmente? Alguém com quem tenho me encontrado?".

"Como eu percebo confusão, os elementos são em sua maioria obscuros. Posso dizer que não é alguém que está próximo de você no momento. Sinto distância. Não necessariamente geográfica, mas emocional. Um vão que torna difícil para você confiar. Meu conselho é esperar, não fazer nada a respeito, por enquanto. Surgirá uma solução, embora eu não possa lhe dizer quando. Melhor relaxar, não dar ouvidos à confusão nem agir impulsivamente."

"E tem mais um detalhe", ela prosseguiu. "Olhe para lá do que está na sua frente. Não sei do que se trata. Mas você não está vendo algo, e isso tem a ver com o passado. Uma ocorrência importante do passado. Você perceberá o que é e chegará à verdade, mas para reconhecer a importância disso precisa se abrir primeiro. Deixar que a fé a guie."

Intrigada com o que poderia ter acontecido a Marino, levantei-me e me aproximei da janela.

Marino tomou duas doses de bourbon e água no aeroporto de Charlotte e depois mais uma a bordo do avião. Falou pouco na viagem de volta a Richmond. Só a caminho de nossos carros, no estacionamento, resolvi tomar a iniciativa.

"Precisamos conversar", falei, pegando a chave.

"Estou exausto."

"São quase cinco horas", falei. "Por que não jantamos lá em casa?"

Ele olhou para o outro lado do estacionamento, semicerrando os olhos por causa do sol. Não sabia se ele estava com raiva ou a ponto de chorar. Acho que nunca o tinha visto assim, tão fora do eixo.

"Está bravo comigo, Marino?"

"Não, doutora. Só que prefiro ficar um pouco sozinho."

"No momento, não creio que seja uma boa idéia."

Abotoando o casaco, ele disse apenas: "Tchau", e se foi.

Entrei no carro e voltei para casa, totalmente esgotada. Estava zanzando pela cozinha quando a campainha tocou. Espiei pelo olho mágico e vi assombrada o rosto de Marino.

"Isto ficou no meu bolso", ele explicou no momento em que abri a porta. Marino me entregou a passagem de avião e a papelada inútil do aluguel do carro. "Pensei que você pudesse precisar, para o imposto de renda ou qualquer outra coisa."

"Obrigada", falei, sabendo que aquele não era o único motivo da visita. Eu já tinha os recibos do cartão de crédito.

Nada do que me trouxera seria necessário. "Estava fazendo o jantar. Bem que você podia aproveitar que veio até aqui e ficar para comer."

"Posso ficar um pouco", ele disse, sem olhar para mim. "Depois, preciso resolver um negócio."

Marino me acompanhou até a cozinha, sentando-se à mesa enquanto eu fatiava um pimentão vermelho para misturá-lo à cebola picada que refogava no azeite de oliva.

"Você sabe onde tem bebida", falei, sem parar o que fazia.

Ele se levantou, seguindo na direção do bar.

"Já que vai até lá", falei, "importa-se em pegar um scotch com club soda para mim?"

Ele não respondeu, mas ao voltar colocou meu drinque em cima da bancada e se encostou perto da tábua de carne. Passei a cebola e o pimentão para a panela em que o tomate estava cozinhando. Depois, fritei a lingüiça.

"Só vai ter macarrão", desculpei-me, enquanto trabalhava.

"Pelo jeito, não precisa de mais nada."

"Carneiro com vinho branco, peito de vitela ou lombo assado seriam perfeitos." Enchi uma panela de água e acendi o fogo. "Sou craque em preparar carneiro, mas vai ficar para a próxima."

"Talvez fosse melhor você desistir de retalhar defuntos e abrir um restaurante."

"Imagino que isso seja um elogio."

"Claro que é." Seu rosto continuou inexpressivo enquanto ele acendia o cigarro. "Então, como é o nome disso?", ele disse, apontando para o fogão.

"Isso é macarrão verde e amarelo com pimentão vermelho e lingüiça", respondi, acrescentando a lingüiça ao molho. "Mas, se eu quisesse impressioná-lo, diria que se chama *le papardelle del Cantunzein.*"

"Pode ficar sossegada. Estou impressionado."

"Marino." Olhei para ele. "O que aconteceu hoje de manhã?"

Ele respondeu com uma pergunta: "Você mencionou algo a respeito da marca que Vessey declarou ter sido feita por uma faca serrilhada?".

"Até agora, você é a única pessoa a saber disso."

"Difícil de entender de onde Hilda Ozimek tirou essa história de faca de caça serrilhada que alega ter vindo à sua mente quando Pat Harvey a levou até a área de descanso."

"É difícil de entender", concordei, jogando o macarrão na água salgada. "Há certas coisas na vida que não podem ser compreendidas ou explicadas intelectualmente, Marino."

Massas frescas cozinham em segundos. Escorri o macarrão e o transferi para uma tigela previamente aquecida no forno. Acrescentei o molho e queijo parmesão ralado na hora e disse a Marino que podíamos ir para a mesa.

"Tenho centro de alcachofra na geladeira", disse, ajeitando os pratos. "Mas não alface. Só pão, no freezer."

"Não precisa de mais nada", ele disse, com a boca cheia. "Ficou ótimo. Muito bom, mesmo."

Eu mal havia tocado meu prato e ele já estava pronto para repetir. Parecia que Marino não comia fazia uma semana. Ele se descuidara da aparência, era patente. A gravata estava precisando ir para a lavanderia, a barra de uma das pernas da calça descosturara, a camisa exibia manchas amareladas nas axilas. Tudo nele denunciava que estava carente e abandonado. Aquilo me incomodava e me dava náuseas. Não havia motivo para um homem adulto e inteligente negligenciar assim a aparência, deixando parecer uma casa abandonada. Concluí que a vida dele andava uma bagunça, que ele não podia evitar. Algo dera errado. Muito errado.

Levantei-me para apanhar uma garrafa de Mondavi tinto no armário dos vinhos.

"Marino", falei, servindo uma taça para cada um de nós, "de quem era a fotografia que você mostrou para Hilda? De sua esposa?"

Ele se recostou na cadeira, sem olhar para mim.

"Não precisa falar disso, se não quiser. Mas ultimamente você anda muito estranho. Está na cara."

"As coisas que ela disse mexeram muito comigo", ele admitiu.

"Hilda?"

"Isso mesmo."

"Quer me contar o que foi?"

"Não falei nada a respeito disso com ninguém." Ele fez uma pausa para beber um gole de vinho. Seu rosto estava rígido, mas os olhos traíam a humilhação. "Ela voltou para Jersey em novembro passado."

"Acho que você nunca me disse o nome de sua mulher."

"Puxa vida", ele murmurou, amargurado. "Isso não quer dizer nada."

"Quer, sim. Você guarda tudo para si."

"Sempre fui assim. Acho que ter virado polícia só piorou as coisas. Canso de ouvir o pessoal reclamando da mulher, da namorada, dos filhos. Eles correm para chorar no seu ombro, e a gente pensa que eles são como irmãos. Aí, quando você tem um problema e se abre com alguém, o departamento de polícia inteiro fica sabendo. Aprendi a ficar de bico fechado já faz muito tempo."

Ele parou, tirando a carteira. "O nome dela é Doris." Ele me deu a foto que mostrara a Hilda Ozimek naquela manhã.

Doris tinha rosto simpático e corpo roliço, agradável. Estava em pé, tensa, com roupa de domingo, ar relutante e ressabiado. Eu a vira uma centena de vezes, o mundo está cheio de mulheres como Doris. São as jovens sonhadoras que ficam balançando nas varandas suspirando pelo amor enquanto olham a noite mágica cheia de estrelas e sentem os perfumes do verão. Servem de espelho, as imagens que têm de si são reflexos das pessoas importantes em sua vida. Consideram que sua importância vem dos serviços que prestam, sobrevivem matando todas as expectativas antes que fujam ao controle e um belo dia acordam loucas de babar.

"Faríamos trinta anos de casamento em junho próximo", Marino disse, quando lhe devolvi a foto. "Aí, de repente, ela disse que era infeliz. Disse que eu trabalhava demais, que nunca estava em casa. Que não me conhecia. Coisas assim. Mas eu não nasci ontem. Essa não é a história verdadeira."

"E qual é, então?"

"Tudo começou no verão passado, quando a mãe dela sofreu um derrame. Doris foi cuidar dela. Ficou lá no norte quase um mês. Levou a mãe do hospital para um asilo, cuidou de tudo. Quando voltou para casa, estava diferente. Como se fosse outra pessoa."

"O que você acha que aconteceu?"

"Sei que ela conheceu um cara que ficou viúvo faz uns dois anos. Corretor de imóveis, tratou da venda da casa da mãe dela. Doris falou nele um par de vezes, como se não fosse nada de mais. No entanto, alguma coisa andava acontecendo. O telefone tocava, tarde da noite, e desligavam quando eu atendia. Doris saía correndo para pegar as cartas, antes de mim. Em novembro ela fez as malas e disse que ia embora, que a mãe precisava dela."

"Ela não voltou para casa, depois disso?", perguntei.

Marino fez que não com a cabeça. "Bem, ela liga de vez em quando. Disse que quer o divórcio."

"Sinto muito, Marino."

"A mãe fica no asilo, entende? Doris diz que está cuidando dela, mas está saindo com esse tal corretor. Preocupada uma hora, feliz na outra. Como se quisesse voltar, mas não quisesse. Culpada, e depois despreocupada. Exatamente como Hilda disse que ela parecia naquela foto. Indecisa. Indo e vindo."

"E você está sofrendo muito."

"Ei, qual é?", ele disse, atirando o guardanapo na mesa. "Ela pode fazer o que quiser. Que se foda."

Eu sabia que ele não se sentia assim. Estava arrasado, e meu coração doía com tudo aquilo. Ao mesmo tempo, não podia deixar de entender a mulher dele. Marino não era uma pessoa de quem fosse fácil gostar.

"Quer que ela volte para casa?"

"Vivi com ela mais tempo do que sozinho. Mas vamos encarar os fatos, doutora." Ele olhou para mim, e seus olhos revelavam medo. "Minha vida é uma merda. Sempre contando trocados, sendo chamado no meio da noite. Marco minhas férias, aí algo sai errado e Doris desarruma as malas e fica em casa esperando. Como no Dia do Trabalho, quando a filha da Harvey e o namorado desapareceram. Aquilo foi a gota d'água."

"Você ama Doris?"

"Ela não acredita que eu ame."

"Talvez você deva lhe mostrar como se sente, fazer com que ela entenda", falei. "Talvez possa lhe dizer que a quer muito, mas que não precisa tanto assim dela."

"Não entendi", ele disse, assombrado.

Nem ia entender jamais, pensei, desolada.

"Cuide-se bem", falei. "Não espere que ela resolva tudo por você. Talvez faça diferença."

"Eu ganho pouco, e é isso aí. Ponto final."

"Aposto que sua mulher não liga muito para dinheiro. Ela quer se sentir importante e amada."

"Ele tem uma casa enorme e um Chrysler New Yorker. Novinho, com bancos de couro e tudo a que tem direito."

Não respondi.

"No ano passado ele foi para o Havaí, de férias." Marino estava ficando com raiva.

"Doris passou a maior parte da vida com você. Foi escolha dela, com ou sem Havaí..."

"O Havaí não passa de uma armação para turistas", ele interrompeu, acendendo um cigarro. "Por mim, eu ia para Buggs Island pescar."

"Já lhe ocorreu que Doris pode ter se cansado de bancar a sua mãe?"

"Ela não banca a minha mãe."

"Então me diga por que, Marino, desde a partida de Doris, você parece que está precisando desesperadamente de uma mãe?"

"Porque não tenho tempo para pregar botões, cozinhar, arrumar a casa e tudo o mais."

"Eu também sou muito ocupada. E acabo arranjando tempo para cuidar dessas coisas."

"Sei. E tem empregada. Provavelmente, ganha mais de cem mil por ano."

"Eu cuidaria de mim mesmo que ganhasse dez mil por ano", falei. "Faria isso porque tenho amor-próprio e não quero que ninguém tome conta de mim. Quero ser amada, e há uma diferença enorme entre as duas coisas."

"Você tem todas as respostas, doutora. Então, por que se divorciou? E por que seu amigo Mark está no Colorado e você aqui? Não acho que você seja entendida em relacionamentos."

Senti um calor subir pela nuca. "Tony não se importava comigo, e quando finalmente me dei conta disso, desisti. Quanto a Mark, ele tem dificuldade em assumir compromissos."

"E você está comprometida com ele?", Marino me encarou.

Não respondi.

"Então, por que não foi para o oeste com ele? Acho que seu compromisso é com o trabalho. Você só quer saber de ser chefe."

"Temos alguns problemas, e parte deles é responsabilidade minha, sem dúvida. Mark estava furioso e foi para o oeste... talvez para provar alguma coisa, talvez apenas para ficar longe de mim", falei, tão desolada que não consegui evitar a emoção. "Profissionalmente, ir com ele teria sido impossível. Mas isso nunca foi uma opção."

Marino ficou subitamente envergonhado. "Lamento. Eu não sabia."

Fiquei em silêncio.

"Parece que você e eu estamos no mesmo barco", ele disse, para quebrar o gelo.

"De certa forma", concordei, porém não queria admitir a mim mesma qual era essa forma. "Mas eu estou cuidando de mim. Se Mark aparecer de novo, não vai me encontrar com cara de bruxa, com a vida arruinada. Eu sinto falta de Mark, mas não dependo dele. Talvez fosse bom tentar agir assim, em relação a Doris."

"Talvez." Ele pareceu mais animado. "Quem sabe. Estou louco para tomar um café."

"Sabe fazer café?"

"Você está brincando, né?", ele disse, surpreso.

"Lição número um, Marino. Fazer café. Venha cá."

Enquanto eu mostrava a ele a maravilha tecnológica que é uma cafeteira que exigia apenas cinqüenta de QI, ele resolveu contar as aventuras do dia.

"Parte de mim não quer aceitar que Hilda é séria", ele explicou. "Mas outra parte tem que aceitar isso. Sabe, ela me fez pensar um bocado."

"Em quê?"

"Deborah Harvey levou um tiro de uma pistola nove milímetros. Não encontraram o cartucho vazio. Difícil acreditar que o assassino conseguiu achar o cartucho lá, no escuro. Por isso fiquei pensando que Morrell e o resto do pessoal não estavam procurando no lugar certo. Lembre-se, Hilda especulou que poderia haver outro local e falou em um objeto perdido. Algo de metal, ligado à guerra. Poderia ser o cartucho vazio."

"Ela também disse que o objeto era inofensivo", lembrei-lhe.

"Um cartucho vazio não faz mal a uma mosca. É a bala que faz mal, quando é disparada."

"E as fotos que ela olhou foram tiradas no outono passado", prossegui. "Seja lá o que for esse objeto perdido, pode ter estado lá, mas agora não está mais."

"Está pensando que o assassino voltou durante o dia para procurar o cartucho?"

"Hilda disse que a pessoa que perdeu o objeto de metal estava preocupada com ele."

"Duvido que tenha voltado", Marino disse. "Ele é muito cuidadoso para tomar uma atitude assim. Correria um risco enorme. A área esteva lotada de policiais e cachorros logo depois do desaparecimento do casal. Pode apostar que o assassino se escondeu. Ele deve ser muito frio, para ter se saído bem até agora, depois de tanto tempo. Seja um psicopata ou um pistoleiro contratado."

"Talvez", falei, enquanto o café começava a pingar.

"Creio que devemos ir lá e procurar um pouco mais. Quer me ajudar?"

"Para ser sincera, essa possibilidade já tinha me passado pela cabeça."

8

A mata não parecia tão macabra à luz clara da tarde, pelo menos até que Marino e eu nos aproximamos da pequena clareira. O odor leve porém nauseante de carne humana em decomposição era um insidioso lembrete. Espinhos de pinheiros e folhas haviam sido varridos e empilhados em montes, pelos policiais armados de pás, que sobre eles também peneiraram a terra. Só o tempo e várias tempestades fariam desaparecer os vestígios tangíveis de assassinato daquele lugar.

Marino portava um detector de metais, e eu um rastelo. Ele acendeu um cigarro e olhou em volta.

"Não vejo vantagem em começar a busca por aqui", ele disse. "Já fizeram isso pelo menos meia dúzia de vezes."

"Imagino que a trilha já tenha sido examinada em detalhes", acrescentei, olhando para o caminho que dava na estradinha vicinal.

"Não necessariamente, pois a trilha não existia no outono, quando o casal foi deixado aqui."

Entendi o que ele queria dizer. A trilha de terra batida, sem folhas soltas, fora feita pelos grupos de policiais e outros envolvidos, nas suas idas e vindas da estradinha vicinal para o local.

Observando a mata, ele acrescentou: "Na verdade, nem sabemos onde ele estacionou, doutora. É fácil presumir que foi perto de onde paramos, e que eles chegaram aqui do mesmo jeito que a gente chegou. Mas tudo depende da intenção do assassino. Ele *realmente* pretendia vir para cá?".

"Tenho a impressão de que o assassino sabia para onde ia", respondi. "Não faz sentido pensar que ele entrou na estradinha ao acaso e acabou aqui, depois de ficar rodando no escuro, perdido."

Marino deu de ombros, ligando o detector de metais. "Não custa tentar."

Começamos pelo perímetro da cena, examinando o caminho, áreas cobertas de folhas e debaixo das moitas, dos dois lados da trilha. Lentamente, percorremos o caminho de volta para a estradinha vicinal. Passamos quase duas horas verificando cada pequena clareira no mato que pudesse permitir, mesmo remotamente, a passagem de um ser humano. O primeiro alerta do detector nos brindou com uma lata de cerveja Old Milwaukee, a segunda com um abridor de latas enferrujado. O terceiro alerta só soou quando já estávamos na beira da mata, vendo o carro. Encontramos um cartucho de espingarda de caça, com o plástico vermelho desbotado pela longa exposição ao tempo.

Apoiada no rastelo, olhei desanimada na direção da trilha, imaginando o que Hilda havia dito a respeito de haver outro lugar envolvido, talvez o local para onde o assassino levara Deborah, e vi a clareira e os corpos. Meu primeiro pensamento foi que Deborah, caso tivesse mesmo conseguido se libertar do assassino, só poderia ter feito isso no trajeto entre a estradinha e a clareira, graças à escuridão. Mas, quando eu olhava para a mata, a teoria não fazia sentido.

"Vamos aceitar como hipótese que estamos lidando com um único assassino", falei a Marino.

"Prossiga. Sou todo ouvidos." Ele limpou a testa suada com a manga do casaco.

"Se você fosse o assassino e tivesse seqüestrado duas pessoas, e depois as forçasse a vir até aqui, provavelmente sob a ameaça de uma arma, quem você mataria primeiro?"

"O rapaz ia ser o problema maior", ele disse, sem pensar. "Se fosse eu, acabaria com o rapaz primeiro e deixaria a moça por último."

Mesmo assim, era difícil imaginar a cena. Quando eu tentava visualizar uma pessoa forçando dois reféns a andar pelo mato durante a noite, continuava fracassando. O assassino tinha lanterna? Conhecia tão bem a área que era capaz de achar a clareira até de olhos vendados? Fiz essas perguntas a Marino.

"Estou tentando ver a mesma coisa", ele disse. "Algumas coisas me passaram pela cabeça. Primeiro, provavelmente ele os amarrou, prendeu as mãos nas costas. Segundo, se fosse eu, usaria a moça, manteria a arma encostada enquanto andava pelo mato. Isso tornaria o namorado manso como um carneiro. Um movimento em falso, e a moça leva um tiro. Lanterna? Bem, ele precisava dar um jeito de enxergar no mato."

"Como alguém empunha uma arma, segura a lanterna e a moça, tudo ao mesmo tempo?", perguntei.

"Fácil. Quer que eu mostre?"

"Não precisa." Recuei, quando ele veio em minha direção.

"Quero o rastelo, doutora. Não precisa ficar com medo."

Ele me entregou o detector de metal e pegou o rastelo.

"Faz de conta que o rastelo é a Deborah, tá? Eu a prendo com meu braço esquerdo, na altura do pescoço, e seguro a lanterna na mão esquerda, assim." Ele mostrou. "Empunho a arma com a mão direita, e a mantenho encostada nas costelas da moça. Nenhum problema. Fred segue um pouco na frente, pisando sempre no local iluminado pela lanterna, enquanto eu o vigio como um falcão." Parando, Marino olhou para a trilha. "Eles não iam conseguir andar muito depressa assim."

"Especialmente se o casal estivesse descalço", lembrei.

"Sim, e acho que estavam descalços, mesmo. Ele não poderia amarrar os pés deles, se pretendia fazer com que caminhassem por aqui. Mas, se os obrigasse a tirar os sapatos, faria com que andassem devagar, impediria que saíssem correndo. Talvez, depois de matá-los, ele guardasse os sapatos como suvenires."

"Talvez." Pensei novamente na bolsa de Deborah.

Falei: "Se as mãos de Deborah estavam atadas às costas dela, como a bolsa veio parar aqui? Não tinha tira nem alça que pudesse ser passada pelo braço ou ombro. Não estava presa ao cinto, na verdade ela nem usava cinto. E, se alguém com um revólver a obrigasse a andar pelo mato, para que levaria a bolsa?".

"Não faço idéia. Mas isso me intriga desde o início."

"Vamos fazer uma última tentativa", sugeri.

"Merda."

Quando chegamos novamente à clareira já havia nuvens a encobrir o sol, e começava a ventar. Dava a impressão de que a temperatura havia caído vários graus. O suor molhara minhas roupas, e eu sentia frio. Os músculos do braço tremiam devido ao esforço de rastelar. Afastei-me mais da trilha, estudando um ponto além do qual o terreno se tornava tão impenetrável que nem os caçadores deviam passar por ali. A polícia havia cavado e peneirado uns três metros naquela direção, até chegar a uma área de kudzu, que infestara cerca de quatro mil metros quadrados. As árvores rodeadas pela malha verde da trepadeira pareciam dinossauros pré-históricos erguendo-se num sólido oceano verde. Cada moita, pinheiro ou planta seria lentamente estrangulado, até a morte.

"Meu Deus", Marino disse, quando eu avancei com o rastelo. "Você está brincando."

"Não vamos muito longe", prometi.

Nem seria preciso.

O detector de metais reagiu quase que imediatamente. O som ficou mais agudo e alto quando Marino posicionou o equipamento num trecho coberto de kudzu, a menos de cinco metros do local onde os corpos haviam sido encontrados. Eu havia percebido que rastelar kudzu era pior do que escovar cabelo enroscado e acabei de joelhos, afastando as folhas e tateando em volta das raízes, usando os dedos protegidos por luvas cirúrgicas, até sentir uma forma dura e fria que eu percebi não ser o que procurava.

"Guarde para o pedágio", falei, jogando desanimada uma moeda de vinte e cinco centavos para Marino.

Alguns metros adiante o detector apitou novamente, e dessa vez minha busca de joelhos valeu a pena. Minhas mãos sentiram a forma cilíndrica e dura, inconfundível. Afastei o kudzu com cuidado, até ver o brilho do aço inoxidável do cartucho, reluzente como prata polida. Retirei-o animada, tocando o menos possível em sua superfície, enquanto Marino se abaixava e abria um saco plástico para guardar provas.

"Nove milímetros, Federal", falei, lendo a marca através do plástico. "Até que enfim."

"Ele estava parado bem aqui quando atirou nela", murmurei, sentindo um estranho arrepio me percorrer os nervos, pois me lembrei do que Hilda havia dito a respeito de "ajuntamento", de Deborah estar entre coisas que "agarram". *Kudzu*, a trepadeira.

"Se ela foi atingida à queima-roupa", Marino disse, "então não pode ter caído longe daqui."

Avançando um pouco mais, enquanto ele me seguia com o detector de metais, falei: "Como ele conseguiu *enxergar* o suficiente para atirar nela, Marino? Meu Deus. Dá para imaginar este lugar de noite?".

"Havia lua."

"Mas não lua cheia", retruquei.

"Havia luar suficiente para o local não estar escuro que nem breu."

O tempo fora checado, meses antes. Na noite de sexta-feira, 31 de agosto, data do desaparecimento do casal, a temperatura oscilava entre quinze e vinte graus. Lua crescente, quase cheia, céu claro. Mesmo que o assassino estivesse armado com uma lanterna forte, eu não conseguia entender como ele podia forçar duas pessoas a andar por ali de noite, sem ficar tão vulnerável e desorientado quanto elas. Só conseguia imaginar confusão, tropeços aos montes.

Por que ele simplesmente não os matou na estradinha vicinal, arrastou os corpos por alguns metros, até o meio do mato, e depois pegou o carro e foi embora? Por que fez questão de trazer os dois até este ponto?

Contudo, o padrão era semelhante ao dos outros casais. Os corpos também haviam sido encontrados em áreas remotas, cobertas de mata, como esta.

Olhando para o kudzu, com um ar enojado, Marino disse: "Ainda bem que não é época de cobra".

"Mas que idéia, Marino!", respondi, nervosa.

"Pretende seguir adiante?", ele perguntou, num tom de quem não tinha o menor interesse em dar sequer um passo a mais para se aventurar naquele cenário de sinistra desolação.

"Creio que por hoje já chega", falei, saindo do kudzu o mais rápido possível. Sentia coceira no corpo inteiro. A menção a cobras havia sido a gota d'água. Eu me sentia à beira de um ataque de nervos.

As sombras já obscureciam a mata quando voltamos para o carro. Quase cinco horas da tarde. Sempre que um graveto estalava sob os pés de Marino, meu coração disparava. Esquilos trepando nas árvores e pássaros a voar de galho em galho rompiam de quando em quando o silêncio apavorante.

"Vou deixar isso no laboratório amanhã, logo cedo", ele disse. "Depois, tenho uma audiência. Bela maneira de gastar o dia de folga."

"Qual é o caso?"

"O caso de Bubba fuzilado pelo amigo chamado Bubba, fato esse testemunhado apenas por um sujeito apelidado Bubba."

"Está brincando..."

"O pior", ele disse, destrancando a porta do carro, "é que isso é mais verdadeiro do que uma escopeta de cano serrado." Marino ligou o carro, resmungando: "Estou começando a odiar este serviço. Juro por Deus, doutora".

"No momento, você está odiando o mundo inteiro, Marino."

"Não, doutora", ele disse, e até riu. "*Você* eu acho legal."

O último dia de janeiro começou para mim quando o carteiro trouxe um comunicado oficial de Pat Harvey. Direto e conciso, o documento dizia que ela pretendia solicitar uma ordem judicial até o final da semana seguinte, caso eu não fornecesse cópias do relatório da autópsia e dos exames toxicológicos realizados em sua filha. Uma cópia da carta fora enviada a meu superior imediato, o diretor de Saúde e Serviço Social. Em menos de uma hora, a secretária dele ligou, exigindo minha presença em seu gabinete.

Deixando de lado as autópsias que me aguardavam, saí do prédio e iniciei a curta caminhada pela Franklin, até a Main Street Station, desativada havia anos. Fora convertida num pequeno shopping, que não durou muito, e depois adquirida pelo governo. Em certo sentido, aquele histórico prédio vermelho, com relógio na torre e telhas de barro vermelho voltara a ser uma estação de trem, um abrigo temporário para funcionários do estado obrigados a se arranjar enquanto o Madison Building passava por reformas e remoção do amianto. O governador nomeara o dr. Paul Sessions para a secretaria, dois anos antes. Embora minhas reuniões com o novo chefe fossem pouco freqüentes, não eram desagradáveis. Algo me dizia que isso poderia mudar, naquele dia. A secretária dele usara um tom de lamento, ao telefone, como se soubesse que me chamava para que eu fosse punida.

O secretário ocupava um conjunto de salas no segundo andar, ao qual se chegava pela escadaria de mármore liso e gasto pelos viajantes que subiam e desciam aqueles degraus no passado distante. Os espaços requisitados pela secretaria haviam sido uma loja de esportes e uma butique que vendia pipas e birutas coloridas. As paredes tinham sido removidas, os painéis envidraçados revestidos por tijolos e as salas carpetadas, divididas e mobiliadas com objetos de bom gosto. O dr. Sessions estava suficientemente familiarizado com a lentidão do governo e se acomodou em seu alojamento provisório como se ele fosse permanente.

A secretária me recebeu com um sorriso de comiseração, fazendo com que eu me sentisse pior ainda enquanto se virava do teclado para o telefone.

Ela anunciou que eu havia chegado, e imediatamente uma porta de carvalho maciço se abriu do outro lado da sala. O dr. Sessions me convidou para entrar.

Ele era um sujeito enérgico, com cabelo castanho e óculos grandes que engoliam seu rosto estreito, a prova viva de que correr em maratona não era uma coisa apropriada para seres humanos. Seu peito tuberculoso e o corpo desprovido de gordura impediam que tirasse o paletó em qualquer época. Até no verão, ele usava manga comprida, pois sentia um frio crônico. Ainda estava com o braço esquerdo engessado, pois o fraturara numa corrida na Costa Oeste. Um pequeno obstáculo que poupara os corredores à sua frente não o perdoou. Ele caiu na rua. Foi, provavelmente, o único participante a não concluir a prova e sair no jornal assim mesmo.

Sentado à mesa, com a carta de Pat Harvey no meio do borrador, ele exibia um ar inusitadamente severo.

"Presumo que você já tenha visto isto", ele tocou a carta com o indicador.

"Sim", respondi. "Compreensivelmente, Pat Harvey está muito interessada nos resultados dos exames da filha."

"O corpo de Deborah Harvey foi encontrado há onze dias. Devo concluir que ainda não sabe o que matou a moça nem Fred Cheney?"

"Sei o que a matou. A causa da morte dele ainda permanece indeterminada."

Ele não ocultou a surpresa. "Doutora Scarpetta, poderia me explicar por gentileza por que essa informação não foi transmitida à família Harvey ou ao pai de Fred Cheney?"

"Minha explicação é simples", respondi. "Os casos ainda estão pendentes, aguardando o resultado de pesquisas especiais. E o FBI solicitou que eu retardasse a divulgação de informações a qualquer pessoa."

"Entendo." Ele olhou para a parede, como se ali houvesse uma janela panorâmica, o que não era o caso.

"Se eu receber uma ordem sua para divulgar os relatórios, farei isso imediatamente, doutor Sessions. Na verdade, ficaria aliviada se me mandar atender ao pedido de Pat Harvey."

"Por quê?" Ele sabia a resposta, mas queria ouvir o que eu tinha a dizer.

"Porque a senhora Harvey e o marido têm o direito de saber o que aconteceu com a filha deles. Bruce Cheney tem o direito de ser informado sobre o que sabemos ou não a respeito do filho dele. A espera é angustiante, para todos eles."

"Já conversou com a senhora Harvey?"

"Recentemente, não."

"Falou com ela desde que os corpos foram encontrados, doutora Scarpetta?" Ele se distraía brincando com a tipóia.

"Liguei para ela quando a identidade foi confirmada, mas depois disso não nos falamos mais."

"Ela tentou entrar em contato?"

"Sim."

"E você se recusou a atendê-la?"

"Já expliquei o motivo que me levou a não conversar com ela", respondi. "E não acho que seja uma boa política pegar o telefone e dizer a ela que o FBI não quer que eu lhe dê informação alguma."

"Portanto, não mencionou a instrução do FBI a ninguém, presumo."

"Acabei de mencionar ao senhor."

Ele cruzou a perna novamente. "Sou grato por isso. No entanto, seria inadequado comentar o fato com qualquer um. Principalmente com repórteres."

"Tenho feito o possível para evitar a imprensa."

"O *Washington Post* telefonou para mim esta manhã."

"Qual repórter do *Post*?"

Ele começou a procurar o recado, enquanto eu esperava, inquieta. Não queria acreditar que Abby estava passando por cima de mim.

"Um sujeito chamado Clifford Ring." Ele ergueu os olhos. "Na verdade, não foi a primeira vez que ligou. Tampouco fui a única pessoa de quem ele tentou extrair informações. O sujeito andou perturbando minha secretária e outros membros da equipe, entre eles meu assessor e o secretário de Recursos Humanos. Presumo que tenha ligado para você também, e finalmente tenha recorrido ao pessoal administrativo. Como ele mesmo disse, 'a médica-legista se recusa a me atender'."

"Recebo muitas ligações de repórteres. Não me lembro da maioria dos nomes."

"Bem, o senhor Ring parece acreditar que está em curso uma operação de acobertamento, uma espécie de conspiração. A julgar pelo tipo de pergunta que faz, ele parece ter informações que corroboram a tese."

Estranho, pensei. Não parecia que o *Post* estava evitando investigar os casos, como Abby afirmara com tanta insistência.

"Ele tem a impressão", o secretário prosseguiu, "de que seu departamento está ocultando informações, e que portanto participa da tal conspiração."

"Suponho que seja verdade." Sentia dificuldade em evitar que a contrariedade se manifestasse em meu tom de voz. "E isso me deixa no meio do fogo cruzado. Devo escolher entre desafiar Pat Harvey ou o Departamento de Justiça. Francamente, se tiver escolha, prefiro me entender com a senhora Harvey. Mais dia, menos dia, terei de prestar contas a ela. É a mãe de Deborah. Não devo satisfações ao FBI."

"Não tenho interesse em afrontar o Departamento de Justiça", o dr. Sessions disse.

Ele não precisava explicar as razões. Uma parcela considerável do orçamento da secretaria vinha das verbas federais, e parte dessas verbas chegava ao meu departamento para subsidiar a coleta de dados necessária a diversas instituições de prevenção ao crime e segurança no trânsito. O Departamento de Justiça sabia se fazer ouvir. Mesmo que afrontar a burocracia federal não significasse corte de verbas, certamente isso significava sofrer um bocado de pressão. A última coisa que o secretário desejava era prestar contas de cada lápis e folha de papel adquiridos com verbas federais. Eu sabia como a coisa funcionava. Todos nós sofreríamos para explicar o destino de cada centavo e teríamos de nos afogar em relatórios.

O secretário ergueu a carta com o braço bom e estudou-a por algum tempo.

Ele disse: "Na verdade, a única resposta possível é deixar que a senhora Harvey cumpra sua ameaça".

"Se ela conseguir uma ordem judicial, não terei escolha. Serei forçada a fornecer os documentos que ela quer."

"Sei disso. A vantagem é que o FBI não poderia nos culpar de coisa alguma. A desvantagem, obviamente, seria a publicidade negativa", ele pensou em voz alta. "Certamente, a Secretaria de Saúde e Serviço Social ficaria em maus lençóis, se o público soubesse que fomos forçados por um juiz a fornecer a Pat Harvey documentos aos quais ela tem legalmente direito. Desconfio que isso servirá para confirmar as suspeitas de nosso amigo, o senhor Ring."

O cidadão médio nem sequer sabe que o Departamento de Medicina Legal é subordinado à Secretaria de Saúde e Serviço Social. Era eu a pessoa que ficaria em maus lençóis. O secretário, como é típico dos burocratas, ia me jogar no fogo para não se indispor com o Departamento de Justiça.

"Claro", ele considerou, "que Pat Harvey vai dar a impressão de que costuma pegar pesado. Como se usasse seu cargo para conseguir o que deseja. Talvez esteja blefando."

"Duvido muito", respondi, lacônica.

"Veremos." Ele se levantou e me acompanhou até a porta. "Escreverei para a senhora Harvey, explicando que tive uma conversa com você."

Aposto que vai escrever mesmo, pensei.

"Se precisar de alguma coisa, fale comigo." Ele sorriu, evitando me olhar nos olhos.

Sim, se eu precisasse de alguma coisa, falaria com ele. Se estivesse com os dois braços quebrados, daria na mesma. Ele jamais levantaria um dedo para me ajudar.

Assim que voltei a meu escritório, perguntei a Rose e ao pessoal da recepção se algum repórter do *Post* havia telefonado. Após uma busca nos registros e recados anotados, eles disseram que nenhum Clifford Ring havia ligado. Ele não poderia me acusar de sonegar informações sem ter ao menos tentado falar comigo, pensei. De todo modo, eu estava confusa.

"Por falar nisso", Rose acrescentou, quando eu já estava no corredor, "Linda a procurou, dizendo que precisa falar com você quanto antes."

Linda era a especialista em exames balísticos. Marino deve ter passado para entregar o cartucho, pensei. Ótimo.

O laboratório de balística e armas de fogo situava-se no terceiro andar e mais parecia uma loja de armas usadas. Revólveres, rifles, escopetas e pistolas cobriam cada centímetro dos balcões. Provas, em sacos de papel pardo, formavam pilhas no chão que iam até o peito. Eu já estava a ponto de concluir que todos haviam saído para almoçar quando ouvi explosões abafadas de uma arma sendo disparada do outro lado da porta fechada. Ao lado do laboratório havia uma saleta usada para testar armas de fogo. Elas eram disparadas num tanque de aço galvanizado cheio de água.

Duas séries de disparos depois, Linda surgiu. Trazia um trinta-e-oito Special numa das mãos, e na outra projéteis e cartuchos vazios. Era esguia e feminina. Usava cabelo castanho bem comprido, tinha ossatura formidável e olhos castanhos-claros bem abertos. Um jaleco de laboratório protegia a saia preta longa e a blusa de seda amarelo-clara com um alfinete de ouro na altura do pescoço. Se eu me sentasse a seu lado num avião e tentasse adivinhar sua profissão, pensaria que era professora de literatura ou gerente de galeria de arte.

"Más notícias, Kay", ela disse, colocando o revólver e a munição em cima da mesa.

"Espero que não digam respeito ao cartucho que Marino lhe trouxe", falei.

"Infelizmente, é isso mesmo. Estava pronta para gravar minhas iniciais e o número do laboratório quando tive uma surpresa." Ela se aproximou do microscópio de comparação. "Aqui." Ela ofereceu a cadeira. "Uma imagem vale mais do que mil palavras."

Sentei-me. Espiei através das lentes. No campo iluminado à esquerda havia um cartucho vazio de aço inoxidável.

"Não compreendo", falei, ajustando o foco.

Gravadas na base do cartucho vi as iniciais "J. M.".

"Pensei que Marino havia entregado isso para você." Olhei para ela.

"Ele entregou. Faz mais ou menos uma hora", Linda disse. "Perguntei se havia gravado as iniciais, e ele disse que não. Nem cheguei a pensar que ele poderia ter feito isso. As iniciais de Marino são P. M. e não J. M. De todo modo, ele está na polícia há tempo suficiente para saber como proceder."

Embora alguns detetives da polícia colocassem suas iniciais em cartuchos e armas dos casos que investigavam, assim como alguns legistas marcavam balas recuperadas em corpos, os especialistas em balística desencorajavam o procedimento. Marcar o metal com agulha é arriscado, pois sempre se corre o risco de riscar o bloco de culatra ou o percussor, bem como afetar marcas do disparo e outros detalhes, como sulcos e superfícies úteis para a identificação. Marino sabia disso muito bem. Como eu, sempre colocava suas iniciais no saco plástico que continha a prova, deixando o material interno intato.

"Quer dizer que as iniciais já estavam no cartucho quando Marino o trouxe?", perguntei.

"Ao que tudo indica, sim."

J. M. *Jay Morrell*, pensei, intrigada. Por que um cartucho deixado na cena do crime estaria marcado com as iniciais dele?

Linda sugeriu: "Estou pensando que um policial de serviço na cena poderia ter levado um cartucho assim no bolso e depois o teria perdido, sem perceber. Poderia haver um furo no bolso, certo?".

"Acho difícil de acreditar", falei.

"Bem, tenho outra teoria. Mas você não vai gostar dela, assim como eu. O cartucho pode ter sido reaproveitado."

"Nesse caso, por que exibiria a marca de um policial? Quem reaproveitaria um cartucho marcado como prova judicial?"

"Já aconteceu antes, Kay. Mas eu não lhe contei nada, entende?"

Ouvi, calada e atenta.

"O número de armas e a quantidade de munição ou cartuchos recolhidos pela polícia e levados ao tribunal como prova é algo astronômico. Valem muito dinheiro. As pessoas são gananciosas, mesmo alguns juízes. Eles pegam o material para si ou o vendem para lojas de munição ou para outros apreciadores de armas. Suponho que haja uma possibilidade remota de que esse cartucho tenha sido coletado por um policial e levado ao tribunal como prova, algum dia. Ele acabou sendo reutilizado. Talvez quem o usou agora não tivesse a mínima idéia de que alguém havia gravado as iniciais dentro do cartucho."

"Não podemos provar que esse cartucho é o mesmo que abrigou a bala que encontramos na coluna de Deborah Harvey, nem poderemos, a não ser que a arma seja encontrada", ressaltei. "Não podemos afirmar nem mesmo que seja munição Hydra-Shok. Só sabemos que é nove milímetros, Federal."

"Certo. Mas a Federal detém a patente da munição Hydra-Shok, desde o final dos anos 80. Se é que isso adianta."

"A Federal vende balas Hydra-Shok para pessoas que reutilizam cartuchos?", perguntei.

"Esse é o problema. Não vende. Apenas a munição completa está no mercado. Mas isso não significa que alguém não possa conseguir balas por outros meios. Roubando da fábrica, tendo acesso a alguém que roube da fábrica. Eu mesma poderia conseguir essas balas se alegasse precisar delas para um projeto especial. Quem pode saber?" Ela pegou a lata de Diet Coke na mesa, acrescentando: "Nada mais me surpreende hoje em dia".

"Marino já sabe o que você descobriu?"

"Liguei para ele."

"Obrigada, Linda", falei ao me levantar. Formulava minha própria teoria, muito diferente da hipótese de Linda, e infelizmente muito mais provável. Só a possibilidade já me deixava furiosa. Assim que cheguei a minha sala apanhei o telefone e liguei para o número do pager de Marino. Ele retornou minha ligação na mesma hora.

"Aquele filho da puta", ele começou dizendo.

"Quem? Linda?", perguntei, assustada.

"Morrell, claro. Filho da puta, mentiroso. Acabei de falar com ele. Ele disse que não sabia de nada, mas eu o acusei de roubar provas para reutilizar — perguntei se andava roubando armas e munição, também. Disse que ia entregá-lo para a corregedoria, pedir uma investigação ao pessoal de assuntos internos. Aí ele abriu o bico."

"Marino, ele gravou as iniciais no cartucho e o deixou lá deliberadamente?"

“Claro que sim. Eles encontraram o cartucho verdadeiro na semana passada. Depois o idiota plantou o outro cartucho lá e disse que só fez isso por ordem do FBI.”

“E onde está o cartucho verdadeiro?”, perguntei, sentindo o sangue latejar nas têmporas.

“No laboratório do FBI. Você e eu passamos longas horas no mato e sabe de uma coisa? Estávamos sendo vigiados o tempo inteiro. O local está sob observação. Ainda bem que nenhum de nós foi dar uma mijada atrás da moita, não acha?”

“Já conversou com Benton?”

“Droga, ainda não. Mas, no que me diz respeito, ele pode ir tomar no rabo.” Marino bateu o telefone.

9

Algo na atmosfera tranqüila do Globe and Laurel fazia com que eu me sentisse segura. O prédio de tijolos tinha linhas simples, sem o menor traço de ostentação. O restaurante situava-se num trecho do norte da Virgínia, no Triangle, perto da base dos fuzileiros navais. O pequeno gramado da frente estava sempre bem cuidado, a sebe aparada com capricho, o estacionamento organizado. Cada carro respeitava a faixa pintada no solo.

Semper Fidelis enfeitava a bandeira da porta, e lá dentro encontrei a nata dos "sempre fiéis": chefes de polícia, generais de quatro estrelas, secretários de Defesa, diretores do FBI e da CIA. As fotos eram tão familiares para mim que os homens duros sorrindo discretamente mais pareciam uma turma de amigos sumidos há muito tempo. O major Jim Yancey, cujas botas cor de bronze de combate no Vietnã enfeitavam o piano do outro lado do bar, atravessou o tapete *tartan* Highland vermelho para me receber.

"Doutora Scarpetta", ele disse, sorrindo ao me apertar a mão. "Achei que não tivesse gostado da comida da última vez, pois demorou muito para voltar."

O traje informal do major, que usava suéter de gola rulê e calça de veludo, não camuflava sua atividade anterior. Era mais militar do que um quepe: postura ereta orgulhosa, nada de gordura, cabelo claro cortado rente. Aposentado havia algum tempo, ainda parecia em forma para o combate, e não era difícil imaginá-lo sacolejando em terreno irregular a bordo de um jipe ou comendo ração na lata no meio da selva, enquanto a chuva de monção encharcava tudo.

"Nunca passei mal aqui, e você sabe disso muito bem", falei com carinho.

"Você veio procurar Benton, e ele está a sua procura. Nosso velho amigo acomodou-se ali" — ele apontou —, "na toca de sempre."

"Obrigada, Jim. Sei o caminho. Foi ótimo encontrá-lo novamente."

Ele piscou para mim e se retirou para o bar.

Mark me levara pela primeira vez ao restaurante do major Yancey na época em que eu ia de carro a Quantico duas vezes por mês, nos finais de semana, para vê-lo. Enquanto eu caminhava sob o teto coberto de insígnias policiais e passava pelas estantes cheias de lembranças das forças armadas, as recordações me machucavam o coração. Eu poderia apontar todas as mesas que Mark e eu havíamos ocupado, e me parecia despropositado haver estranhos sentados nelas agora, entretidos com as próprias conversas íntimas. Eu não vinha ao Globe já fazia quase um ano.

Atravessei o salão principal e segui para uma área reservada, onde Wesley me esperava em sua "toca", uma mesa de canto na frente de uma janela com cortina vermelha. Ele bebericava um drinque e não sorriu quando nos cumprimentamos formalmente. O garçom de smoking preto apareceu para anotar meu pedido de bebida.

Wesley me encarou com olhos impenetráveis como um cofre de banco, e eu reagi à altura. Ele havia feito soar o gongo do primeiro assalto, e estávamos começando a estudar o adversário.

"Estou muito preocupado com a ocorrência de uma falha em nossa comunicação, Kay", ele começou.

"Exatamente o que estou sentindo", falei, com a calma férrea que aprimorara no banco das testemunhas. "Estou muito preocupada com nosso problema de comunicação. O FBI grampeou meu telefone e mandou me seguir também?

Espero que seus agentes escondidos no mato tenham conseguido boas fotos de Marino e de mim."

Wesley retrucou, com a mesma calma: "Você, pessoalmente, não está sob vigilância. A área em que Marino e você estiveram ontem no fim da tarde é que está sob observação".

"Talvez, se tivesse me informado", falei, segurando a raiva, "eu pudesse ter contado antes a razão que nos levou até lá novamente."

"Jamais poderia imaginar que Marino e você pretendessem voltar lá."

"Costumo fazer visitas às cenas dos crimes, rotineiramente. Trabalha comigo há tempo suficiente para saber disso muito bem."

"Realmente, eu errei. Bem, agora você já sabe. E eu gostaria que você não voltasse mais lá."

"Não tenho intenção de fazer isso", falei secamente. "Mas, se houver necessidade, farei o possível para avisá-lo com antecedência. Acho razoável, uma vez que você iria acabar descobrindo, mesmo. Além disso, não preciso perder tempo recolhendo provas plantadas por seus agentes ou pela polícia."

"Kay", ele disse, num tom mais cordial, "não estou tentando interferir em seu trabalho."

"Andam mentindo para mim, Benton. Disseram que nenhum cartucho foi encontrado no local do crime, mas acabei descobrindo que o laboratório do FBI recebeu a amostra faz mais de uma semana."

"Quando decidimos montar a campana, não queríamos que ninguém soubesse", ele falou. "Quanto menos gente estivesse a par, menor a chance de haver vazamento da informação."

"Obviamente, você presume que o assassino pode voltar à cena do crime."

"Trata-se de uma possibilidade."

"Você levou essa possibilidade em conta, nos quatro primeiros casos?"

"Desta vez, é diferente."

"Por quê?"

"Porque ele deixou uma pista, e sabe disso."

"Se ele estivesse tão preocupado com o cartucho vazio, teria tido tempo de voltar lá no outono passado e procurá-lo", falei.

"Ele não sabia ainda que descobriríamos que Deborah Harvey havia levado um tiro, nem que uma bala Hydra-Shok fora encontrada em seu corpo."

"Duvido que o sujeito com quem estamos lidando seja estúpido", falei.

O garçom voltou com meu scotch e club soda.

Wesley prosseguiu: "O cartucho que vocês encontraram foi plantado. Não nego isso. E, realmente, você e Marino penetraram em uma área sob vigilância. Havia dois agentes escondidos no mato. Eles viram tudo que vocês dois fizeram, inclusive recolher o cartucho vazio. Se você não tivesse ligado para mim, eu teria entrado em contato".

"Fico feliz em saber disso."

"Eu pretendia explicar tudo. Não teria alternativa, realmente, pois você inadvertidamente entrou em nossa armadilha. E está com toda a razão." Ele bebeu um gole. "Deveria ter avisado vocês antes; nada disso teria acontecido, e não teríamos sido forçados a desistir da operação. Ou, melhor dizendo, forçados a adiá-la."

"O que vocês adiaram, exatamente?"

"Se você e Marino não tivessem tropeçado em nosso esquema, amanhã pela manhã os jornais publicariam uma história preparada para o assassino." Ele fez uma pausa. "Desinformação, com o objetivo de atraí-lo para uma armadilha. Ou deixá-lo preocupado. A história vai sair, mas só depois da segunda-feira."

"E qual é a idéia?", perguntei.

"Queremos que ele pense que surgiu uma pista, durante o exame dos cadáveres. Algo que nos leve a crer que ele deixou uma prova importante no local do crime. Segundo fontes não identificadas, sem confirmação da polícia etc. Tudo para insinuar que ainda não tivemos a sorte de encontrar a tal prova. O assassino sabe que deixou um cartucho vazio por lá. Se ficar paranóico o suficiente para voltar e procurá-lo, estaremos esperando por ele. Quando ele pegar o cartucho que plantamos, filmamos tudo e damos o flagrante."

"O cartucho é inútil se vocês não tiverem a arma. Por que ele se arriscaria a retornar ao local, principalmente quando tudo indica que a polícia está por lá, procurando provas?" Eu estava louca para saber.

"Ele pode ficar preocupado com várias coisas, pois perdeu o controle da situação. Só pode ter sido isso, ou não teria sido necessário atirar em Deborah pelas costas. Parece que ele matou Cheney sem usar arma de fogo. Como ele poderia saber o que realmente estamos procurando, Kay? Talvez seja o cartucho. Talvez outra coisa. Ele não tem certeza da condição exata dos corpos quando os encontramos. Não sabemos o que ele fez com o casal, mas tampouco ele sabe o que descobrimos durante as autópsias. E ele talvez não volte lá de dia, assim que a matéria for publicada, mas pode tentar uma ou duas semanas depois, quando as coisas se aquietarem um pouco."

"Duvido que a tática da desinformação funcione nesse caso", falei.

"Quem não arrisca não petisca. O assassino deixou uma pista. Seria insensatez não tirar proveito disso."

A abertura foi muito grande, e não resisti à tentação de entrar. "E vocês agiram a partir das pistas encontradas nos quatro primeiros casos, Benton? Soube que um valete de copas foi encontrado dentro de cada um dos veículos. Um detalhe que vocês conseguiram ocultar com eficiência, é óbvio."

"Quem lhe disse isso?", ele perguntou, sem modificar a expressão. Nem mesmo demonstrou surpresa.

"É verdade?"

"Sim."

"E encontraram uma carta no caso Harvey-Cheney?"

Wesley olhou para o outro lado da sala, chamando o garçom. "Recomendo filé mignon." Ele abriu o cardápio. "Ou costeleta de carneiro."

Fiz o pedido, sentindo o coração disparar. Acendi um cigarro, incapaz de relaxar, e minha mente procurava freneticamente a melhor maneira de atacar.

"Você não respondeu a minha pergunta."

"Não vejo relevância no fato para sua função nesta investigação", ele disse.

"A polícia esperou horas até me convocar. Os corpos foram movidos e manipulados antes de minha chegada. Tenho sido ignorada pelos responsáveis pela investigação. Você me pediu que adiasse indefinidamente os relatórios sobre causa e maneira das mortes de Fred e Deborah. Enquanto isso, Pat Harvey ameaça pedir uma ordem judicial para me obrigar a divulgar as conclusões dos exames." Fiz uma pausa. Ele nem se abalou.

"Finalmente", concluí, e minhas palavras começaram a fazer efeito, "faço uma visita retrospectiva à cena, sem saber que o local está sob vigilância ou que a prova recolhida fora plantada lá. E você acha que os detalhes do caso são irrelevantes para minha função nesta investigação? Eu nem sei mais se tenho alguma função nesta investigação. Ou, pelo menos, você parece decidido a evitar que eu tenha alguma."

"Não estou fazendo nada disso."

"Então outra pessoa está."

Ele não respondeu.

"Se um valete de copas foi encontrado no jipe de Deborah ou em algum lugar, perto dos corpos, é importante que eu saiba. Seria o vínculo entre as mortes dos cinco casais. Quando há um serial killer solto na Virgínia, eu tenho motivos para me preocupar."

Ele me pegou de guarda abaixada. "O que andou contando a Abby Turnbull?"

"Não contei nada a ela", falei, sentindo que meu coração disparava de vez.

"Você esteve com ela, Kay. Tenho certeza de que não negará isso."

"Mark contou a você, e tenho certeza de que não negará isso."

"Mark não teria como saber que você encontrou Abby em Richmond ou Washington, a não ser que você tenha contado isso a ele. De qualquer maneira, ele não teria motivos para me passar tal informação."

Encarei-o. Como Wesley poderia saber que me encontrei com Abby em Washington? Isso queria dizer que ela realmente estava sendo vigiada.

"Quando Abby me visitou em Richmond", falei, "Mark telefonou, e eu contei que ela estava em casa, fazendo uma visita. Quer dizer que ele não lhe disse nada?"

"Não disse."

"Então, como ficou sabendo?"

"Não posso contar certas coisas. Você vai ter de confiar em mim."

O garçom trouxe a salada. Comemos em silêncio. Wesley só falou novamente quando o prato principal foi servido.

"Estou sendo muito pressionado", ele disse, em voz baixa.

"Dá para perceber. Você parece cansado, desanimado."

"Obrigado, doutora", ele disse, com ironia.

"Você mudou em outras coisas, também", insisti.

"Sei que é o que parece."

"Você está me excluindo, Benton."

"Acho que me distanciei porque você faz perguntas a que não posso responder. O mesmo vale para Marino. Com isso, eu me sinto mais pressionado ainda. Dá para entender?"

"Estou tentando", falei.

"Não posso contar tudo. Não seria melhor deixar como está?"

"Não mesmo. Afinal, temos interesses comuns. Eu tenho informações que lhe interessam. E você tem informações de que eu preciso. Não vou lhe mostrar nada se você não me passar o que descobriu."

Ele me surpreendeu, rindo.

"Acha que podemos chegar a um acordo, nessas bases?", insisti.

"Pelo jeito, não me resta outra opção."

"Não mesmo", concordei.

"Sim, encontramos um valete de copas no caso Harvey-Cheney. Sim, ordenei que os corpos fossem revistados antes de sua chegada ao local. Sei que isso foi lamentável, mas você não tem idéia do quanto as cartas são importantes, nem dos problemas que teríamos se a informação a respeito delas vazasse. Se chegasse aos jornais, por exemplo. No momento, não posso dizer mais nada."

"Onde estava a carta?", perguntei.

"Encontramos a carta dentro da bolsa de Deborah. Quando dois policiais me ajudaram a virar o corpo, encontramos a bolsa sob o corpo."

"Está sugerindo que o assassino levou a bolsa dela para o mato?"

"Sim. Não faria o menor sentido achar que Deborah levou a bolsa consigo para lá."

"Nos outros casos", ponderei, "a carta ficou à vista, dentro do carro."

"Exatamente. O local onde encontramos a carta foi apenas mais um dado inconsistente. Por que *não estava* dentro do jipe? Outra coisa que não se encaixa é que as cartas deixadas nos outros casos eram de um baralho Bicycle. No caso de Deborah, a marca é outra. Além disso, há a questão das fibras."

"Que fibras?", perguntei.

Embora eu tivesse recolhido fibras de todos os corpos decompostos, em sua maioria elas eram compatíveis com os trajes das vítimas ou com o estofamento dos veículos. Fibras desconhecidas — as poucas encontradas — não haviam fornecido um elo para ligar os casos. Até o momento, eram inúteis.

"Nos quatro casos anteriores ao assassinato de Deborah e Fred", Wesley disse, "fibras brancas de algodão foram encontradas no banco do motorista de todos os carros abandonados."

"Isso é novidade para mim", falei, sentindo voltar a irritação.

"Nosso laboratório se encarregou de analisar as fibras", ele explicou.

"E qual é sua interpretação?", perguntei.

"O padrão das fibras recuperadas é interessante. Uma vez que as vítimas não usavam roupas de algodão branco no momento da morte, só posso deduzir que as fibras foram deixadas pelo suspeito, e que isso mostra que ele guiou os carros das vítimas depois dos crimes. Bem, já havíamos concluído isso desde o início. Portanto, precisamos nos deter nas roupas dele. E na possibilidade de que estivesse usando um uniforme quando encontrou os casais. Com calça branca de algodão. Sei lá. De todo modo, nenhuma fibra branca de algodão foi recuperada no banco do motorista do jipe de Deborah Harvey."

"E o que encontraram dentro do jipe dela?", perguntei.

"Nada que possa nos ajudar, até agora. Na verdade, o interior estava imaculado." Ele fez uma pausa para cortar o filé. "Antes de mais nada, o *modus operandi* é diferente o suficiente, neste caso, para me deixar muito preocupado, tendo em vista as outras circunstâncias."

"Ou seja, uma das vítimas é filha da diretora da Cruzada Antidrogas, e você considera que a morte de Deborah pode ter tido inspiração política, por causa das atividades antidroga da mãe."

Ele fez que sim. "Não podemos descartar a hipótese de que o assassinato de Deborah e de seu namorado tenha sido encenado para se parecer com os outros crimes."

"Se as mortes não estão relacionadas com as outras, e portanto foram obra de um pistoleiro", indaguei, cética, "então como você explica que o assassino sabia que precisava deixar um valete de copas no local, Benton? Até mesmo eu só soube recentemente a respeito da carta. Com toda a certeza, não saiu nos jornais."

"Pat Harvey sabe", ele disse, o que me surpreendeu.

Abby, pensei. Eu era capaz de apostar que Abby havia divulgado esse detalhe para a sra. Harvey, e que Wesley sabia disso.

"Há quanto tempo a senhora Harvey foi informada da existência das cartas?", perguntei.

"Quando o jipe da filha foi encontrado ela perguntou se havíamos achado alguma carta. E ela me telefonou novamente, quando os corpos apareceram."

"Não compreendo", falei. "Como ela sabia disso desde o outono passado? Dá a impressão de que ela sabia dos detalhes dos outros casos *antes* mesmo do desaparecimento de Deborah e Fred."

"Ela conhecia alguns detalhes. Pat Harvey se interessou pelos casos muito antes de ter uma motivação pessoal."

"Por quê?"

"Você conhece algumas teorias", ele disse. "Overdoses de drogas. Uma nova droga na rua, inédita. Jovens seguindo para o mato, pretendendo viajar, mas acabam mortos. Ou um traficante que sente prazer doentio em vender droga ruim num lugar remoto e depois observar a morte dos casais."

"Ouvi as teorias, e não há nada para corroborá-las. Os resultados toxicológicos foram negativos para drogas nos primeiros oito casos."

"Recordo-me dos relatórios", ele disse, pensativo. "No entanto, acho também que isso não significa que os jovens não tinham envolvimento com drogas. Praticamente só restavam os esqueletos. Não me parece que tenha sobrado muito material para testes."

"Sempre havia algum tecido preservado. Músculos. O bastante para fazer o teste. Cocaína ou heroína, por exemplo. Esperávamos encontrar pelo menos os metabólitos morfina ou benzóico-cogonina. Quanto a drogas novas, testamos análogos de PCP e anfetaminas."

"E quanto à tal China White?", ele sugeriu, referindo-se a um analgésico sintético muito potente, popular na Califórnia. "Pelo que sei, não é preciso muito para uma overdose, e não se consegue detectar facilmente sua presença."

"Correto. Menos de um miligrama pode ser fatal. A concentração, portanto, é baixa demais para ser detectada sem o emprego de procedimentos analíticos especiais, como o RIA." Notando que sua expressão não indicava reconhecimento, expliquei: "Radioimunoensaio, um procedimento baseado em reações específicas dos anticorpos às drogas. O RIA pode detectar níveis residuais de drogas, e por isso recorremos a ele quando procuramos China White, LSD e THC".

"Mas não encontraram nada disso."

"Exatamente."

"E quanto a álcool?"

"O álcool é um problema quando os corpos atingem um estado adiantado de decomposição. Alguns testes deram negativo, outros menos de 0,05. Possivelmente, em conseqüência da decomposição. Indeterminado, em uma palavra."

"O mesmo vale para Harvey e Cheney?"

"Nenhum sinal de drogas, até o momento", informei. "Qual era o interesse de Pat Harvey, nos casos anteriores?"

"Preste atenção", ele respondeu. "Eu não disse que ela estava muito preocupada com o assunto. Mas deve ter ouvido comentários quando era promotora federal, recebido informações confidenciais, feito perguntas. Política, Kay. Suponho que ela teria usado os casos para agilizar sua campanha contra o tráfico, se houvesse relação com drogas — mortes acidentais ou homicídios, tanto faz."

Isso explicaria o fato de a sra. Harvey estar tão bem informada quando almocei na casa dela no outono, pensei.

Sem dúvida havia dados em seu arquivo, por causa do interesse anterior nos crimes.

"Quando as investigações feitas por ela deram em nada", Wesley continuou, "creio que deixou tudo de lado, até que a filha e Fred desapareceram. Então, tudo voltou a sua mente, como você pode imaginar."

"Sim, posso imaginar. Também posso imaginar a amarga ironia que seria a morte por overdose da filha da maior inimiga das drogas."

"Não pense que a senhora Harvey deixou de pensar nessa possibilidade", Wesley disse, sério.

O comentário me fez ficar tensa novamente. "Ela tem o direito de saber, Benton. Não posso adiar a divulgação dos relatórios indefinidamente."

Ele acenou para o garçom, pedindo o café.

"Preciso que você me ajude a ganhar tempo, Kay."

"Para pôr em prática seu esquema de desinformação?"

"Precisamos fazer uma tentativa, deixar que as histórias corram sem interferência. No minuto em que a senhora Harvey conseguir algo de você, vai ser o diabo. Acredite em mim. Sei melhor do que você como ela vai reagir. Procurará a imprensa e com isso estragará o esquema que montamos para atrair o assassino."

"E o que acontecerá quando ela conseguir uma ordem judicial?"

"Isso leva tempo. Não vai ser para amanhã. Você consegue segurar o resultado um pouco mais, Kay?"

"Você não terminou de explicar a história do valete de copas", insisti. "Como um assassino profissional poderia saber a respeito da carta de baralho?"

Wesley respondeu, relutante: "Pat Harvey não recolhe informações ou investiga ocorrências sozinha. Tem assessores, uma equipe inteira. Conversa com outros políticos e com muita gente, inclusive eleitores. Tudo depende de quem teve acesso à informação, e quem desejava acabar com ela. Trata-se apenas de uma conjetura, não estou afirmando nada".

"Uma morte encomendada, disfarçada para ser confundida com os casos anteriores", falei. "Só que o assassino cometeu um erro. Ele não sabia que o valete de copas deveria ser deixado no carro. Ele o deixou junto ao corpo de Deborah, na bolsa. Alguém envolvido com as organizações comunitárias de fachada, talvez. Aquelas contra as quais Pat Harvey deveria testemunhar, certo?"

"Estamos falando de gente ruim que vive metida com gente pior ainda. Traficantes. Crime organizado." Ele mexeu o café, distraidamente. "Tudo isso afetou o equilíbrio da senhora Harvey. Ela anda muito agitada. A audiência no Congresso não é exatamente uma prioridade, no momento."

"Entendo. Suspeito que o relacionamento dela com o Departamento de Estado não seja lá dos melhores, em razão dessa audiência."

Wesley apoiou cuidadosamente a colher na beirada do pires. "Não é." Ele me encarou. "O que ela está tentando fazer não vai nos ajudar em nada. Tudo bem varrer do mapa a UMARCOD e outros esquemas fraudulentos. Mas não basta. Queremos indiciar. No passado, houve atritos entre DEA, FBI e também a CIA."

"E agora?" Continuei a tatear no escuro.

"Agora ficou pior, pois ela está envolvida emocionalmente, depende do FBI para solucionar o homicídio da filha. Ficou paranóica, recusa-se a cooperar. Tenta passar por cima de nós, fazer justiça com as próprias mãos." Suspirando, ele acrescentou: "Ela se tornou um problema, Kay".

"Provavelmente, ela afirma o mesmo a respeito do FBI."

Ele sorriu, irônico. "Quanto a isso, não tenho dúvidas."

Eu pretendia prosseguir com o pôquer mental para ver se Wesley estava escondendo mais alguma coisa de mim; por isso, provoquei-o. "Parece que Deborah tinha um ferimento de defesa no dedo indicador esquerdo. Não foi um corte, mas sim um golpe desferido por uma faca com lâmina serrilhada."

"Em que lugar do dedo indicador?", ele perguntou, inclinando o corpo para a frente.

"Dorsal." Ergui a mão para mostrar a ele. "No topo, perto da primeira junta."

"Interessante. Atípico."

"Sim. Difícil deduzir como ocorreu."

"Então sabemos que ele estava armado com uma faca", Wesley pensou alto. "Isso me faz suspeitar mais ainda de que algo saiu errado lá no mato. Aconteceu alguma coisa que ele não esperava. Pode ter usado uma arma para dominar o casal, mas pretendia matá-los com a faca. Provavelmente, cortando a garganta. No entanto, ocorreu um imprevisto. Deborah conseguiu escapar e ele atirou nela pelas costas. Depois, talvez tenha cortado sua garganta, para terminar o serviço."

"E depois posicionou os corpos de modo semelhante aos outros?", perguntei. "De braços dados, virados de bruços, vestidos?"

Ele olhou para a parede acima da minha cabeça.

Pensei nas pontas de cigarro deixadas em cada uma das cenas dos crimes. Pensei nos paralelismos. O fato de que a carta de baralho era de uma marca diferente e foi deixada em outro lugar na última vez não provava nada. Assassinos não são máquinas. Seus rituais e hábitos não constituem uma ciência exata, imutável. Nada do que Wesley revelara a mim, inclusive a ausência de fibras de algodão no jipe de Deborah, seria suficiente para validar a teoria de que os homicídios de Fred e Deborah não tinham relação com os outros casos. Eu estava passando pelo mesmo estado de confusão que experimentava ao visitar Quantico, onde eu nunca sabia se as armas continham munição real ou de festim. Se os helicópteros transportavam fuzileiros navais em ação ou agentes do FBI simulando manobras. Se os prédios da cidade fictícia da Academia, Hogan's Alley, eram verdadeiros ou apenas fachadas ao estilo de Hollywood.

Não adiantaria pressionar Wesley. Ele não me contaria mais nada.

"Está ficando tarde", ele comentou. "Você tem um longo caminho de volta."

Só faltava dizer uma coisa.

"Não quero que nossa amizade interfira no caso, Benton."

"Nem precisava dizer."

"O que aconteceu entre Mark e mim..."

"Isso não vem ao caso", ele interrompeu, e notei em sua voz firme um toque cordial.

"Ele era seu melhor amigo."

"Prefiro pensar que ainda é."

"Você me culpa por ele ter ido para o Colorado, abandonado Quantico?"

"Sei o motivo que o levou a partir", ele disse. "Lamento que Mark tenha ido embora. Ele era um ótimo agente para a Academia."

A estratégia do FBI para atrair o assassino espalhando informações falsas não se materializou na segunda-feira. O Bureau mudou de idéia, ou foi atropelado por Pat Harvey, que havia convocado uma entrevista coletiva para o mesmo dia.

Ela enfrentou as câmeras ao meio-dia, em seu escritório de Washington. Conseguiu dar um toque dramático extra exibindo a seu lado Bruce Cheney, pai de Fred. A aparência dela era péssima. O peso acrescentado pela câmera e pela maquiagem não conseguia esconder quanto emagrecera e as olheiras profundas.

"Quando começaram as ameaças, senhora Harvey, e qual sua natureza?", um repórter perguntou.

"A primeira aconteceu pouco depois do início da investigação das supostas instituições de caridade. Creio que foi há cerca de um ano", ela disse, sem emoção na voz. "Recebi uma carta na minha casa, em Richmond. Não pretendo divulgar seu teor específico, mas a ameaça foi dirigida a minha família."

"E acredita que ela estava relacionada com sua investigação das entidades de fachada do tráfico, como a UMARCOD?"

"Não resta dúvida. Houve outras ameaças, e a última ocorreu dois meses antes do desaparecimento de minha filha e Fred Cheney."

O rosto de Bruce Cheney surgiu na tela. Estava pálido, piscando por causa do brilho dos refletores da televisão.

"Senhorita Harvey..."

"Senhora Harvey..."

Os repórteres interrompiam seus colegas, e Pat Harvey interrompia todo mundo. A câmera ia e vinha, parando nela.

"O FBI estava a par da situação, e na opinião deles as ameaças e cartas tinham uma origem única", ela disse.

"Senhora Harvey..."

"Senhora Harvey", um repórter ergueu a voz acima dos outros, "não é segredo que a senhora e o Departamento de Estado têm prioridades diferentes. Há um conflito de interesses na investigação das organizações de fachada. Está insinuando que o FBI sabia que a segurança de sua família estava em risco e *não fez nada*?"

"É mais do que uma insinuação", ela disse.

"Está acusando o Departamento de Justiça de incompetência?"

"Estou acusando o Departamento de Justiça de conspiração", Pat Harvey disse.

Gemendo, peguei um cigarro enquanto o alarido aumentava e as interrupções se sucediam. Você perdeu a chance, pensei, olhando incrédula para o aparelho de tevê instalado na minúscula biblioteca do meu departamento, no centro da cidade.

A coisa foi de mal a pior. Senti o coração apertar quando a sra. Harvey disparou sua metralhadora giratória contra todos os envolvidos na investigação, inclusive contra mim. Olhando friamente para a câmera, ela não poupou ninguém. Nada ficou de fora, nem o valete de copas.

Wesley minimizara o problema ao dizer que ela se recusava a cooperar. Sob a armadura da racionalidade havia uma mulher alucinada de dor e raiva. Atônita, ouvi enquanto ela, sem o menor constrangimento, acusava a polícia, o FBI e o Departamento de Medicina Legal de cumplicidade para "abafar" o caso.

"Eles estão escondendo a verdade deliberadamente nesses casos", ela concluiu. "E isso só atende aos interesses deles, provocando uma indefensável perda de vidas humanas."

"Mas que merda", resmungou Fielding, meu assistente, sentando ali perto.

"Em *quais* casos?", um repórter perguntou, aos gritos. "A morte de sua filha e do namorado dela? Ou a senhora se refere aos outros quatro casais?"

"Todos eles", respondeu a sra. Harvey. "Estou falando de todos os rapazes e moças caçados como animais e depois assassinados."

"O que está sendo abafado?"

"A identidade do responsável, ou dos responsáveis", ela disse, como se soubesse de tudo. "Não houve intervenção alguma do Departamento de Estado para acabar com os crimes. As razões são políticas. Uma instituição federal está protegendo seus membros."

"Poderia ser mais específica?", uma voz soou lá no fundo.

"Quando minha investigação estiver concluída, darei todas as informações."

"Na audiência?", alguém perguntou. "Está sugerindo que a morte de Deborah e do namorado dela..."

"*O nome dele é Fred.*"

Bruce Cheney falou, e repentinamente seu rosto lívido tomou conta da tela.

Todos fizeram silêncio.

"Fred. O nome dele é *Frederick Wilson Cheney*." A voz do pai tremia de emoção. "Ele não é apenas o namorado de Debbie. Ele está morto. Também foi assassinado. *Meu filho!*" As palavras travaram em sua garganta, e ele baixou a cabeça para esconder as lágrimas.

Desliguei o aparelho, irritada e incapaz de ficar quieta.

Rose estava parada na porta, vendo tudo. Ela olhou para mim e balançou a cabeça, lentamente.

Fielding levantou-se, espreguiçou e apertou o cordão de seu traje cirúrgico.

"Ela fez papel de idiota na frente de todo mundo", ele anunciou, saindo da biblioteca.

Só me dei conta do que Pat Harvey havia dito quando estava pegando uma xícara de café. Comecei a entender direito quando as frases começaram a ecoar em minha cabeça.

"*Caçados como animais e depois assassinados.*"

Parecia um roteiro previamente preparado. Elas não soaram naturais, não eram espontâneas nem uma figura de linguagem. *Uma instituição federal protegendo seus membros?*

Caçada.

Um valete de copas como um cavaleiro de copas. Alguém que se considera ou é visto como um competidor, um defensor. Alguém que combate, segundo Hilda Ozimek me disse.

Um cavaleiro. Um soldado.

Caçada.

Os assassinatos haviam sido meticulosamente calculados, metodicamente planejados. Bruce Phillips e Judy Roberts desapareceram em junho. Os corpos foram descobertos em meados de agosto, quando se iniciou a temporada de caça.

Jim Freeman e Bonnie Smyth desapareceram em julho, e os corpos foram encontrados no dia da abertura da temporada dos faisões e codornas.

Ben Anderson e Carolyn Bennett desapareceram em março; os corpos apareceram em novembro, durante a temporada de caça ao cervo.

Susan Wilcox e Mark Martin desapareceram no final de fevereiro, e seus corpos foram achados na metade de maio, durante a estação do peru selvagem.

Deborah Harvey e Fred Cheney sumiram no feriado do Dia do Trabalho, e só foram encontrados meses depois, quando as matas estavam cheias de caçadores ávidos por esquilos, lebres, raposas, faisões e *raccoons*.

Eu não deduzira o significado do padrão pelo qual os corpos em adiantado estado de decomposição, quase esqueléticos, que chegam ao necrotério, em geral são encontrados por caçadores. Quando alguém morre ou é jogado no meio do mato, o mais provável é que seus restos mortais sejam achados por um caçador. Contudo, o local e a época da descoberta dos corpos poderiam ter sido programados.

O assassino queria que as vítimas fossem encontradas, mas não imediatamente. Por isso, matava-as fora da temporada de caça, sabendo que provavelmente os cadáveres só seriam encontrados quando os caçadores entrassem no mato outra vez. Nessa época, os corpos já estariam decompostos. Com o apodrecimento dos tecidos desapareceriam os ferimentos causados por ele. Se houvesse também estupro, não restaria fluido seminal. A maior parte dos indícios teria sido varrida pelo vento e lavada pela chuva. Talvez até fosse importante para ele que os caçadores topassem com os corpos, pois em sua fantasia ele também era um caçador. O maior de todos os tempos.

Os caçadores perseguiam animais, pensei sentada em meu escritório no centro, na tarde seguinte. Guerrilheiros, agentes secretos da inteligência militar e mercenários caçavam seres humanos.

No raio dos oitenta quilômetros dentro do qual os casais sumiram e foram achados mortos havia Fort Eustis, Langley Field e uma série de outras instalações militares, inclusive a academia de West Point da CIA, disfarçada em base militar, chamada Camp Peary. "A Fazenda", como se referiam a Camp Peary nos romances de espionagem e reportagens investigativas sobre inteligência em forma de livro, era onde agentes iam para receber treinamento em atividades paramilitares como infiltração, demolição, saltos noturnos de pára-quedas e outras ações clandestinas.

Abby Turnbull errou o caminho e acabou no acesso a Camp Peary. Dias depois, agentes do FBI foram procurá-la.

Os agentes federais estavam paranóicos, e eu comecei a achar que sabia a razão. A leitura das reportagens sobre a coletiva de Pat Harvey só confirmaram minhas suspeitas.

Alguns jornais, entre eles o *Post*, estavam sobre minha mesa. Eu havia lido os artigos várias vezes. A matéria do *Post* era assinada por Clifford Ring, o repórter que andava atormentando o diretor e outros membros da Secretaria de Saúde e Serviço Social. O sr. Ring mencionava meu nome apenas de passagem, quando insinuava que Pat Harvey usava inadequadamente seu cargo para intimidar e ameaçar todos os envolvidos e forçá-los a divulgar detalhes a respeito da morte da filha. Foi o bastante para que eu imaginasse ser o sr. Ring o contato de Benton Wesley na imprensa, o canal para plantar notícias. Isso não seria de todo mau, no fundo. Em minha opinião, o teor das matérias foi o mais perturbador.

O que eu presumi que seria a maior revelação do mês, uma verdadeira bomba, estava sendo na verdade apresentado como a colossal difamação de uma mulher que, semanas antes, era citada por muita gente como possível vice-presidente dos Estados Unidos. Eu seria a primeira a afirmar que a diatribe de Pat Harvey na entrevista coletiva fora no mínimo prematura e no máximo irresponsável. Mas achei muito curioso que não havia o menor sinal de tentativas sérias de verificar suas acusações. Os repórteres encarregados do caso não pareciam preocupados em obter os comprometedores "sem comentários" e outras evasivas dos burocratas governamentais que os jornalistas tipicamente buscam com tanto entusiasmo.

A única preocupação dos meios de comunicação, pelo jeito, era acabar com a sra. Harvey, sem dó nem piedade. O título de um editorial foi "MORTEGATE?". Ela estava sendo massacrada, tanto nas matérias quanto nas charges políticas. Uma das mais respeitadas funcionárias federais do país estava sendo desprezada, chamada de histérica, ridicularizada porque suas "fontes" incluíam uma vidente da Carolina do Sul. Até mesmo os aliados mais fiéis recuaram, balançando a cabeça. Os inimigos tentavam acabar com ela de forma sutil, desferindo ataques encobertos por uma solidariedade hipócrita. "Sua reação é perfeitamente compreensível, tendo em vista a terrível perda pessoal", disse um detrator democrata, acrescentando: "Acredito que seja mais sábio desconsiderar essa imprudência. Considerar suas acusações produto das distorções de uma mente profundamente perturbada". Outro disse: "O que ocorreu a Pat Harvey é um trágico exemplo de autodestruição provocada por problemas pessoais avassaladores, impossíveis de superar".

Coloquei o relatório da autópsia de Deborah Harvey na máquina de escrever. Apaguei o termo "pendente" em causa e maneira da morte. Nos campos apropriados, escrevi "homicídio" e "sangramento devido a ferimento a bala nas costas e cortes". Corrigi o atestado de óbito e o relatório CME-1, fui em frente e fiz fotocópias de tudo. Reuni as cópias a uma carta explicando minhas descobertas e pedindo desculpas pela demora, que eu atribuí ao atraso na liberação dos resultados dos exames toxicológicos, que ainda eram provisórios. Era só o que eu pretendia conceder a Benton Wesley. Pat Harvey não saberia por mim da pressão exercida para que eu postergasse indefinidamente o resultado do exame necroscópico da filha.

A família Harvey receberia tudo — minhas conclusões gerais e microscópicas, o fato de que a primeira bateria de exames toxicológicos deu negativo, a bala na região lombar de Deborah, o ferimento de defesa em sua mão e a patética descrição detalhada de suas roupas, ou do que restara delas. A polícia recuperara brincos, relógio e o anel dado por Fred como prova de amizade, no aniversário dela.

Enviei cópias dos relatórios de Fred ao pai dele, embora só pudesse dizer que a causa da morte do filho havia sido homicídio, em conseqüência de "violência indeterminada".

Fui para o telefone e liguei para Benton Wesley. Soube que ele não estava no escritório. Tentei a casa dele, em seguida.

"Vou liberar a informação", disse quando ele atendeu. "Queria que soubesse."

Silêncio.

Ele disse, com muito cuidado: "Kay, você ouviu a entrevista coletiva?".

"Sim."

"Leu os jornais de hoje?"

"Vi a coletiva e li os jornais. Estou plenamente consciente de que ela deu um tiro no próprio pé."

"Acho que ela deu foi um tiro na cabeça", ele disse.

"Mas não sozinha. Teve ajuda."

Pausa. Depois, Wesley perguntou: "Do que você está falando?".

"Ficarei feliz em explicar tudo direitinho. Esta noite. Pessoalmente."

"Aqui?" Ele pareceu preocupado.

"Sim."

"Bem, acho que não é uma boa idéia. Não esta noite."

"Lamento, mas não posso esperar."

"Kay, você não está entendendo. Confie em mim..."

Não permiti que prosseguisse. "Não, Benton. Desta vez, não."

10

Uma ventania gelada fustigava as silhuetas escuras das árvores, e sob a luz fraca do luar tudo à minha volta parecia estranho e ameaçador enquanto eu seguia de carro para a casa de Benton Wesley. Havia poucos postes iluminados, e as estradinhas rurais não tinham sinalização. Finalmente, parei numa lojinha caipira com uma bomba de gasolina solitária na frente. Acendi a luz interna do carro e consultei as anotações que havia feito. Vi que estava perdida.

Notei que a loja estava fechada. No entanto, havia um telefone público do lado de fora, perto da porta. Aproximei-me com o carro e desci, deixando os faróis acesos e o motor ligado. Disquei o número de Wesley, e Connie, a mulher dele, atendeu.

"Você se atrapalhou toda", ela disse, quando expliquei onde estava.

"Puxa vida", falei, suspirando.

"Bem, na verdade não fica assim tão longe. O problema é que seria muito complicado vir até aqui." Ela fez uma pausa, e tomou a decisão. "Creio que a melhor coisa é você esperar aí, Kay. Trave a porta do carro e espere. Pode deixar que vamos buscá-la, e depois você nos segue. Chegamos em quinze minutos, tá?"

Dei marcha à ré e estacionei perto da estradinha. Esperei, com o rádio ligado. Os minutos demoravam a passar, como se fossem horas. Nenhum carro passou pela estrada. Os faróis iluminavam uma cerca branca do outro lado da pista, que contornava o pasto coberto de geada. A lua prateada flutuava na escuridão nublada do céu. Fumei vários cigarros, atenta a qualquer movimento.

Me perguntei se os casais assassinados tinham passado por algo semelhante. Imaginei como seria alguém me obrigar a caminhar descalça e com as mãos atadas pelo mato. Eles sabiam que estavam indo ao encontro da morte, impossível não saber. Ficaram aterrorizados, temendo o que o assassino pretendia fazer a eles. Pensei em Lucy, minha sobrinha. Pensei em minha mãe, em minha irmã, nos amigos. Temer o sofrimento e a morte de uma pessoa amada deve ser pior do que temer a própria vida. Vi dois faróis cujo brilho aumentava conforme se aproximavam pela estradinha estreita e escura. Um carro que eu não identifiquei saiu da pista e parou a certa distância do meu. Quando vi o rosto do motorista, a adrenalina me correu pelo sangue como se fosse eletricidade.

Mark James desceu do carro, provavelmente alugado. Abaixei o vidro da janela e olhei para ele, chocada demais para falar.

"Oi, Kay."

Wesley havia dito que não era uma noite oportuna para visitá-lo, tentara me convencer a não encontrá-lo. Agora, eu já sabia por quê. Mark estava lá. Connie deve ter pedido a Mark para me buscar, ou ele se ofereceu. Ainda bem. Eu não imaginava qual seria minha reação ao entrar pela porta da casa de Wesley e encontrar Mark sentado no sofá da sala.

"O caminho daqui até a casa de Benton é um labirinto", Mark disse. "Sugiro que deixe o carro aqui. É seguro. Podemos voltar para pegá-lo depois, e eu a acompanharei até sair da área, para evitar que se perca."

Sem dizer uma palavra, estacionei perto da loja e entrei no carro dele.

"Tudo bem com você?", ele perguntou com voz meiga.

"Tudo bem."

"E a família? Lucy está bem?"

Lucy ainda perguntava por ele. Eu nunca sabia o que dizer.

"Está ótima", respondi.

Sentia o coração doer de tanta emoção ao olhar para o rosto dele, para as mãos fortes ao volante. Cada veia era familiar e maravilhosa para mim. Eu ao mesmo tempo odiava e amava aquele homem.

"E como vai o trabalho?"

"Por favor, Mark, não seja tão formal."

"Gostaria que eu bancasse o mal-educado, como você?"

"Eu não estou sendo mal-educada."

"O que esperava, afinal?"

Fiquei em silêncio.

Ele ligou o rádio e seguimos noite adentro.

"Sei que a situação é constrangedora, Kay." Ele olhava para a frente, fixamente. "Lamento muito. Benton pediu que eu viesse buscá-la."

"Foi muita gentileza da parte dele", falei, sarcástica.

"Não me entenda mal. Eu teria insistido para vir, se ele não sugerisse. Você não podia imaginar que eu estava aqui."

Ele fez uma curva fechada e entrou no condomínio de Wesley.

Ao estacionar no acesso à casa de Wesley, Mark disse: "Acho melhor você saber que Benton não está em seus melhores dias. O humor dele anda péssimo".

"O meu também", retruquei friamente.

O fogo estava aceso na lareira e Wesley se acomodara ao lado dela para se aquecer melhor. Tinha uma maleta encostada na perna da poltrona, no chão, e um drinque na mesinha próxima. Ele não se levantou quando entrei; recebeu-me apenas com um discreto meneio de cabeça. Connie me convidou a sentar no sofá. Fiquei numa ponta e Mark na outra.

Connie saiu para buscar café, e eu resolvi começar. "Mark, desconheço seu envolvimento nesta história."

“Não há muito a saber. Eu estava passando alguns dias em Quantico. Resolvi passar a noite aqui, com Benton e Connie, antes de retornar a Denver amanhã. Não estou envolvido na investigação nem destacado para os casos.”

“Tudo bem. Mas conhece bem os casos.” Eu imaginava o que Wesley e Mark conversaram na minha ausência. Gostaria de saber o que Benton falava para Mark a meu respeito.

“Ele está a par de tudo”, Wesley disse.

“Então perguntarei a vocês dois”, falei. “Por que o Bureau preparou uma armadilha para Pat Harvey? Ou foi a CIA?”

Wesley não se moveu nem alterou a expressão do rosto. “O que a leva a achar que alguém preparou uma armadilha para ela?”

“Obviamente, as táticas de desinformação do Bureau pretendiam mais do que atrair o assassino. Alguém tinha a intenção de destruir a credibilidade de Pat Harvey, e a imprensa se encarregou disso, maravilhosamente bem, aliás.”

“Nem o presidente tem poder para influir assim nos meios de comunicação. Não neste país.”

“Não insulte minha inteligência, Benton”, falei.

“O que ela fez estava previsto. Vamos colocar a questão nestes termos.” Wesley cruzou as pernas novamente e pegou o drinque.

“E vocês prepararam a armadilha”, falei.

“Ninguém falou no lugar dela, na entrevista coletiva.”

“Não importa, pois não seria preciso fazer isso. Alguém já havia garantido que as acusações seriam divulgadas pela imprensa como delírios de uma lunática. Quem instruiu os repórteres, os políticos, os antigos aliados dela, Benton? Quem espalhou que ela consultava videntes? Foi você?”

“Não.”

“Pat Harvey esteve com Hilda Ozimek em setembro passado”, prossegui. “E isso só saiu agora nos jornais. Portanto, até o momento a imprensa não sabia de nada. Foi um golpe baixo, Benton. Você mesmo me contou que o FBI e o Serviço Secreto consultavam Hilda Ozimek de vez em quando. Aliás, provavelmente foi assim que a senhora Harvey soube da existência dela. Puxa vida."

Connie retornou com o café e sumiu com a mesma presteza com que surgira.

Eu podia sentir os olhos de Mark fixos em mim e a tensão. Wesley continuava fitando o fogo.

"Acho que eu sei a verdade." Não fiz esforço algum para disfarçar minha indignação. "E pretendo divulgá-la. Se não puder aceitar isso de minha parte, duvido que seja possível para mim continuar a apoiar você."

"O que está querendo dizer, Kay?" Wesley olhou para mim.

"Se isso acontecer de novo, se outro casal morrer, não posso garantir que os repórteres não vão descobrir o que realmente está acontecendo..."

"Kay." Mark me interrompeu, mas eu me recusava a olhar para ele. Fazia o possível para ignorá-lo. "Você não vai querer dar um passo em falso, como a senhora Harvey."

"Ela não deu um passo em falso sozinha", falei. "Creio que ela tem razão. Alguma coisa está sendo encoberta."

"Você enviou os relatórios a ela, presumo", Wesley disse.

"Enviei. Não pretendo mais fazer parte desta manipulação."

"Isso foi um erro."

"Meu erro foi não enviar antes o relatório para ela."

"Os relatórios incluem informações sobre o projétil recuperado no corpo de Deborah? Especificamente, cita que era Hydra-Shok nove milímetros?"

"O calibre e o tipo constam do relatório de balística", falei. "Não envio cópias desse material, assim como não o faço em relação a relatórios policiais, pois nenhum deles é feito pelo meu departamento. Mas estou interessada em saber por que você se preocupa tanto com esse detalhe."

Como Wesley não respondeu, Mark interveio. "Benton, precisamos esclarecer tudo."

Wesley permaneceu em silêncio.

"Acho que ela precisa saber", Mark acrescentou.

"Acho que eu já sei", falei. "Presumo que o FBI tenha motivos para temer que o assassino seja um agente federal insano. Provavelmente, alguém de Camp Peary."

O vento gemia no telhado enquanto Wesley se levantava para cuidar do fogo. Colocou mais uma acha de lenha, ajeitou-a com o ferro e limpou um pouco das cinzas, para ganhar tempo. Ao sentar-se novamente ele pegou a bebida e perguntou: "Como chegou a essa conclusão?".

"Não importa", falei.

"Alguém lhe contou isso, diretamente?"

"Não. Diretamente, não." Tirei um cigarro. "Há quanto tempo você suspeita disso, Benton?"

Hesitante, ele respondeu: "Creio que é melhor você não saber muitos detalhes. Mesmo. Só vai servir para atormentá-la. Seria um peso muito grande em seus ombros".

"Já estou carregando um peso enorme. E me cansei de correr de um lado para outro, como conseqüência da desinformação."

"Preciso de sua garantia de que esta conversa morre aqui."

"Sabe muito bem que pode contar comigo quanto a isso. Não se preocupe."

"Camp Peary se interessou pelo assunto pouco depois que os casos começaram."

Por causa da proximidade geográfica?"

Ele olhou para Mark. "Deixarei essa explicação por sua conta", Wesley disse ao amigo.

Virei-me para confrontar o homem que um dia dormira em minha cama e povoara meus sonhos. Usava calça de veludo azul-marinho e uma camisa Oxford com listinhas brancas e vermelhas que eu já conhecia. Tinha pernas compridas e bom gosto. O cabelo preto começava a ficar grisalho nas têmporas. Os olhos verdes contrastavam com o queixo largo. Seus traços eram finos, mas ele gesticulava com as mãos e se debruçava um pouco ao falar.

"Em parte, a CIA se interessou", Mark explicou, "porque os casos aconteceram perto de Camp Peary. Creio que não a surpreenderia nem um pouco saber que a CIA acompanha quase tudo que ocorre nas proximidades de seu campo de treinamento. Eles sabem mais do que qualquer um poderia imaginar. Na verdade, cenários e cidadãos locais são rotineiramente incorporados aos treinamentos."

"Que tipo de treinamento?", perguntei.

"Vigilância, por exemplo. Os agentes treinados em Camp Peary fazem exercícios de vigilância, usando os cidadãos locais como cobaias, digamos, por falta de outra definição. Os agentes montam esquemas de vigilância em locais públicos, restaurantes, bares, shopping centers. Eles seguem as pessoas de carro, tiram fotos e assim por diante. Ninguém sabe o que está acontecendo, claro. E ninguém sai machucado. Bem, os cidadãos locais talvez não gostassem muito de saber que estão sendo seguidos, vigiados ou filmados."

"É bem possível", comentei, incomodada.

"Essas manobras", ele continuou, "também incluem simulações. Um agente finge problemas no carro e pára um motorista, pedindo auxílio. Vê até onde consegue fazer com que o indivíduo confie nele. O agente pode bancar o policial, motorista de caminhão-guincho, qualquer coisa. Tudo faz parte do treinamento para ação no exterior. Eles treinam pessoas para espionar e evitar que outros as espionem."

"E esse tipo de simulação assemelha-se ao *modus operandi* do assassino dos casais", sugeri.

"Esse é o ponto", Wesley interferiu. "Alguém, em Camp Peary, ficou preocupado. Fomos convidados a ajudar, monitorando a situação. Algum tempo depois, o segundo casal foi encontrado morto, e o *modus operandi* era o mesmo. A CIA entrou em pânico. Eles são muito paranóicos, de qualquer maneira. Kay, a última coisa que eles querem no mundo é descobrir que um agente lotado em Camp Peary treinava *matando* pessoas."

"A CIA jamais admitiu que Camp Peary é seu principal centro de treinamento", ressaltei.

"Mas todo mundo está cansado de saber disso", Mark disse, olhando para mim. "De todo modo, você tem razão. A CIA nunca admitiu publicamente o fato. Nem pretende fazê-lo."

"Mais um motivo para não querer ligação alguma entre os assassinatos e Camp Peary", falei, tentando imaginar o que ele estava sentindo. Talvez não estivesse sentindo nada.

"Esse é um dos motivos, numa lista enorme", Wesley disse, assumindo o comando. "A publicidade seria devastadora. Quando foi a última vez que ouvimos algo positivo a respeito da CIA? Imelda Marcos foi acusada de roubo e fraude. A defesa alegou que todas as transações efetuadas pela família Marcos foram feitas com pleno conhecimento e incentivo da CIA..."

Ele não estaria tão tenso, com tanto medo de olhar para mim, se não sentisse mais nada.

"Depois, descobriram que o nome de Noriega constava da folha de pagamentos da CIA", Wesley prosseguiu com a argumentação. "Não faz muito tempo foi divulgado que a proteção dada pela CIA a um traficante sírio possibilitou a colocação de uma bomba a bordo do sete-quatro-sete da Pan Am que explodiu quando sobrevoava a Escócia, matando duzentas e setenta pessoas. Isso sem mencionar o escândalo mais recente, no qual afirmaram que a CIA andava financiando a guerra entre os reis da droga na Ásia para desestabilizar certos governos."

"Se viesse a público", Mark disse, desviando o olhar, "que casais adolescentes estavam sendo mortos por um agente da CIA de Camp Peary, você pode imaginar a reação popular."

"Seria inimaginável", falei, tentando me concentrar no assunto. "Mas por que a CIA tem tanta certeza de que os assassinatos foram cometidos por um agente deles? Há alguma prova concreta?"

"As provas, em sua maioria, são circunstanciais", Mark explicou. "O toque militarista da carta de baralho. As semelhanças entre os padrões dos casos e as manobras realizadas tanto dentro da Fazenda quanto fora, nas cidadezinhas próximas. Por exemplo, a área de mata onde os corpos foram encontrados se parece com uma das 'zonas de guerra' existentes dentro de Camp Peary, nas quais os agentes treinam com granadas, armas automáticas e equipamentos modernos, como óculos para visão noturna, para poder enxergar na mata depois que escurece. Eles também treinam defesa pessoal. Aprendem a desarmar um atacante, a incapacitar e matar sem armas..."

"Quando não foi determinada a causa da morte dos casais", Wesley disse, "tornou-se obrigatório levar em conta a possibilidade de que eles estavam sendo mortos sem o uso de armas. Estrangulados, por exemplo. Mesmo que as gargantas tivessem sido cortadas, tal prática é associada à guerra de guerrilha, na qual se abate o inimigo com rapidez, em silêncio. Quem tem a garganta cortada não emite mais sons."

"Mas Deborah Harvey levou um tiro", falei.

"Com uma arma automática ou semi-automática", Wesley retrucou. "Uma pistola, uma Uzi ou similar. A munição era incomum, associada a policiais, soldados mercenários, gente que tem pessoas como alvo. Ninguém associa munição Hydra-Shok ou balas explosivas à caça ao cervo", Wesley insistiu. Depois de uma pausa, ele continuou: "Creio que isso lhe dá uma idéia melhor das razões que nos levam a não querer que Pat Harvey saiba o tipo de arma e munição que foi usada em sua filha".

"E quanto às ameaças que a senhora Harvey mencionou na entrevista coletiva?", indaguei.

"Isso é verdade", Wesley disse. "Pouco depois de sua nomeação como diretora do Programa Nacional de Combate às Drogas, alguém enviou mensagens ameaçando-a, e também a família. Mas não é verdade que o Bureau não levou as ameaças a sério. Ela havia sido ameaçada antes, e nós sempre levamos o caso a sério. Temos uma idéia de quem está por trás das ameaças recentes, e não acreditamos que isso tenha alguma relação com o homicídio de Deborah."

"A senhora Harvey também citou uma 'instituição federal' na entrevista", continuei. "Ela se referiu à CIA? Estaria a par das coisas que vocês acabaram de me contar?"

"Essa hipótese me preocupa", Wesley admitiu. "Seus comentários insinuaram que ela tem alguma idéia, ao menos. O que ela disse na coletiva só aumenta minha ansiedade. Ela pode ter se referido à CIA. Ou não. De qualquer maneira, ela tem contatos formidáveis. Para começo de conversa, conta com acesso a informações sobre a CIA, desde que sejam relevantes ao combate do tráfico de drogas. Para completar, é amiga de um ex-embaixador nas Nações Unidas, atualmente membro do Comitê Presidencial de Assessoria em Assuntos de Inteligência. Os membros do comitê têm acesso ao material ultra-secreto sobre qualquer assunto, a qualquer momento. O comitê sabe o que está havendo, Kay. É possível que a senhora Harvey esteja a par de tudo."

"Então, ela foi preparada ao estilo de Martha Mitchell?", perguntei. "Para garantir que explodisse, parecesse irracional, irresponsável. Assim, ninguém a levaria a sério. Quando pusesse a boca no mundo, quem acreditaria naquela louca?"

Wesley passava o polegar no aro dos óculos. "Foi uma pena. Ela se mostrou fora de controle, hostil. A grande ironia é que queremos pegar o assassino da filha dela mais do que ela própria, por razões óbvias. Estamos fazendo o máximo, dentro de nossas possibilidades, para encontrar esse indivíduo — ou indivíduos. Mobilizamos todos os recursos."

"O que está me dizendo não combina com a hipótese anterior de que Deborah Harvey e Fred Cheney foram mortos por um assassino profissional, Benton", falei, furiosa.

"Quer dizer que essa história não passava de uma cortina de fumaça, para ocultar os temores reais do Bureau?"

"Não sei se estamos lidando com um assassino profissional", ele disse, carrancudo. "Para ser franco, não sabemos quase nada. A morte deles pode ser política, como já expliquei. Mas, se estivermos lidando com um agente da CIA psicótico ou algo assim, os casos dos cinco casais podem estar relacionados. Podem ser obra de um serial killer."

"Pode ser um exemplo de escalada", Mark sugeriu. "Pat Harvey andou aparecendo muito no noticiário, principalmente no ano passado. Se estamos falando de um agente da CIA praticando treinamento homicida, ele pode ter resolvido seqüestrar a filha de uma assessora direta do presidente."

"Isso aumentaria a excitação, o risco", Wesley completou. "E tornaria o assassinato similar às operações realizadas na América Central e no Oriente Médio. Neutralização de adversários. Em outras palavras, assassinatos políticos."

"Pelo que eu sei, a CIA não deveria dedicar-se a matanças. A prática teria sido abandonada pelo menos desde o governo Ford", falei. "Na verdade, a CIA nem deveria envolver-se em tentativas de golpe de Estado nas quais um governante estrangeiro corresse risco de vida."

"Isso mesmo", Mark disse. "A CIA não deveria fazer nada disso. Os soldados norte-americanos no Vietnã também não deveriam matar civis. E a polícia não deveria usar violência contra suspeitos e prisioneiros. No entanto, quando se trata de indivíduos, a situação muitas vezes escapa ao controle. As regras não são respeitadas."

Não pude deixar de pensar em Abby Turnbull. Quanto ela sabia a respeito disso? A sra. Harvey teria dito algo? Seria essa a verdadeira história do livro que Abby estava escrevendo? Não admira, então, que suspeitasse de grampos telefônicos, pessoas que a seguiam. A CIA, o FBI e até mesmo o Comitê Presidencial de Assessoria em Assuntos de Inteligência, que era um atalho direto para o Salão Oval da Casa Branca, teriam todos bons motivos para ficar nervosos com o livro que Abby estava escrevendo. Ela, por sua vez, teria motivos de sobra para ficar paranóica. Poderia estar correndo perigo de verdade.

O vento diminuiu e a neblina desceu até o topo das árvores. Vi isso quando Wesley fechou a porta atrás de nós. Seguindo Mark até o carro, senti certa segurança, graças à confirmação de minhas conjeturas. Por outro lado, eu me sentia mais intranqüila do que antes.

Esperei até sairmos do condomínio. "O que está acontecendo a Pat Harvey é revoltante. Ela perdeu a filha e agora está arruinando a própria carreira. A reputação que conquistou a duras penas está sendo destruída."

"Benton não teve nada a ver com os vazamentos para a imprensa, nem com qualquer 'armadilha', para usar a palavra que você empregou." Mark não tirou os olhos da estradinha escura e estreita.

"O problema não está na palavra que eu usei, Mark."

"Estava apenas repetindo o que você disse", ele retrucou.

"Você sabe muito bem o que está acontecendo. Não venha bancar o inocente para mim."

"Benton está fazendo o possível para ajudá-la. Mas ela iniciou uma *vendetta* contra o Departamento de Justiça. Para ela, Benton não passa de mais um agente federal decidido a arruiná-la."

"Se eu estivesse no lugar dela, acho que sentiria o mesmo."

"Pelo que conheço de você, acho que sentiria, sim."

"O que você quer dizer com isso?", perguntei, e minha raiva, que ia muito além do ocorrido a Pat Harvey, se revelou.

"Nada."

Os minutos se passaram. A tensão cresceu. Eu não reconhecia a estrada, mas calculava que chegaríamos logo. Nosso tempo juntos se encerraria em breve. Entramos no acesso da loja e ele estacionou ao lado do meu carro.

"Lamento que tenhamos nos encontrado nessas circunstâncias", ele disse, a voz contida.

Não respondi. Ele insistiu: “Mas não lamento o encontro. Gostei de ver você”.

“Boa noite, Mark.” Tentei sair do carro.

“Espere, Kay.” Ele segurou meu braço.

Continuei sentada, rígida. “O que você pretende?”

“Conversar com você. Por favor.”

“Se estava tão interessado em conversar, por que não me telefonou antes?” Minha resposta foi ríspida. Puxei o braço. “Você não fez o menor esforço para falar comigo nos últimos meses.”

“Você também não. Telefonei para você no outono, mas você nunca mais me ligou.”

“Porque já sabia o que você ia dizer e não queria escutar”, respondi, percebendo que a raiva dele também crescia.

“Desculpe. Esqueci que você tem a surpreendente capacidade de ler minha mente.” Ele segurou o volante com as duas mãos e olhou fixo para a frente.

“Você ia anunciar que não via a menor chance de reconciliação, que estava tudo acabado. E eu não tinha o menor interesse em ouvir você colocar em palavras o que já estava claro até demais.”

“Pense o que quiser.”

“Isso não tem nada a ver com o que eu quero pensar ou não!” Eu odiava a capacidade que ele tinha de me fazer perder a paciência.

“Calma”, ele disse, tomando fôlego. “Acha que há alguma chance de declararmos uma trégua? Esquecer o passado?”

“Nenhuma chance.”

“Ótimo. Obrigado por ser tão razoável. Pelo menos, eu tentei.”

“Tentou? Faz quanto tempo que você sumiu? Oito meses? Nove? Que diabos você tentou, Mark? Não sei o que está pedindo, mas para mim é impossível esquecer o passado. Não dá para a gente topar um com o outro e fingir que nunca aconteceu nada entre nós. Eu me recuso a agir assim.”

"Não é isso que estou pedindo, Kay. Estou pedindo apenas para deixarmos de lado as brigas, a raiva, as coisas duras que nos dissemos."

Eu nem conseguia lembrar-me do que fora dito, nem explicar o que dera errado. Brigávamos sem saber direito a razão, e depois nos concentrávamos nas mágoas decorrentes das brigas, esquecendo as diferenças que as haviam provocado.

"Quando telefonei para você em setembro", ele disse, em tom passional, "não ia dizer que não havia esperança de uma reconciliação. Na verdade, quando disquei seu número sabia que corria o risco de ouvir isso de você. Como não me ligava nunca, tirei minhas próprias conclusões."

"Você não pode estar falando sério."

"Claro que estou."

"Bem, talvez fosse mesmo o caso de tirar essas conclusões, depois de tudo que você aprontou."

"Do que *eu* aprontei?", ele perguntou, incrédulo. "E as coisas que *você* fez?"

"A única coisa que eu fiz foi ficar doente e cansada de fazer concessões. Você nunca tentou de verdade uma transferência para Richmond. Não sabia o que queria e esperava que eu aceitasse tudo, fizesse concessões, largasse tudo para trás quando você tomasse a decisão. Por mais que eu o ame, não posso abrir mão do que eu sou. E nunca exigi que você abrisse mão do que você é."

"Sim, exigiu. Mesmo que eu conseguisse a transferência para Richmond, não era isso que eu queria."

"Ótimo. Fico contente em saber que você acabou fazendo o que queria."

"Kay, cada um tem sua responsabilidade. A culpa também é sua."

"Não fui eu quem deu o fora." Meus olhos se encheram de lágrimas, e eu resmunguei: "Que merda".

Ele pegou o lenço e colocou-o gentilmente no meu colo.

Enxuguei os olhos e encostei na porta, apoiando a cabeça no vidro. Não queria chorar.

"Lamento", ele disse.

"Você lamentar não muda nada."

"Por favor, não chore."

"Se quiser eu choro", falei, de modo ridículo.

"Lamento muito", ele repetiu, dessa vez num sussurro. Pensei que ele fosse tocar em mim. Mas não tocou. Largou o corpo no banco e olhou para o teto.

"Olhe", ele disse, "se você quer mesmo saber a verdade, eu gostaria que *você* tivesse ido embora. Aí seria você a estragar tudo, não eu."

Não falei nada. Não tive coragem.

"Está me ouvindo?"

"Não sei", falei para a janela.

Ele mudou de posição. Sentia seus olhos fixos em mim.

"Kay, olhe para mim."

Relutante, olhei.

"Por que acha que tenho vindo tanto para cá?", ele perguntou em voz baixa. "Estou tentando voltar a Quantico, mas é complicado. No momento, está complicado, em razão dos cortes no orçamento e da situação econômica. O Bureau perdeu muitas verbas. Há outros motivos também."

"Quer dizer que você está descontente, profissionalmente?"

"Estou confessando ter cometido um erro."

"Lamento muito pelos erros que possam ter prejudicado sua carreira", falei.

"Não estou me referindo apenas ao lado profissional, e você sabe disso."

"Não sei de nada. A que se refere?" Eu estava decidida a fazê-lo dizer tudo.

"Você sabe a que me refiro. A nós. Tudo mudou."

Seus olhos brilhavam no escuro. Parecia feroz.

"Tudo continua igual para você, por acaso?"

"Acho que nós dois cometemos muitos erros."

"Eu gostaria muito de começar a reparar alguns, Kay. Não quero que as coisas acabem assim para nós. Tenho sentido isso já há bastante tempo, mas... bem, eu não sabia como lhe dizer. Eu nem sabia se você queria falar comigo ou se estava saindo com outra pessoa."

Recusei-me a admitir que andara pensando as mesmas coisas a respeito dele, e que as respostas me aterrorizavam.

Ele se aproximou, segurando minha mão. Dessa vez, não recuei.

"Tenho tentado entender o que deu errado conosco", ele disse. "Só sei que sou muito teimoso, e que você também é. Quero tudo do meu jeito, e você quer tudo do seu. E veja onde estamos. Não posso dizer como tem sido sua vida desde que eu fui embora. Mas aposto que não está sendo muito boa."

"Como você é arrogante. Como pode apostar nisso?"

Ele sorriu. "Estou apenas tentando fazer jus à imagem que você tem de mim. Uma de suas últimas ofensas, antes de minha partida, foi me chamar de filho da mãe arrogante."

"Isso foi antes ou depois de eu chamar você de filho da puta?"

"Antes, acho."

"Pelo que eu me lembro, você também me chamou de um monte de nomes feios. E achei que sua sugestão era esquecermos o que foi dito antes."

"E você acabou de dizer *por mais que eu o ame.*"

"Como é?"

"Você disse isso, assim, no presente. Não tente negar. Ouvi muito bem."

Ele aproximou minha mão de seu rosto, roçando os lábios pelos dedos.

"Tentei parar de pensar em você. Mas não consigo." Ele fez uma pausa, aproximando o rosto do meu. "Não estou pedindo a você que diga o mesmo."

Mas ele estava pedindo, e eu o atendi.

Toquei seu rosto e ele tocou o meu. Depois, beijamos o que nossos dedos haviam tocado, até encontrarmos o caminho para os lábios do outro. E não dissemos mais nada. Paramos totalmente de pensar, até que o pára-brisa se iluminou subitamente e a noite lá fora piscou vermelha. Ajeitamo-nos apressadamente enquanto o carro de polícia estacionava. Um guarda desceu, com lanterna e rádio.

Mark já estava abrindo a porta.

"Tudo bem aí?", o policial perguntou, abaixando-se para espiar dentro do carro. Seus olhos percorreram desconcertados o local de nossa paixão, mas sua expressão não registrou nada. Havia um calombo indecoroso em sua bochecha direita.

"Tudo bem", respondi, tateando horrorizada o chão do carro com o pé descalço. Sem perceber, perdera um pé do sapato.

Ele recuou e cuspiu uma torrente de suco de tabaco.

"Estávamos conversando", Mark falou, tendo a presença de espírito de não mostrar o distintivo. O guarda sabia muito bem o que estávamos fazendo, quando parou. Conversar não fazia parte da lista.

"Bem, se vocês pretendem continuar a *conversa*", ele disse, "acho melhor procurarem outro lugar. Sabe, não é seguro ficar no meio do mato dentro do carro, tarde da noite. Tivemos problemas. Não devem ser daqui, ou teriam ouvido falar dos casais desaparecidos."

Ele prosseguiu com o sermão, e eu senti o sangue esfriar.

"O senhor tem toda a razão. Muito obrigado pelo aviso", Mark disse, finalmente. "Já vamos embora."

Balançando a cabeça, o guarda passou por ele, cuspiu novamente e subiu na viatura, enquanto o observávamos. Ele voltou à pista e desapareceu lentamente na curva.

"Minha nossa", Mark resmungou, tomando fôlego.

"Nem diga", retruquei. "Não precisa nem dizer quanto somos estúpidos. Meu Deus."

"Viu como seria fácil?", ele disse, de qualquer maneira. "Duas pessoas sozinhas, à noite. Alguém pára. Puxa vida, minha arma estava no porta-luvas. Só me lembrei disso quando ele já estava em cima. Aí, teria sido tarde demais..."

"Pare, Mark. Por favor."

Ele me espantou quando riu.

"Isso não tem a menor graça!"

"Sua blusa está mal abotoada", ele disse, rindo.

Droga!

"Acho melhor rezar para que ele não a tenha reconhecido, doutora Scarpetta."

"Muito obrigada pelo apoio, senhor agente do FBI. Agora, se me dá licença, vou para casa." Abri a porta. "Você já me arranjou encrenca suficiente para uma noite."

"Ei, foi você quem começou."

"Claro que não."

"Kay?", ele falou, sério. "O que vamos fazer, agora? Sabe, preciso voltar para Denver amanhã. Não sei o que vai acontecer, o que posso fazer ou se devo tentar fazer algo."

Não havia respostas fáceis. Entre nós, elas nunca existiram.

"Se você não tentar nada, não vai acontecer nada."

"E quanto a você?", ele perguntou.

"Precisamos conversar muito, Mark."

Ele acendeu os faróis e prendeu o cinto de segurança. "E quanto a você?", ele indagou novamente. "Para tentar, é preciso que os dois queiram."

"Olhe só quem está falando."

"Kay, por favor. Não comece."

"Preciso pensar." Peguei a chave do carro. De repente, senti-me exausta.

"Não brinque com meus sentimentos."

"Não estou brincando com seus sentimentos, Mark", falei, acariciando seu rosto.

Demos o último beijo. Eu queria continuar a beijá-lo durante horas, e no entanto sentia vontade de ir embora. Nossa paixão sempre fora avassaladora. Vivemos momentos que nunca pareceram conduzir a um futuro mais tranqüilo.

"Telefonarei", ele disse.

Abri a porta do carro.

"Siga os conselhos de Benton", ele acrescentou. "Você pode confiar nele. Você se envolveu numa história complicada."

Dei a partida.

"Gostaria que ficasse longe dos problemas."

"Você sempre diz isso", respondi.

·

Mark realmente telefonou na noite seguinte — e nas outras duas. Quando ligou pela terceira vez, no dia 10 de fevereiro, ele disse uma coisa que me fez sair correndo atrás da edição mais recente da revista *Newsweek*.

Os olhos sem brilho de Pat Harvey fitavam os norte-americanos na capa da revista. O título, em letras pretas grossas, dizia: O ASSASSINATO DA FILHA DA DIRETORA DA CRUZADA ANTIDROGAS, com uma chamada de "exclusivo" embaixo. Dentro, havia um resumo da entrevista coletiva, as acusações de conspiração e um histórico dos outros jovens que haviam desaparecido e depois localizados nas matas da Virgínia, em decomposição. Neguei uma entrevista ao autor da matéria, mas a revista publicou uma foto de arquivo, na qual eu subia a escada do fórum John Marshall, em Richmond. A legenda dizia: "Legista-chefe entrega relatório sob ameaça de ordem judicial".

"Isso faz parte de meu trabalho. Está tudo bem", garanti a Mark, quando liguei de volta.

Até mesmo quando minha mãe ligou, naquela noite, eu continuei calma. Mas ela disse: "Tem alguém aqui querendo falar com você, Kay".

Minha sobrinha, Lucy, sempre demonstrara um talento especial para me enrolar.

"Como você foi se meter nessa confusão?", ela perguntou.

"Eu não me meti em nenhuma confusão."

"A reportagem diz que você se meteu, sim. E que alguém a ameaçou."

"Isso é complicado demais para explicar, Lucy."

"Achei o máximo", ela disse, imperturbável. "Vou levar a revista para a escola amanhã, e mostrar para todo mundo."

Ótimo, pensei.

"A senhora Barrow", ela disse, referindo-se à professora, "já perguntou se você pode vir para o dia das profissões, em abri..."

Eu não via Lucy fazia um ano. Nem me parecia possível que ela já estivesse no segundo ano colegial. Embora soubesse que ela usava lente de contato e que já tinha carteira de motorista, eu ainda a via como uma criança carente, gorducha, que precisava ser posta na cama. Uma *enfant terrible* que, por alguma estranha razão, se agarrara a mim antes mesmo de aprender a andar. Jamais me esquecerei de quando fui de avião para Miami, no Natal após seu nascimento, e passei uma semana na casa de minha irmã. Lucy passava todos os minutos, quando estava acordada, a me observar. Seus olhos acompanhavam cada movimento meu, como duas luazinhas luminosas. Ela sorria quando eu trocava sua fralda e berrava no instante em que eu saía do quarto.

"Você gostaria de passar uma semana comigo no verão?", perguntei.

Lucy hesitou, depois disse, desapontada: "Acho que isso quer dizer que você não vai poder vir para o dia das profissões".

"Vamos ver se dá, está bem?"

"Não sei se vou poder ir até aí no verão." Seu tom de voz tornou-se petulante. "Arranjei um emprego e talvez não possa viajar."

"Que bom que você conseguiu um emprego."

"Pois é. Numa loja de informática. Estou economizando para comprar um carro. Quero um esporte, conversível, e a gente consegue achar modelos antigos por um preço bem em conta."

"Eles são muito perigosos", falei, sem conseguir me conter. "Por favor, não faça uma coisa dessas, Lucy. Por que você não vem até Richmond, ficar um pouco comigo? Vamos procurar um carro juntas, um bem legal e seguro."

Ela havia preparado a armadilha, e eu caíra, como sempre. Era uma especialista em manipulação, e não era preciso chamar um psiquiatra para descobrir o motivo. Lucy fora vítima de abandono crônico por parte da mãe, minha irmã.

"Você é uma moça inteligente, capaz de decidir por si mesma", falei, mudando a tática. "Sei que tomará uma decisão correta em relação a seu tempo e seu dinheiro, Lucy. Mas se por acaso você tiver um tempinho para mim, no verão, podemos ir juntas a algum lugar. Pegar uma praia, viajar para a montanha, o que preferir. Já esteve na Inglaterra?"

"Não."

"Então, por que não pensa nisso? Seria bárbaro."

"Está falando sério?", ela perguntou, desconfiada.

"Claro. Não viajo para lá há anos", respondi, entusiasmada com a idéia. "Acho que está mais do que na hora de você conhecer Oxford e Cambridge, os museus de Londres. Podemos marcar uma visita à Scotland Yard, se quiser. E ver o campeonato em Wimbledon, se conseguirmos sair no início de junho."

Silêncio.

Depois, ela disse, zombeteira: "Eu estava só provocando você. Na verdade, não quero um carro esporte, tia Kay".

Na manhã seguinte não havia autópsias a fazer. Sentei-me à mesa para tentar diminuir a pilha de papéis pendentes. Tinha outras mortes a investigar, aulas para dar, audiências marcadas que dependiam de meu testemunho. Apesar de tudo, não conseguia concentrar-me. Sempre que me dedicava a um assunto, minha atenção acabava retornando aos casais. Eu havia deixado passar algo importante, bem debaixo do meu nariz.

Minha intuição dizia que tinha a ver com o assassinato de Deborah Harvey.

Ela praticava ginástica olímpica, era uma atleta capaz de controle absoluto sobre o corpo. Talvez não fosse tão forte quanto Fred, mas era mais rápida e ágil que o namorado. Eu acreditava que o assassino havia subestimado seu potencial atlético e por isso deixara de dominá-la por um momento, na mata. Olhando sem ver o relatório que eu deveria estar revisando, lembrei-me das palavras de Mark. Ele havia mencionado "zonas de guerra" em Camp Peary, nas quais os agentes utilizavam armas automáticas, granadas e equipamento para visão noturna para caçar uns aos outros nos campos e bosques. Tentei imaginar a cena. Comecei a brincar com um cenário tenebroso.

Quem sabe o assassino, depois de seqüestrar Deborah e Fred para levá-los até a estradinha vicinal, tivesse feito um jogo pavoroso com eles. Primeiro, ordenou que tirassem sapatos e meias. Depois, amarrou as mãos dos dois nas costas. Talvez usasse óculos de visão noturna, que aumentavam a luz do luar, tornando possível ver o caminho sem dificuldade enquanto os forçava a entrar na mata, onde pretendia caçar primeiro um e depois o outro.

Creio que Marino tinha razão. O assassino teria preferido liquidar Fred primeiro. Pode ter dito a ele para correr, oferecido uma chance de fuga. Enquanto Fred tentava avançar por entre as árvores e moitas, em pânico, o assassino o observava, capaz de acompanhar seus movimentos sem esforço, com uma faca na mão, pronto para persegui-lo. No momento oportuno, não teria sido difícil emboscar a vítima por trás, passar o braço por baixo do queixo e puxar a cabeça para trás, para cortar a garganta e a carótida. Esse ataque tipo comando era rápido e silencioso. Se os corpos não fossem descobertos rapidamente, o médico encarregado da autópsia teria dificuldade em determinar a causa da morte, pois o tecido e as cartilagens já estariam decompostos.

Levei a reconstituição adiante. Parte do prazer sádico do assassino estaria em forçar Deborah a testemunhar a morte de Fred, caçado e abatido na escuridão. Calculei que o assassino, após a chegada à mata, garantiu sua presença amarrando-a na altura do tornozelo. Contudo, ele não previu sua flexibilidade. Enquanto ele se ocupava de Fred, teria sido possível a ela, se agachando bem, passar as mãos amarradas na altura das nádegas por baixo das pernas. Assim, conseguiria ficar com as mãos à frente. Isso lhe permitiria desamarrar os pés e se defender.

Estendi as mãos à frente, como se estivessem amarradas na altura dos pulsos. Se Deborah tivesse cruzado os dedos para desferir um golpe, e o assassino erguido as mãos defensivamente, num ato reflexo, tendo numa delas a faca usada para matar Fred, então a marca no dedo indicador esquerdo de Deborah fazia sentido. Deborah saiu correndo e o assassino, pego de surpresa, atirou nela pelas costas.

Será que eu estava certa? Não tinha como saber. Contudo, a cena se desenrolava em minha mente, sem uma falha sequer. No entanto, diversos pressupostos não se encaixavam. Se a morte de Deborah fora serviço de um matador profissional ou obra de um agente federal psicopata, que a escolhera por ser filha de Pat Harvey, então como esse indivíduo não sabia que Deborah era atleta olímpica do primeiro time? Não teria ele levado em conta que a moça era ágil e rápida, incorporando a informação aos seus preparativos?

Ele teria atirado nela *pelas costas*?

O modo como ela foi assassinada era compatível com o perfil frio e calculista de um pistoleiro profissional?

Pelas costas.

Quando Hilda Ozimek estudou as fotos dos jovens mortos, ela percebeu sempre o medo. Obviamente, as vítimas sentiram medo. Mas jamais me ocorrera, até aquele momento, que também o assassino pudesse estar sentindo medo. Atirar em alguém pelas costas é covardia. Quando Deborah reagiu, seu atacante ficou nervoso. Perdeu o controle. Quanto mais eu pensava no assunto, mais me convencia de que Wesley e talvez todos os outros estivessem enganados quanto ao perfil do sujeito. Caçar adolescentes amarrados e descalços no mato, à noite, para quem tem armas, conhece o terreno e provavelmente conta com equipamento de visão noturna equivale a pescar num tanque. Fácil demais. Uma farsa. Não tem nada a ver com o *modus operandi* que eu esperaria de um especialista em assassinatos que sentia prazer em correr riscos.

Havia ainda a questão da arma.

Se um agente da CIA saísse caçando seres humanos, o que usaria? Uma Uzi? *Talvez.* Se eu fosse ele, porém, escolheria uma pistola nove milímetros, algo capaz de dar conta do serviço, sem exageros. Usaria balas normais, algo que não chamasse a atenção. Munição comum. Jamais escolheria algo raro, como projéteis Exploder ou Hydra-Shok.

A munição. Raciocine, Kay! Não me recordava da última vez que recuperara balas Hydra-Shok de um cadáver.

Essa munição fora desenvolvida originalmente para uso das forças policiais. Os projéteis têm uma capacidade de expansão após o impacto maior do que qualquer outra bala disparada de um cano de duas polegadas. Quando o projétil de chumbo, parcialmente oco, com a inconfundível parte central proeminente, penetra no corpo, a pressão hidrostática força o aro periférico a se abrir como as pétalas de uma flor. O coice é mínimo, favorecendo disparos sucessivos. As balas raramente saem do corpo; a destruição dos tecidos e órgãos é devastadora.

O assassino gostava de munição especializada. Sem dúvida, escolhera a arma a partir dos cartuchos de sua preferência. Selecionar um dos tipos mais letais de munição provavelmente lhe dava uma sensação de confiança, fazendo com que se sentisse poderoso e importante. Poderia até ter alguma superstição a respeito.

Peguei o telefone e disse a Linda do que eu precisava.

"Suba", ela respondeu.

Quando entrei no laboratório de armas de fogo, encontrei-a sentada na frente do terminal do computador.

"Nenhum caso até agora, neste ano, exceto Deborah Harvey, claro", ela disse, movendo o cursor pela tela. "Um, no ano passado. Um, no anterior. E mais nada, no caso da Federal. Contudo, encontrei dois casos de uso de Scorpions."

"Scorpions?", perguntei, intrigada, espiando por cima de seu ombro.

Ela explicou: "Uma versão anterior. Dez anos antes da compra da patente pela Federal, a Hydra-Shok Corporation fabricou cartuchos similares. Especificamente, Scorpion trinta-e-oito e Copperhead três-cinco-sete". Ela apertou diversos comandos, imprimindo os resultados da pesquisa. "Há oito anos, tivemos um caso envolvendo Scorpion trinta-e-oito. Mas não foi com gente."

"Como assim?", perguntei, surpresa.

"Pelo que consta, a vítima era um cachorro. Levou... vamos ver... três tiros."

"A morte do cachorro estava ligada a algum outro caso? Suicídio, homicídio, assalto?"

"Não dá para dizer, pelo que consta aqui", Linda respondeu em tom de desculpa. "Só diz que três balas Scorpion foram recuperadas do corpo de um cachorro. Não encontramos a arma do crime. Creio que o caso permanece insolúvel."

Ela destacou a folha da impressora e passou-a para mim.

O Departamento de Medicina Legal, em certas ocasiões, aliás muito raras, realizava autópsias de animais. Cervos abatidos fora da temporada eram enviados por guardas-florestais. Se o cachorro de alguém levava um tiro enquanto um crime era cometido, ou se o bicho fosse encontrado morto junto com os donos, dávamos uma olhada, retirávamos balas ou fazíamos exames para detectar drogas. Mas não dávamos atestado de óbito nem fazíamos relatórios de autópsias de animais. Seria difícil encontrar alguma informação sobre um cachorro abatido a tiros, oito anos antes.

Telefonei para Marino e contei as novidades.

"Você está brincando", ele disse.

"Dá para pesquisar isso sem atrair muita atenção? Não quero que ninguém fique de antena ligada. Pode não ser nada, mas a jurisdição é West Point, o que é muito interessante. Os corpos do segundo casal foram encontrados em West Point."

"Sei. Pode ser. Vou ver o que dá para fazer", ele disse. Mas não parecia muito animado com a história.

Na manhã seguinte, Marino apareceu quando eu estava terminando o exame do corpo de um menino de catorze anos que caíra da traseira de uma picape, na tarde anterior.

"Espero que você não esteja usando este perfume", Marino disse, aproximando-se da mesa.

"Ele levava um frasco de loção após-barba no bolso da calça. O frasco se quebrou quando bateu no asfalto. Daí o cheiro." Apontei para as roupas, num carrinho próximo.

"Brut?", ele disse, aspirando novamente.

"Creio que sim", respondi, distraída.

"Doris costumava comprar Brut para mim. Certa vez, ela me deu Obsession, dá para acreditar?"

"O que descobriu?" Continuei a trabalhar.

"O nome do cachorro era Diacho. Juro que é verdade. Pertencia a um velho de West Point, chamado senhor Joyce."

"Descobriu por que razão o cão foi trazido ao meu departamento?"

"Nenhuma ligação com outros casos. Um favor, creio."

"O veterinário estadual devia estar de férias", arrisquei, pois isso já havia ocorrido.

Do outro lado da rua situava-se o Departamento de Saúde Animal, com direito a necrotério, onde faziam os exames de animais. Normalmente, as carcaças seguiam para os veterinários do estado. Contudo, havia exceções. A pedidos, os legistas ajudavam a polícia, pegando os casos quando os veterinários não estavam disponíveis. Durante minha carreira eu já havia feito a autópsia em cachorros torturados, gatos mutilados, uma égua sexualmente molestada e uma galinha envenenada deixada na caixa de correio de um juiz. As pessoas eram tão cruéis com os animais quanto umas com as outras.

"O senhor Joyce não tem telefone, mas meu contato por lá contou que ele ainda mora na mesma casa", Marino disse. "Acho bom ir até lá checar a história com ele. Quer vir comigo?"

Abri uma nova lâmina de bisturi pensando na mesa cheia de serviço, nos casos que aguardavam ditado, nos telefonemas a que precisava retornar e em outros que precisava fazer.

"Acho melhor", falei, desanimada.

Ele hesitou, como se esperasse alguma coisa.

Quando olhei para ele, compreendi. Marino fora cortar o cabelo. Usava calça cáqui com suspensório e um paletó de tweed que parecia novinho em folha. A gravata estava limpa, assim como a camisa amarelo-clara. Até os sapatos ele tinha engraxado.

"Você está com uma aparência ótima", falei, como se fosse uma mãe orgulhosa.

"Pois é." Ele sorriu, corando em seguida. "Rose assobiou para mim quando entrei no elevador. Foi gozado. Nenhuma mulher assobia para mim há anos, exceto Sugar, e Sugar não conta, né?"

"Sugar?"

"Ela fica na esquina da Adam com a Church. Achei Sugar, também conhecida como Mad Dog Mama, caída num beco. Estava bêbada feito um gambá, quase passei por cima dela. Fiz a besteira de levá-la para o xadrez. Brigou como um gato de rua e me insultou até chegar à delegacia. Sempre que eu passo lá por perto, ela assobia, grita e levanta a saia."

"E você andava preocupado por não se achar mais tão atraente para as mulheres", falei.

11

A origem de Diacho era indeterminada, embora fosse evidente que todas as características genéticas herdadas dos cães de sua linhagem eram as piores possíveis.

"Criei o bichinho desde que era pequeno", disse o sr. Joyce, quando lhe mostrei uma foto Polaroid do cachorro em questão. "Ele era um vira-lata, sabe. Apareceu na porta dos fundos lá de casa certa manhã. Fiquei com pena dele, joguei-lhe uns restos de comida. Com o tempo, eu não conseguiria mais me livrar dele nem que minha vida dependesse disso."

Estávamos sentados à mesa, na cozinha da casa do sr. Joyce. O sol penetrava fraco pela janela empoeirada acima da pia de porcelana manchada de ferrugem, na qual a torneira pingava sem parar. Desde nossa chegada, quinze minutos antes, o sr. Joyce não dissera uma palavra gentil a respeito do cachorro morto. Mesmo assim, notei brilho nos olhos cansados. As mãos calejadas que alisavam pensativamente a borda da caneca de café pareciam capazes de carinho.

"De onde veio o nome?", Marino quis saber.

"Nunca lhe dei um nome, sabe. Mas sempre gritava com ele: 'Cale a boca, diacho! Saia já daí, diacho! Se não parar de latir, vou quebrar seus dentes, diacho!'." Ele sorriu, sem graça. "Por isso, ele acabou achando que o nome dele era Diacho e atendia quando eu o chamava. Portanto, acabou ficando Diacho mesmo."

O sr. Joyce era aposentado, trabalhara numa empresa de cimento. Sua casinha testemunhava a pobreza rural, perdida no meio das plantações. Imaginei que o dono original tivesse sido agricultor, pois dos dois lados do terreno havia áreas imensas de cultivo, que segundo o sr. Joyce viravam milharais no verão.

E fora no verão, numa noite quente e abafada de julho, que Bonnie Smyth e Jim Freeman haviam sido forçados a seguir pela estradinha poeirenta que passava pela frente da casa do velho, naquela região pouco habitada. Novembro chegara, e eu havia passado pela mesma estrada, pela frente da casa do sr. Joyce, na perua do departamento cheia de lençóis dobrados, macas e sacos para defuntos. A menos de três quilômetros a leste do local onde o sr. Joyce morava havia uma área de mata densa, onde os corpos do casal haviam sido localizados havia cerca de dois anos. Uma coincidência inusitada? E se não fosse?

"Então, conte para a gente o que aconteceu com o Diacho", Marino disse, acendendo um cigarro.

"Foi num fim de semana", o sr. Joyce começou. "Meados de agosto, creio. As janelas estavam todas abertas e eu via televisão na sala. *Dallas*. É gozado eu me lembrar do que estava passando. Isso quer dizer que era sexta-feira. Começa às nove horas."

"Então foi entre nove e dez que seu cachorro levou o tiro", Marino disse.

"É o que eu imagino. Não poderia ter sido acertado muito antes disso ou não chegaria em casa. Estava vendo tevê quando escutei o barulho na porta. Ele começou a arranhar e ganir. Percebi que estava ferido, calculei que tivesse brigado com algum gato. Abri a porta e dei uma olhada nele."

Ele tirou uma bolsa de tabaco e começou a enrolar o cigarro com mãos hábeis, firmes.

Marino o incentivou. "O que fez depois disso?"

"Coloquei o cachorro na traseira da caminhonete e levei-o para a casa do doutor Whiteside. Fica a uns oito quilômetros, a noroeste."

"Veterinário?", perguntei.

Ele fez que não com a cabeça, lentamente. "Não, senhora. Não tenho veterinário nem conheço nenhum. O doutor Whiteside cuidou de minha mulher, antes de ela morrer. Sujeito decente, aquele. Não sabia para onde ir, para dizer a verdade. Bem, era tarde demais. O doutor não podia fazer mais nada quando cheguei lá com o cachorro. Ele disse que era melhor avisar a polícia. O único bicho disponível em agosto é o corvo, e ninguém com a cabeça no lugar sairia no meio da noite atirando em corvos ou em qualquer outra coisa. Fiz o que ele mandou. Liguei para a polícia."

"Tem alguma idéia de quem pode ter atirado em seu cachorro?"

"O Diacho era doido para correr atrás dos carros. Ia feito louco, como se quisesse comer o pneu. Na minha opinião, sempre suspeitei que foi algum guarda quem atirou nele."

"Por quê?", Marino perguntou.

"Depois que o cachorro foi examinado, disseram que as balas eram de revólver. Talvez o Diacho tenha corrido atrás de uma viatura. Aí, deu no que deu."

"Viu algum carro de polícia na estrada naquela noite?", Marino indagou.

"Nenhum. Mas isso não quer dizer que não tenha passado algum. Além disso, não sei onde os tiros foram disparados. Sei que não foi aqui perto, pois nesse caso eu teria escutado."

"Talvez não, se a televisão estivesse muito alta", Marino disse.

"Eu teria ouvido tudo, com certeza. Não há muitos sons por aqui, especialmente tarde da noite. Depois de morar nesta casa bastante tempo, a gente escuta qualquer barulhinho diferente. Mesmo que a televisão esteja ligada e a janela fechada."

"Ouviu o ruído de algum carro na estrada naquela noite?", Marino perguntou.

Ele refletiu, por um momento. "Sei que um carro passou pouco antes de o Diacho arranhar a porta. A polícia me perguntou a mesma coisa. Tenho a impressão de que foi o motorista do tal carro que atirou no meu cão. O policial que atendeu à ocorrência achou isso também. Pelo menos, foi o que ele disse." Ele parou, olhando pela janela. "Provavelmente, foi algum moleque."

O relógio tocou na sala, desafinado. Seguiu-se um silêncio vazio, medido pela água que pingava na pia. O sr. Joyce não tinha telefone. Nenhum vizinho próximo, poucos a certa distância. Duvido que tivesse filhos. Não parecia que arranjara outro cachorro, ou um gato. Não vi sinal de outro morador da casa, além dele.

"O Diacho era um cachorro inútil, mas a gente acabou gostando dele. Deixava o carteiro louco. Eu ficava na sala, olhando pela janela, rindo tanto que meus olhos se enchiam de lágrimas. Só de ver a cena. O pobre coitado olhava para um lado, para o outro, morto de medo de descer da perua do correio. O Diacho corria em círculos, pulava, latia. Eu esperava uns minutos antes de sair para o jardim e gritar com ele. Bastava apontar o dedo, e o Diacho ia embora com o rabo entre as pernas." Ele respirou fundo, deixando o cigarro esquecido no cinzeiro. "Tem muita gente ruim por aqui."

"Sim, senhor", Marino concordou, reclinado na poltrona. "Tem gente ruim em qualquer lugar, até numa região tranqüila e bonita como esta. Fazia uns dois anos que eu não passava por aqui. Foi algumas semanas antes do Dia de Ação de Graças, quando acharam aquele casal no mato. Lembra-se disso?"

"Claro que me lembro." O sr. Joyce balançou a cabeça com vigor. "Nunca vi tanta agitação. Eu estava lá fora pegando lenha quando os carros da polícia começaram a passar, com as luzes piscando. Acho que tinha mais de uma dúzia, além das ambulâncias." Ele parou, olhando pensativo para Marino. "Não me lembro de ter visto você por lá." Voltando a atenção para mim, ele acrescentou: "Aposto que você também estava lá".

"Estava."

"Achei, mesmo." Ele parecia animado. "Você me pareceu conhecida, fiquei cavoucando minha cabeça enquanto a gente conversava, tentando me lembrar de onde eu tinha visto você antes."

"Foi até o lugar onde acharam os corpos?", Marino perguntou, distraidamente.

"Com tanto carro de polícia passando na minha porta, eu não ia ficar aqui sem saber de nada. Não conseguia imaginar o que estava acontecendo. Não havia casas para aquele lado, nenhum vizinho. Só mato. Comecei a pensar, bom, se um caçador levou um tiro, não faz sentido. É polícia demais. Peguei minha caminhonete e segui pela estrada. Encontrei um guarda numa viatura e perguntei o que estava havendo. Ele me disse que os caçadores haviam encontrado dois corpos no mato. Depois quis saber se eu morava por ali. Falei que sim, e logo apareceu um investigador na minha casa, fazendo perguntas."

"Lembra-se do nome do policial que o procurou?", Marino perguntou.

"Acho que não."

"Que tipo de perguntas ele fez?"

"Quis saber se eu tinha visto alguém nas redondezas, principalmente na época em que o casal havia desaparecido, pelos cálculos deles. Carros estranhos, essas coisas."

"E você?"

"Bem, fiquei pensando, depois que ele foi embora, e de vez em quando isso volta à minha cabeça", o sr. Joyce disse. "Sabe, na noite em que a polícia acha que o casal foi trazido para cá e assassinado, não me lembro de ter ouvido nada. Mas, de vez em quando, vou cedo para a cama. Talvez já estivesse dormindo. No entanto, lembrei-me de uma coisa, há uns dois meses, depois que outro casal foi encontrado, no começo do ano."

"Deborah Harvey e Fred Cheney?", perguntei.

"A filha daquela mulher importante?"

Marino fez que sim.

O sr. Joyce prosseguiu: "Os assassinatos me fizeram pensar de novo sobre os corpos encontrados aqui perto. E acabei lembrando de uma coisa. Devem ter notado, quando chegaram, que eu tenho uma caixa de correio na frente de casa. Bem, passei mal uns quinze dias antes do dia em que o rapaz e a moça foram mortos aqui perto, faz alguns anos".

"Jim Freeman e Bonnie Smyth", Marino falou.

"Isso mesmo. Eu estava com gripe, vomitando, meu corpo inteiro doía, da cabeça aos pés. Passei uns dois dias de cama, não tinha nem coragem para sair e pegar a correspondência. Na noite a que me referi, consegui finalmente me levantar para fazer umas coisas. Preparei uma sopa, que consegui tomar e que ficou no estômago. Aí, eu saí para pegar as cartas. Por volta das nove, dez da noite. Quando voltava para dentro de casa, escutei o motor de um carro. Preto que nem carvão, e o motorista dirigia de farol apagado."

"Em que direção ia o carro?", Marino quis saber.

"Naquela." O sr. Joyce apontou para o oeste. "Em outras palavras, ele estava saindo da área de mata e seguindo na direção da rodovia. Pode não ser nada, mas eu lembro que o carro chamou minha atenção. Achei meio estranho. Não tem nada para aqueles lados, só lavouras e mato. Calculei que eram jovens. Bebendo, namorando, coisas do gênero."

"Deu para ver bem o carro?", perguntei.

"Acho que era tamanho médio. Preto, azul-escuro ou bordô. Não sei bem."

"Novo ou velho?", Marino perguntou.

"Não sei se era muito novo, mas não parecia velho. Não era um desses carros estrangeiros, com certeza."

"Como pode saber?", Marino indagou.

"Pelo som do motor", o sr. Joyce respondeu sem hesitar. "Esses carros estrangeiros não fazem o mesmo barulho que os carros norte-americanos. O motor trabalha em giro mais alto, faz mais barulho, engasga. Não sei descrever exatamente, mas conheço a diferença. Foi assim, quando vocês chegaram. Percebi que se tratava de um carro americano, Ford ou Chevy. O carro passou com o farol apagado, sem fazer barulho, bem suave. A forma dele lembrava o Thunderbird novo, mas não posso jurar. Talvez fosse um Cougar."

"Um carro esportivo, portanto", Marino disse.

"Depende do ponto de vista. Para mim, carro esportivo é o Corvette. O Thunderbird ou o Cougar não chegam aos pés."

"Deu para ver quantas pessoas havia no carro?", perguntei.

Ele balançou a cabeça. "Nem pensar. Estava muito escuro lá fora, e não fiquei olhando muito."

Marino puxou o bloco e começou a folheá-lo.

"Senhor Joyce", ele disse, "Jim Freeman e Bonnie Smyth desapareceram no dia 29 de julho, sábado à noite. Tem certeza de que viu o tal carro antes disso? Como sabe que não foi depois?"

"Tenho certeza absoluta. Sei disso porque fiquei doente, como já lhe contei. Comecei a sentir uma fraqueza na segunda semana de julho. Eu me lembro bem porque o aniversário de minha mulher era no dia 13 de julho. Sempre vou ao cemitério pôr flores no túmulo, no dia do aniversário dela. Tinha acabado de voltar de lá quando comecei a me sentir meio esquisito. No dia seguinte, caí de cama, doente." Ele olhou para o alto, por um momento. "Acho que saí para pegar a correspondência e vi o carro no dia 15 ou 16."

Marino pegou os óculos escuros, pronto para partir.

O sr. Joyce, que não nasceu ontem, perguntou: "Acham que o fato de meu cachorro ter sido morto a tiros tem algo a ver com o assassinato desses casais?".

"Estamos investigando todas as possibilidades. Acho melhor o senhor não comentar esta conversa com ninguém."

"Pode deixar que eu fico de bico calado."

"Seria muito melhor."

Ele nos acompanhou até a porta.

"Voltem quando quiserem", ele disse. "Tenho uma horta nos fundos, com os melhores tomates da Virgínia. Em julho eles estarão maduros, mas vocês não precisam esperar até lá para fazer uma visita. Venham quando quiserem. Estou sempre em casa."

Ele nos observou da varanda, até irmos embora.

Marino deu sua opinião enquanto seguíamos pela estradinha poeirenta, no rumo da rodovia.

"Achei muito suspeito o tal carro que ele viu naquela área duas semanas antes do assassinato de Bonnie Smyth e Jim Freeman."

"Eu também."

"Quanto ao cachorro, tenho lá minhas dúvidas. Se ele tivesse sido morto a tiros algumas semanas ou mesmo alguns meses antes do desaparecimento de Jim e Bonnie, eu pensaria que tínhamos uma boa pista. Mas, puxa vida, o Diacho foi abatido cerca de cinco anos antes do início das mortes dos casais."

Zonas de guerra, pensei. Talvez fosse uma pista boa, apesar de tudo.

"Marino, já levou em conta que estamos lidando com um sujeito para quem o local da morte é mais importante do que a escolha da vítima?"

Ele olhou para mim, interessado.

"Esse indivíduo pode passar muito tempo procurando o lugar certo", prossegui. "Quando ele o encontra, sai para caçar e leva a presa para o local cuidadosamente escolhido. O lugar é o mais importante, assim como a época do ano. O cachorro do senhor Joyce foi morto em meados de agosto. É a época mais quente do ano, embora não seja estação de caça. Só tem corvos. Os casais foram todos mortos fora da época de caça. Em cada uma das ocorrências, os corpos foram encontrados semanas ou meses mais tarde, na estação de caça. Por caçadores. Temos um padrão."

"Está sugerindo que o assassino tinha saído em busca de um lugar no mato adequado para cometer seus crimes, quando o cachorro apareceu e estragou seus planos?" Ele olhou para mim, franzindo o cenho.

"Estou só examinando as diversas hipóteses."

"Sem querer ofender, você pode jogar essa hipótese pela janela. A não ser que o maníaco tenha passado anos imaginando como seria matar pessoas antes de entrar finalmente em ação."

"Minha impressão é de que esse sujeito vivia num mundo de fantasias muito intensas."

"Acho melhor você se dedicar a perfis psicológicos", ele disse. "Está começando a falar como Benton."

"E você está dando a impressão de que cortou Benton de vez."

"Nada disso. Só não ando com vontade de falar com ele."

"Ele continua sendo seu parceiro no VICAP, Marino. Nós dois não somos os únicos sob pressão. Não seja duro demais com ele."

"Você ultimamente anda distribuindo conselhos, hein?", ele disse.

"Sorte sua, pois você está mesmo precisando de uns conselhos."

"Quer comer alguma coisa?"

Aproximava-se o final da tarde.

"Esta noite tenho que malhar", falei, desanimada.

"Minha nossa. Aposto que daqui a pouco você vai aconselhar para *eu* também fazer isso."

Bastou a idéia ser mencionada para nós dois acendermos cigarros.

Eu estava atrasada para a aula de tênis, apesar de fazer tudo para chegar a Westwood a tempo, menos passar em sinais vermelhos. O cordão do tênis arrebentou, o cabo da raquete estava escorregadio, havia um jantar mexicano no andar superior, ou seja, o terraço envidraçado estava cheio de gente que não tinha mais nada a fazer senão comer tacos, beber margaritas e testemunhar minha humilhação. Depois de mandar cinco *backhands* seguidos para lá da linha de fundo, comecei a dobrar os joelhos e a reduzir a força. As três tentativas seguintes ficaram na rede. Os voleios estavam patéticos, os *smashs* nem se fala. Quanto mais eu tentava, pior me saía.

"Você está batendo muito tarde." Ted deu a volta e se instalou do meu lado da rede. "Excesso de movimento, pouca concentração. O que está acontecendo?"

"Ando pensando em aprender bridge", falei, e minha frustração se transformou em raiva.

"Você precisa adiantar mais a raquete. Prepare a rebatida com mais antecedência, posicionando os ombros como eu já ensinei. Ponha o pé esquerdo na frente e bata na bola. Mantenha a bola em contato com o encordoamento enquanto for possível."

Ele me acompanhou e mostrou como eu deveria fazer. As bolas passavam por cima da rede, enquanto eu o observava, morta de inveja. Ted tinha músculos definidos como um modelo de Michelangelo, coordenação motora excepcional e capacidade de dar um efeito na bola que a faria pular por cima da cabeça da gente ou morrer a nossos pés, conforme sua escolha. Será que os atletas privilegiados tinham noção de quanto humilhavam o resto de nós?

"Seu problema está principalmente na cabeça, doutora Scarpetta", ele disse. "Você entra aqui querendo ser a Martina, quando se daria muito melhor tentando ser você mesma."

"Bem, com certeza não poderei ser nenhuma Martina", resmunguei.

"Não se esforce tanto para ganhar o ponto, quando deveria estar preocupada em não perdê-lo. Concentre-se, jogue com inteligência, mantenha a bola em movimento até que seu oponente erre ou lhe dê uma boa chance de colocar uma bola. O jogo aqui é esse. As partidas de tênis, nos clubes, não são vencidas, mas sim perdidas. Uma pessoa não ganha de você por acertar mais bolas, e sim porque você errou mais." Olhando para mim, um tanto intrigado, ele disse: "Aposto que você não é tão impaciente em seu trabalho. Aposto que devolve todas as bolas, por assim dizer. E que consegue passar o dia fazendo isso".

Eu não tinha tanta certeza disso, mas as instruções de Ted provocaram o efeito oposto ao que ele queria. Afastaram minha mente do tênis. Jogar com inteligência. Mais tarde, ponderei a questão por um bom tempo durante o banho de banheira.

Não conseguiríamos derrotar aquele assassino. Táticas ofensivas como plantar balas e histórias em jornais não funcionavam. Estava na hora de uma estratégia de defesa. Criminosos que escapam da prisão são apenas sortudos, e não perfeitos. Eles cometem erros. Todos cometem. O problema é identificar os erros, perceber seu significado e determinar o que foi intencional e o que não foi.

Pensei nas pontas de cigarro que achávamos perto dos cadáveres. O assassino as deixava lá de propósito? Seriam um erro? Não, pois eram inúteis enquanto provas, e não conseguíamos identificar a marca. O valete de copas largado nos veículos também era intencional, não dava para ser considerado um erro. Não havia impressões digitais nas cartas. Seu objetivo bem que podia ser nos levar a imaginar o que a pessoa que deixara as cartas queria que pensássemos.

Atirar em Deborah Harvey foi um erro, disso eu tinha certeza.

Restava ainda a questão do passado do criminoso, sobre o qual eu estava refletindo naquele momento. Ele não passou repentinamente da condição de cidadão amante da lei a assassino calejado. Que pecados cometera antes, que atos de maldade?

Para começar, pode ter atirado no cachorro de um velho, oito anos antes. Se eu estivesse certa, então ele havia cometido outro erro, pois o incidente sugeria que ele morava na região, não era novo na área. Fiquei pensando se ele já havia matado antes.

Imediatamente depois da reunião com minha equipe, na manhã seguinte, pedi à analista de sistemas, Margaret, que imprimisse uma cópia de cada relatório de homicídio ocorrido num raio de oitenta quilômetros de Camp Peary, nos últimos dez anos. Embora eu não estivesse procurando necessariamente um duplo homicídio, foi exatamente isso que encontrei.

Casos números C0104233 e C0104234. Nunca tinha ouvido falar naqueles crimes, que ocorreram muitos anos antes de eu mudar para a Virgínia. De volta a minha sala, fechei a porta e examinei os casos, sentindo crescer a excitação. Jill Harrington e Elizabeth Mott haviam sido assassinadas oito anos antes, em setembro, um mês depois da morte do cachorro do sr. Joyce.

As duas mulheres estavam na casa dos vinte anos. Desapareceram oito anos antes, numa noite de sexta-feira, 14 de setembro. Os corpos foram encontrados na manhã seguinte, num cemitério de igreja. Só no dia seguinte o Volkswagen pertencente a Elizabeth foi localizado no estacionamento de um motel à beira da Route 60, em Lightfoot, periferia de Williamsburg.

Passei a estudar os relatórios e diagramas do legista. Elizabeth Mott levara um tiro na nuca. Depois disso, presumiu-se, ela foi esfaqueada uma vez no peito e teve a garganta cortada. Estava inteiramente vestida, sem sinais de violência sexual. Não acharam projéteis. Havia marcas de cordas em volta do pulso. Nenhum sinal de resistência. Os relatórios de Jill, no entanto, contavam uma história bem diferente. Ela exibia cortes de defesa nos antebraços e nas mãos, além de contusões e equimoses no rosto e na cabeça que indicavam "golpes de pistola". Sua blusa estava rasgada.

Evidentemente, ela lutara para valer e havia sido abatida com onze facadas.

Segundo os recortes de jornais incluídos nos arquivos, a polícia de James City disse que as duas mulheres haviam sido vistas tomando cerveja no Anchor Bar and Grill de Williamsburg, onde ficaram até aproximadamente dez horas da noite. Deduziu-se que elas encontraram o assassino lá, numa situação "Mr. Goodbar": as duas mulheres saíram com ele e o seguiram até o motel onde o carro de Elizabeth foi encontrado depois. Em determinado momento ele dominou-as, talvez no estacionamento, obrigando-as a acompanhá-lo até o cemitério, onde as matou.

Muita coisa naquela descrição não fazia sentido para mim. A polícia descobrira manchas de sangue no banco traseiro do Volkswagen, mas não conseguiu explicá-las. O tipo sanguíneo não combinava com o grupo das duas mulheres. Se o sangue era do assassino, então o que acontecera? Ele teria lutado com uma delas no banco de trás? Nesse caso, por que não encontraram sangue dela também? Se as duas mulheres estavam na frente e ele atrás, como ele se feriu? Se ele se cortou depois, no cemitério, lutando com Jill, isso também não fazia sentido. Depois de cometer os homicídios, ele teria de levar o carro delas do cemitério ao motel, e o sangue dele deveria estar no banco do motorista, e não no de trás. Finalmente, se o sujeito pretendia assassinar as mulheres depois de ter uma relação sexual, por que simplesmente não as matou no quarto do motel? E por que os exames realizados nas mulheres deram negativo, em relação a esperma? Teriam feito sexo com o sujeito e tomado banho depois? *Duas* mulheres e um homem? *Ménage à trois?* Bem, imagino que eu já tenha visto praticamente de tudo, neste meu trabalho.

Interfonei para a sala da analista de sistemas. Precisava falar com Margaret.

"Preciso que me faça outra pesquisa", falei. "Uma lista de todos os casos de homicídio que deram positivo para drogas investigados pelo detetive R. P. Montana, da comarca de

James City. E preciso dessa informação imediatamente, se for possível."

"Sem problema." Dava para ouvir seus dedos ágeis no teclado.

Vi na lista impressa seis casos de homicídios positivos para drogas investigados pelo detetive Montana. Os nomes de Elizabeth Mott e Jill Harrington constavam da lista, pois o sangue coletado após a morte continha álcool. O resultado era insignificante, para ambas, menos de 0,05. Além disso, o exame de Jill dera positivo para clorodizepóxido e clidinium, princípios ativos presentes no tranqüilizante Librax.

Ergui o fone e disquei para a polícia de James City. Pedi para falar com Montana e fui informada de que agora ele era capitão, encarregado de assuntos internos. Fui transferida para o ramal dele.

Pretendia ser muito cuidadosa. Se percebesse que o assassinato das duas mulheres podia estar relacionado com a morte dos cinco casais, Montana se fecharia em copas. Na minha opinião, não falaria mais nada.

"Montana", respondeu uma voz grossa.

"Aqui é a doutora Scarpetta", falei.

"Como vai, doutora? Pelo que eu soube, o pessoal aí em Richmond ainda não se cansou dos tiroteios."

"A coisa vai de mal a pior", concordei. "Estou estudando homicídios com envolvimento de drogas", falei. "Preciso fazer algumas perguntas a respeito de vários casos seus que apareceram na listagem do computador."

"Pode falar. Mas já faz muito tempo. Talvez eu me confunda um pouco nos detalhes."

"Basicamente, estou interessada nas cenas dos crimes, nos detalhes dos locais das mortes. A maior parte dos casos aconteceu antes de minha vinda para Richmond."

"É isso aí. No tempo do doutor Cagney. Trabalhar com ele era o máximo." Montana riu. "Nunca me esquecerei do modo como ele mexia nos corpos sem luvas. Não o incomodava, exceto crianças. Ele odiava autopsiar crianças."

Comecei a repassar os casos levantados pelo computador, e o que Montana me contou não chegou a surpreender. Bebedeiras e problemas domésticos acabavam levando o marido a atirar na mulher, ou vice-versa. O divórcio Smith & Wesson, de acordo com a irreverência policial. Um sujeito caindo de bêbado foi surrado até a morte pelos amigos bêbados, por causa de uma briga durante o jogo de pôquer. Um pai com 30 de álcool no sangue foi abatido a tiros pelo filho. E por aí afora. Deixei o caso de Jill e Elizabeth para o final.

"Desse eu me lembro muito bem", Montana disse. "Macabro, é o que posso dizer a respeito do destino daquelas moças. Jamais imaginaria que eram do tipo capaz de ir para um motel com um sujeito que conheceram num bar. As duas tinham curso superior, bons empregos. Eram elegantes e atraentes. Na minha opinião, o sujeito que encontraram era muito esperto. Não podia ser um caipira machão qualquer, não. Sempre desconfiei que fosse alguém de passagem, e não um morador."

"Por quê?"

"Porque, se fosse alguém daqui, teríamos tido mais sorte e encontrado um suspeito. Foi um serial killer, na minha opinião. De pegar mulheres em bares e matá-las. Talvez um sujeito que viaja muito, ataca em cidades diferentes e segue em frente."

"Houve roubo?"

"Pelo jeito, não. Minha primeira idéia, quando peguei o caso, foi que as moças poderiam estar envolvidas com drogas. Saíram com alguém para comprar a coisa, combinaram de encontrar o sujeito no motel para fazer uma farra ou comprar a coca. Mas não faltavam dinheiro nem jóias, e não encontrei provas de que as moças cheiravam ou injetavam."

"Pelo que consta nos relatórios toxicológicos, o exame de Jill Harrington deu positivo para Librax, bem como para álcool", falei. "Sabe algo a respeito?"

Ele refletiu, por um momento. "Librax. Nada. Não que eu me lembre."

Não perguntei mais nada e agradeci a colaboração.

Librax é um medicamento versátil, usado como relaxante muscular e no alívio da ansiedade e da tensão. Jill podia sofrer de dor nas costas ou lesões provocadas pela prática de esportes, ou ter problemas psicossomáticos como cólicas intestinais. Minha tarefa seguinte era encontrar seu médico. Comecei ligando para um dos legistas de Williamsburg, para pedir que me mandasse por fax uma cópia da seção de farmácias das Páginas Amarelas da região. Em seguida, liguei para o pager de Marino.

"Tem amigos na polícia de Washington? Alguém de sua confiança?", perguntei, quando Marino ligou de volta.

"Conheço alguns caras. Por quê?"

"É muito importante que eu fale com Abby Turnbull. E não acho que seja boa idéia ligar para ela."

"Se fizer isso, corre o risco de alguém descobrir."

"Exatamente."

"Se quer saber", ele disse, "acho que de qualquer maneira não é uma boa idéia ligar para ela."

"Compreendo seu ponto de vista. Mas não vou mudar de idéia, Marino. Você poderia entrar em contato com um de seus amigos de lá, pedir a ele que passasse no apartamento, ou que desse outro jeito de localizá-la?"

"Acho que está cometendo um erro. Mas, tudo bem. Vou dar um jeito nisso."

"Peça a ele que apenas diga a Abby que preciso falar com ela. Quero que entre em contato comigo imediatamente." Dei o endereço a Marino.

Naquela altura as cópias das Páginas Amarelas que eu queria já estavam saindo do aparelho de fax do final do corredor. Rose deixou a lista em minha mesa. Passei o resto da tarde telefonando para todas as farmácias que Jill Harrington poderia ter freqüentado em Williamsburg. Finalmente, achei uma que tinha o nome dela registrado.

"Ela era freguesa?", perguntei ao farmacêutico.

"Claro que sim. Elizabeth Mott também. As duas moravam perto daqui, num conjunto de prédios nesta mesma rua. Duas boas moças, nunca vou me esquecer delas. Fiquei muito chocado."

"Elas moravam juntas?"

"Deixe-me ver." Pausa. "Parece que não. Endereços e telefones diferentes. Só o prédio era o mesmo. Old Towne, a cerca de três quilômetros daqui. Um bom lugar. Cheio de jovens, estudantes da William e Mary."

Ele me contou a história médica de Jill. Num período de três anos, ela havia levado receitas de vários antibióticos, sedativos da tosse e outros medicamentos associados a gripes comuns ou infecções do trato urinário que comumente afetam o zé-povinho. Cerca de um mês antes do assassinato, ela fora à farmácia comprar Septra, que no entanto ela já havia parado de tomar quando morreu, pois trimetoprima e sulfametoxazole não haviam sido detectadas em seu sangue."

"Ela alguma vez pediu Librax?"

Esperei enquanto ele pesquisava.

"Não, senhora. Não está nos registros."

Talvez a receita estivesse em nome de Elizabeth, pensei.

"E quanto à amiga, Elizabeth Mott?", perguntei ao farmacêutico. "Ela alguma vez apareceu aí com uma receita de Librax?"

"Não."

"Sabe se alguma delas costumava freqüentar outra farmácia?"

"Lamento não poder ajudá-la quanto a isso. Não tenho a menor idéia."

Ele me passou o nome das farmácias mais próximas. Eu já havia ligado para a maioria delas, e ao conversar com os responsáveis pelas restantes convenci-me de que nenhuma das duas havia adquirido Librax ou qualquer outra droga. O Librax em si não era importante, refleti. Mas o mistério de quem prescrevera a droga e por qual motivo me incomodava consideravelmente.

12

Abby Turnbull era repórter policial em Richmond quando Elizabeth Mott e Jill Harrington foram assassinadas. Eu era capaz de apostar que Abby não só se lembrava dos casos como provavelmente sabia mais a respeito deles do que o capitão Montana.

Na manhã seguinte ela ligou de um telefone público, deixando um número no qual esperaria minha ligação por quinze minutos, conforme disse a Rose. Abby insistiu para que eu ligasse de um "lugar seguro".

"Está tudo bem?", Rose perguntou, calmamente, enquanto eu tirava as luvas cirúrgicas.

"Só Deus sabe", respondi, desamarrando o traje.

O "lugar seguro" mais próximo que eu conhecia era o telefone público na frente de uma lanchonete, perto do meu serviço. Sem fôlego, ansiosa para chegar a tempo, disquei o número que minha secretária anotara.

"O que está havendo?", Abby perguntou imediatamente. "Um policial do distrito veio a meu apartamento, disse que você o mandou."

"Isso mesmo", confirmei para tranqüilizá-la. "Com base no que você me disse, achei que não seria uma boa idéia telefonar para sua casa. Está tudo bem com você?"

"Você só queria saber como estão as coisas?" Ela parecia desapontada.

"Essa foi uma das razões. Precisamos conversar."

Houve um longo silêncio do outro lado da linha.

"Estarei em Williamsburg no sábado", ela disse, finalmente. "Que tal jantarmos no Trellis, às sete?"

Eu não pretendia perguntar por que ela ia a Williamsburg. Achava melhor nem saber. Quando estacionei o carro em Merchant's Square, no sábado, senti que minhas apreensões diminuíam a cada passo que eu dava. Era difícil ficar preocupada com homicídios e outros atos primitivos tomando sidra quente e sentindo o vento frio cortante num de meus locais favoritos da América.

Mesmo fora de temporada havia pessoas passeando, olhando as vitrines das lojas restauradas, andando em carruagens conduzidas por homens de libré e chapéus de três pontas. Mark e eu planejávamos passar um fim de semana em Williamsburg. Alugar uma casa do século XVIII no Distrito Histórico, andar pelas ruas de pedra à luz dos lampiões de gás, jantar numa das tabernas, tomar vinho na frente da lareira até pegarmos no sono, abraçados.

Claro, nada disso acontecera, a história de nosso relacionamento se compunha mais de desejos que de recordações. Algum dia poderia ser diferente? Recentemente, ele me prometera que sim, pelo telefone. Mas havia prometido a mesma coisa antes, assim como eu. Ele continuava em Denver, e eu ali.

Na loja de artesanato de prata comprei um pingente de prata sterling e uma corrente. Lucy ganharia um presente de sua tia negligente. Uma passada na farmácia rendeu sabonetes para meu lavabo, creme de barbear perfumado para Fielding e Marino e sachês de fragrâncias exóticas para Bertha e Rose. Faltando cinco minutos para as sete entrei no Trellis, à procura de Abby. Ela chegou meia hora depois e me encontrou esperando impaciente na mesa, tendo como companhia um vaso de trapoeraba vermelha.

"Sinto muito", ela disse de coração, tirando o casaco. "Não deu para chegar antes. Vim o mais depressa que pude."

Ela parecia tensa e exausta. Os olhos não paravam quietos. O Trellis estava na moda, havia muita gente, conversando em voz baixa à luz bruxuleante das velas. Abby talvez temesse estar sendo seguida.

"Passou o dia inteiro em Williamsburg?", perguntei.

Ela fez que sim.

"Acho que nem tenho coragem de perguntar o que andou fazendo."

"Pesquisa", foi só o que ela disse.

"Não muito perto de Camp Peary, espero." Encarei-a.

Ela entendeu tudo imediatamente. "Então você sabe", disse.

A garçonete chegou e foi embora, buscar um bloodmary para Abby no bar.

"Como descobriu?", Abby perguntou, acendendo um cigarro.

"Seria uma questão ainda melhor perguntar como *você* descobriu."

"Não posso dizer, Kay."

Claro que não podia. Mas eu sabia. Pat Harvey.

"Você tem uma fonte", falei, cautelosa. "Eu só quero perguntar uma coisa. Por que essa fonte queria que você soubesse? A informação não lhe foi passada pela fonte sem que houvesse um motivo."

"Sei disso muito bem."

"Então, por quê?"

"A verdade é importante." Abby desviou o olhar. "Também sou uma fonte."

"Entendo. Em troca das informações, você revela o que está descobrindo."

Ela não respondeu.

"Isso me inclui?", perguntei.

"Não vou ferrar você, Kay. Algum dia já fiz isso?" Ela olhou para mim, severa.

"Não", respondi com sinceridade. "Até agora, nunca."

O bloodmary foi servido, e ela ficou mexendo o talo de aipo, de forma distraída.

"Só posso lhe dizer", prossegui, "que você está pisando num terreno muito perigoso. Não preciso entrar em detalhes. Você deve saber disso mais do que ninguém. Vale tanta tensão? Seu livro vale um preço tão alto, Abby?"

Ela não fez nenhum comentário. Acrescentei, com um suspiro: "Pelo jeito, acho que não vou conseguir mudar sua decisão, né?".

"Já se meteu em alguma coisa da qual não pode se livrar?"

"Faço isso o dia inteiro", falei, com um sorriso pensativo. "Aliás, é exatamente onde estou agora."

"E eu também."

"Entendo. E se você estiver errada, Abby?"

"Eu não posso estar errada", ela respondeu. "Seja lá qual for a verdade a respeito de quem está cometendo esses crimes, sempre haverá o fato de que o FBI e outros organismos interessados estão agindo com base em suspeitas e tomando decisões a partir delas. Isso dá notícia. Se a polícia e o FBI estiverem enganados, teremos apenas mais um capítulo."

"Para mim, isso soa muito frio", falei, constrangida.

"Estou sendo profissional, Kay. Quando você fala como profissional, às vezes também soa fria."

Eu havia conversado com Abby imediatamente após a descoberta do corpo de sua irmã. Se minha atitude não foi fria naquela ocasião, foi no mínimo clínica.

"Preciso de sua ajuda para descobrir uma coisa", falei. "Há oito anos, duas mulheres foram assassinadas perto daqui. Elizabeth Mott e Jill Harrington."

Ela me olhou, curiosa. "Você não está pensando que...?"

"Não sei o que estou pensando", interrompi. "Mas preciso saber os detalhes desse caso. Não consta muita coisa nos relatórios do meu departamento. Na época, eu não residia na Virgínia. Contudo, vi alguns recortes de jornal no arquivo. Em vários, notei seu nome."

"Para mim, é muito difícil imaginar que o ocorrido com Jill e Elizabeth possa ter algo a ver com os outros casos."

"Lembra-se delas, então", falei, aliviada.

"Jamais as esquecerei. Foi uma das poucas vezes em que fazer uma matéria realmente me deu pesadelos."

"Por que seria tão difícil imaginar uma ligação?"

"Por várias razões. Não havia valete de copas. Nem carro abandonado à beira da pista. Ele estava no estacionamento do motel. Os corpos não apareceram semanas ou meses depois, decompostos, no meio do mato. Foram localizados em vinte e quatro horas. As duas vítimas eram mulheres, na casa dos vinte anos. Não eram mais adolescentes. E por que o assassino ficaria inativo durante cinco anos?"

"Concordo", falei. "O intervalo não combina com o perfil do serial killer típico. E o *modus operandi* não parece similar ao dos outros casos. A seleção de vítimas também não confere."

"Então, por que está tão interessada?" Ela bebeu um gole.

"Estou tateando e fiquei incomodada com o caso dessas moças, pois ele jamais foi solucionado", admiti. "Não é normal que duas pessoas sejam seqüestradas e mortas. Não havia sinais de violência sexual. As mulheres foram mortas na região, na mesma área em que ocorreram os outros crimes."

"E o assassino usou arma de fogo e faca", Abby murmurou.

Ela sabia a respeito de Deborah Harvey, portanto.

"Há várias semelhanças", respondi, de modo evasivo.

Abby não parecia convencida, mas demonstrou interesse.

"O que deseja saber, Kay?"

"Qualquer coisa de que você possa lembrar-se a respeito delas. Qualquer coisa mesmo."

Ela ficou pensativa por um longo tempo, brincando com a bebida.

"Elizabeth trabalhava com vendas, para uma empresa local de computadores. Estava indo superbem", ela disse.

"Jill havia terminado o curso de direito em William and Mary e conseguido um emprego num pequeno escritório de advocacia em Williamsburg. Nunca acreditei na hipótese de que elas tenham ido a um motel para fazer sexo com um idiota qualquer que conheceram no bar. Nenhuma das duas fazia esse gênero. E duas, com um homem só? Sempre achei essa história meio esquisita. Além disso, havia sangue no banco traseiro do carro delas. Não era o tipo de sangue de Jill nem de Elizabeth."

A capacidade de Abby sempre me surpreendia. De algum jeito, ela tivera acesso aos resultados dos exames sanguíneos.

"Achei que o sangue pertencia ao assassino. Havia muito sangue, Kay. Vi o carro. Dava a impressão de que alguém fora apunhalado ou cortado no banco de trás. Possivelmente, isso significa que o assassino estava lá. Mas é difícil arranjar uma boa interpretação do que pode ter ocorrido. A polícia deduziu que as mulheres conheceram o animal no Anchor Bar and Grill. Mas, se ele foi no carro delas e pretendia matá-las, como voltaria depois para o próprio carro?"

"Isso depende da distância do motel até o bar. Ele poderia andar até o carro, depois de matar as moças."

"O motel fica a mais de seis quilômetros do Anchor Bar, que aliás nem existe mais. As duas mulheres foram vistas dentro do bar, por volta das dez da noite. Se o assassino deixou o carro dele ali, provavelmente seria o único veículo no estacionamento quando ele voltasse para apanhá-lo, uma péssima idéia. O carro poderia chamar a atenção da polícia, ou pelo menos do gerente do bar, quando ele fosse trancar tudo antes de voltar para casa."

"Isso não exclui a possibilidade de o assassino ter deixado o carro dele no motel e tê-las levado no carro de Elizabeth. Mais tarde, ele voltou, para pegar o carro dele e ir embora", sugeri.

"Realmente, não exclui. Mas, se ele foi no próprio carro para o motel, em que momento entrou no carro delas? A idéia de que os três ficaram juntos no quarto do motel, e depois ele as forçou a ir para o cemitério, ocupando o banco traseiro, nunca me convenceu. Para que tanto trabalho, tantos riscos? Elas poderiam ter gritado no estacionamento, pedindo socorro, ou resistido. Por que não as matou dentro do quarto, simplesmente?"

"Foi confirmado que os três estiveram em um dos quartos?"

"Esse é um outro problema", ela disse. "Entrevistei o recepcionista de plantão, naquela noite. O Palm Leaf é um motel de segunda, na beira da Route Sessenta, em Lightfoot. Não vive exatamente lotado. Mas o funcionário não se lembra de ter visto mulher alguma. Nem se lembra de um sujeito ter alugado um quarto perto do local em que o Volkswagen foi encontrado. Na verdade, a maioria dos quartos naquele setor do motel estava vazia na noite em questão. Mais importante, ninguém chegou e depois foi embora sem devolver a chave. Acho difícil acreditar que o sujeito teria a oportunidade ou disposição para fazer isso, depois de cometer os crimes. Duvido muito. Ele devia estar cheio de sangue."

"Qual era sua teoria enquanto cobriu o crime?", perguntei.

"A mesma de agora. Não creio que tenham encontrado o assassino dentro do bar. Acho que aconteceu alguma coisa logo depois que Elizabeth e Jill saíram."

"Como assim?"

Franzindo a testa, Abby mexeu distraidamente na bebida, outra vez. "Sei lá. Elas não tinham jeito de quem dava carona. Ainda mais tarde da noite. Nunca acreditei naquela história de drogas. Pelo que se sabe, nem Jill nem Elizabeth usavam cocaína, heroína ou outra droga pesada. Não encontraram nenhum indício dentro do apartamento delas. Não fumavam, quase não bebiam. As duas costumavam correr. Eram 'geração saúde', isso sim."

"Sabe para onde pretendiam ir, depois que saíram do bar? Estavam voltando direto para casa? Poderiam ter parado em algum lugar?"

"Nenhum indício."

"Elas saíram sozinhas do bar?"

"Nenhuma das pessoas com as quais conversei se lembra de tê-las visto com alguém enquanto estavam bebendo no bar. Pelo que eu sei, elas tomaram um pouco de cerveja numa mesa de canto. Conversaram. Ninguém se recorda da presença de um sujeito."

"Elas podem ter encontrado alguém no estacionamento, quando saíram. O indivíduo poderia estar esperando por elas no carro de Elizabeth", falei.

"Duvido que elas tenham deixado o carro destrancado, mas acho que é possível."

"Elas iam sempre àquele bar?"

"Pelo que eu me lembro, não eram freguesas. Mas já tinham ido lá antes."

"Era um local barra-pesada?"

"Eu esperava que fosse, uma vez que se tratava do ponto preferido dos militares", ela respondeu. "Entretanto, mais parecia um pub inglês. Civilizado. Os fregueses conversavam e jogavam dardos. Era o tipo de lugar a que eu iria com uma amiga, pois me sentiria à vontade e seria deixada em paz. Pela minha teoria, o assassino era alguém de passagem pela cidade, ou um militar servindo temporariamente na área. Elas não o conheciam."

Talvez não, pensei. Mas deve ter sido alguém por quem sentiram confiança, ao menos inicialmente. Recordei-me do que Hilda Ozimek dissera a respeito dos encontros "amistosos" no início. O que ela diria, se eu lhe mostrasse as fotos de Elizabeth e Jill?

"Sabe se Jill tinha problema de saúde?", perguntei.

Ela me olhou, perplexa, e refletiu um pouco. "Não me lembro de nada."

"De onde ela era?"

"Do Kentucky, se não me engano."

"Ia sempre para lá?"

"Não creio. Acho que passava férias lá, mais nada."

Portanto, dificilmente obtivera a receita para Librax no Kentucky, onde sua família morava, pensei.

"Você mencionou que ela estava começando a trabalhar como advogada", prossegui. "Ela viajava muito? Algum motivo para se ausentar da cidade com freqüência?"

Ela esperou até que a salada fosse servida, depois disse: "Ela tinha um amigo, no curso de direito. Não me lembro do nome dele, mas fui entrevistá-lo, perguntei a respeito dos hábitos dela, de suas atividades. Ele afirmou suspeitar que Jill tivesse um caso".

"O que o levou a suspeitar?"

"O fato de ela, no terceiro ano de direito, ir a Richmond quase toda semana. Jill dizia que estava procurando emprego, que gostava muito de Richmond, que desejava uma oportunidade em algum escritório de advocacia da cidade. Ele me disse que ela costumava pedir as anotações de aula emprestadas, pois perdia aulas por causa das viagens freqüentes. O colega achou tudo muito estranho, principalmente porque ela acabou contratada por uma firma de Williamsburg, assim que se formou. Ele insistiu muito na questão, pois temia que o assassinato estivesse ligado às viagens. Achava que ela poderia ter um caso com um homem casado, e ameaçado contar tudo para a mulher dele. Talvez estivesse envolvida com alguém importante, um advogado ou juiz famoso, que não suportaria um escândalo e resolveu silenciar Jill para sempre. Ou contratar alguém para fazer isso. Nesse caso, Elizabeth teria dado azar, apenas por estar no lugar errado na hora errada."

"O que você acha?"

"A dica não deu em nada, como noventa por cento das dicas que recebo."

"Havia um envolvimento romântico de Jill com o estudante que lhe contou tudo isso?"

"Creio que ele gostava de Jill", ela disse. "Mas não havia relacionamento amoroso. Acho que essa é a razão, em parte, para a suspeita dele. Era um sujeito muito seguro de si e achava que a única razão para Jill não sucumbir a seu charme era estar apaixonada por alguém que ninguém conhecia. Um amante secreto."

"Esse estudante foi em algum momento considerado suspeito?"

"De modo algum. Estava fora da cidade quando o crime ocorreu. A polícia comprovou o álibi."

"Você conversou com os advogados da firma em que Jill trabalhava?"

"Não dei muita sorte", Abby respondeu. "Você conhece o jeito dos advogados. De todo modo, ela trabalhou só uns meses na tal firma e foi assassinada. Duvido que os colegas de serviço a conhecessem bem."

"Não me parece que Jill fosse uma pessoa extrovertida", comentei.

"Ela era descrita como carismática, mas discreta."

"E Elizabeth?"

"Mais comunicativa, creio. Como era de esperar, tendo em vista seu sucesso na área de vendas."

O brilho dos lampiões de gás afastava a escuridão das calçadas de pedra nas quais caminhávamos, no rumo do estacionamento de Merchant's Square. Uma grossa camada de nuvens escondia a Lua. O ar úmido e frio penetrava através das roupas.

"Fico pensando no que os casais estariam fazendo agora, se ainda estivessem aqui juntos. Em como seria seu futuro", Abby disse, erguendo a gola do casaco antes de enfiar a mão no bolso.

"O que acha que Henna estaria fazendo?", perguntei com carinho, sobre a irmã dela.

"Ela provavelmente estaria em Richmond ainda. Nós duas, acho."

"Lamenta ter mudado de cidade?"

"Há dias em que lamento tudo. Desde a morte de Henna, parece que não tenho mais opinião, vontade própria. Como se coisas além do meu controle me empurrassem para a frente."

"Não vejo as coisas desse jeito. Você quis o trabalho no *Post*, quis mudar para Washington. E agora escolheu escrever um livro."

"Assim como Pat Harvey decidiu convocar aquela entrevista coletiva e fazer tantas outras coisas que a prejudicaram muito", ela disse.

"Sim, ela também fez algumas escolhas."

"Quando a gente está passando por uma coisa assim, não sabe direito o que está fazendo, mesmo achando que sabe", ela insistiu. "E ninguém pode entender realmente o que está havendo, a não ser que tenha sofrido o mesmo. A gente se sente isolada. Vai aos lugares e todos a evitam, sentem medo de trocar olhares e conversar, pois não sabem o que dizer. As pessoas, então, murmuram entre si: 'Está vendo aquela ali? A irmã foi assassinada pelo estrangulador'. Ou então: 'Aquela é Pat Harvey. A filha dela foi uma das vítimas do maníaco'. A gente se sente como se estivesse vivendo numa caverna. Sente medo de ficar sozinha, medo de estar com os outros, medo de acordar, medo de ir dormir por saber o quanto é horrível acordar pela manhã. Corre feito louca, para ficar exausta. Em retrospecto, vejo que as coisas que fiz desde a morte de Henna foram meio loucas."

"Acho que você está indo superbem", falei, com sinceridade.

"Você não sabe o que andei fazendo. Os erros que cometi."

"Venha comigo. Posso levá-la até seu carro", falei, pois havíamos chegado a Merchant's Square.

Ouvi o ruído de um carro sendo ligado, quando pegava a chave, no meio do estacionamento escuro. Entramos na Mercedes. Estávamos com as portas trancadas e cintos de segurança afivelados quando um Lincoln parou a nosso lado. O vidro do motorista desceu com um zumbido.

Abri a janela apenas o bastante para escutar o que o homem dizia. Ele era jovem, bem arrumado. Tentava se acertar com um mapa desdobrado.

"Por favor", ele disse, sorrindo desamparado. "Podem me dizer como chegar à Sessenta e Quatro Leste, a partir daqui?"

Senti a tensão de Abby, enquanto dava explicações rápidas e resumidas.

"Veja o número da placa", ela disse, excitada, quando ele se afastou, procurando caneta e o bloco na bolsa.

"E-N-T-oito-nove-nove", falei, sem hesitar.

Ela anotou o número.

"O que está havendo?", perguntei, nervosa.

Abby olhou para a esquerda e para a direita, procurando sinais do carro, quando saímos do estacionamento.

"Você notou o carro dele, quando entramos no estacionamento?", ela perguntou.

Precisei pensar. O estacionamento estava quase vazio quando chegamos. Creio ter percebido um carro num canto escuro, que poderia ser o tal Lincoln.

Disse isso a Abby, acrescentando: "No entanto, achei que não havia ninguém dentro dele".

"Certo. Afinal, a luz interna do carro estava apagada."

"Acho que sim."

"E o sujeito estava olhando o mapa no escuro, Kay?"

"Bem lembrado", falei, assustada.

"Se ele não é da cidade, como você explica o adesivo de estacionamento no pára-choque?"

"Adesivo de estacionamento?", repeti.

"Tinha o logotipo da Colonial Williamsburg. O mesmo adesivo que me deram há alguns anos, quando acharam uns restos mortais naquela escavação arqueológica, Martin's Hundred. Fiz uma série de matérias, ia lá sempre. Ganhei o adesivo, que me permitia estacionar no Distrito Histórico e em Carter's Grove."

"O sujeito trabalha aqui e precisa perguntar onde fica a Sessenta e Quatro?", ponderei.

"Deu uma boa olhada nele?", ela perguntou.

"Razoável. Acha que ele é o sujeito que a seguiu naquela noite, em Washington?"

"Sei lá. Acho que, talvez... droga, Kay! Isso tudo está me deixando louca!"

"Bem, já chega", falei com firmeza. "Anote para mim o número da placa. Vou ver o que posso fazer a respeito."

Na manhã seguinte, Marino me ligou, falando de modo enigmático. "Se ainda não leu o *Post*, acho melhor comprar logo um exemplar."

"Desde quando você lê o *Post*?"

"Desde nunca, se puder evitar. Benton me telefonou faz uma hora. Ligue para mim mais tarde. Estou no distrito."

Vesti um conjunto esportivo e jaqueta de náilon. Fui de carro, sob um aguaceiro daqueles, até a banca mais próxima. Passei quase meia hora dentro do carro, com o aquecimento no máximo e o limpador ligado como se fosse um metrônomo monótono, atônita com o que lia. Pensei, em vários momentos, que se os Harvey não processassem Clifford Ring, eu o faria.

A primeira página anunciava a primeira de uma série de três reportagens especiais sobre Deborah Harvey, Fred Cheney e os outros casais assassinados. Ninguém foi poupado. A matéria de Ring era tão completa que incluía detalhes que nem eu sabia.

Pouco antes de morrer, Deborah Harvey confidenciou a uma amiga suspeitar que o pai bebia e tinha um caso com uma aeromoça com metade da idade dele. Pelo jeito, Deborah ouvira na extensão conversas entre o pai e a suposta amante. A aeromoça morava em Charlotte, e de acordo com a reportagem Harvey estava com ela na noite em que a filha e Fred Cheney desapareceram. Por isso a polícia e a sra. Harvey não conseguiram contato com ele. Ironicamente, as suspeitas de Deborah não a colocaram contra o pai, e sim contra a mãe, que considerava fanática pela carreira e sempre ausente de casa. Na opinião de Deborah, ela era a culpada pelo alcoolismo e infidelidade do marido.

Colunas e colunas de veneno compunham o perfil patético de uma mulher poderosa, dedicada a salvar o mundo, enquanto a família negligenciada se desintegrava. Pat Harvey se casara com um milionário. Morava num palácio, em Richmond. O escritório em Watergate exibia antiguidades e obras de arte valiosas, inclusive um Picasso e um Remington. Ela usava as roupas certas, freqüentava as festas chiques, apresentava-se de modo impecável. Sua postura política e seu conhecimento de política externa eram brilhantes.

Ring, porém, concluiu que, por trás dessa fachada impecável e plutocrática havia "uma mulher tensa, nascida num bairro operário de Baltimore, uma pessoa descrita pelos colegas como atormentada pela insegurança e perpetuamente obcecada em provar seu valor". Pat Harvey, disse, era uma megalomaníaca. Tornava-se irracional — ou raivosa — quando ameaçada ou colocada em xeque.

O tratamento dos homicídios ocorridos na Virgínia nos últimos três anos foi igualmente impiedoso. Ele revelou os temores da CIA e do FBI de que o assassino fosse ligado a Camp Peary e temperou a informação com tanta maldade que todos os envolvidos ficaram numa posição ruim.

A CIA e o Departamento de Justiça estavam metidos numa operação de acobertamento, e sua paranóia chegara a tal grau que eles estimulavam os encarregados das investigações na Virgínia a sonegar informações uns para os outros. Provas falsas foram plantadas na cena do crime. Informações falsas foram vazadas aos repórteres, e suspeitava-se até de que andavam seguindo jornalistas. Pat Harvey, por sua vez, sabia de tudo isso, e sua indignação não era descrita exatamente como justa. Prova disso seria o comportamento dela durante a famigerada entrevista coletiva. Engajada numa batalha política com o Departamento de Justiça, a sra. Harvey se aproveitara de informações confidenciais para incriminar e atormentar as instituições federais com as quais estava indisposta em conseqüência da campanha contra grupos fraudulentos como a UMARCOD.

O ingrediente final daquele coquetel venenoso era minha pessoa. Segundo o jornal, eu havia postergado e sonegado informações, a pedido do FBI, até ser obrigada a entregar os relatórios para as famílias, sob ameaça de uma ordem judicial. Eu me recusava a dar entrevistas. Embora eu não estivesse subordinada ao FBI, Clifford Ring insinuava que meu comportamento profissional estava sendo influenciado por minha vida pessoal. "Segundo uma fonte próxima à legista-chefe", dizia o artigo, "a dra. Scarpetta mantém um relacionamento íntimo com um agente especial do FBI há dois anos. Ela visita Quantico freqüentemente e mantém relações de amizade com o pessoal da Academia, como Benton Wesley, o especialista em perfis psicológicos destacado para o caso."

Imaginei muitos leitores concluindo que eu tinha um caso com Wesley.

Além de atacar minha integridade e moral, o sujeito colocou em dúvida minha competência como médica-legista. Nas dez autópsias realizadas, eu fora incapaz de determinar a causa da morte em nove. E, quando descobri a marca no dedo de Deborah Harvey, fiquei tão apavorada com a possibilidade de ter causado o corte com meu bisturi que, segundo Ring, "pegou o carro e foi para Washington debaixo de neve, com os esqueletos de Harvey e Cheney no porta-malas da Mercedes, procurar ajuda de um antropólogo forense no Museu de História Natural do Smithsonian".

Como Pat Harvey, eu havia "consultado uma vidente". Acusara policiais de mexer nos corpos de Fred Cheney e Deborah Harvey, na cena do crime. Depois, eu havia retornado ao local para procurar eu mesma um cartucho, pois não acreditava que a polícia fosse capaz de encontrá-lo. Tomara a iniciativa de interrogar testemunhas, inclusive a caixa do 7-Eleven onde Fred e Deborah foram vistos com vida pela última vez. Eu fumava, bebia e tinha licença para portar um trinta-e-oito. Havia "escapado da morte" por pouco, em diversas ocasiões, era divorciada e nascera "em Miami". Esse último detalhe parecia explicar todo o resto.

Conforme a descrição de Clifford Ring, eu era uma mulher arrogante, maluca e violenta, que em matéria de medicina legal não sabia porra nenhuma.

Abby, pensei, e corri para casa pelas ruas escorregadias de chuva. Teria se referido a isso, ao falar na noite passada nos erros que cometera? Teria passado informações a seu colega Clifford Ring?

"Não faz sentido", Marino apontou mais tarde, tomando café na mesa da cozinha de minha casa. "Não que eu tenha mudado de opinião a respeito dela. Creio que venderia a mãe para fazer uma matéria. No entanto, ela está trabalhando num caso importante, certo? Não faz sentido passar informações para a concorrência, principalmente se anda puta da vida com o *Post*."

"Algumas informações só podem ter sido fornecidas por ela." Era difícil para mim admitir isso. "A parte da caixa do Seven-Eleven, por exemplo. Abby e eu fomos lá juntas, naquela noite. E ela sabe a respeito de Mark."

"Como?", Marino olhou para mim, curioso.

"Contei a ela."

Ele apenas balançou a cabeça.

Fiquei olhando a chuva enquanto tomava café. Abby tentara ligar duas vezes desde minha volta para casa. Fiquei ao lado da secretária eletrônica, ouvindo sua voz tensa. Ainda não estava pronta para conversar com ela. Tinha medo do que poderia dizer.

"Como acha que Mark vai reagir?", Marino perguntou.

"Felizmente, a matéria não cita o nome dele."

Senti nova onda de ansiedade. Como era típico nos agentes do FBI que passaram anos trabalhando infiltrados, Mark mantinha sua vida particular em segredo quase paranóico. A alusão do jornal ao nosso relacionamento o incomodaria muito, calculei, temerosa. Talvez fosse melhor ligar para ele. Ou não. Eu não sabia o que fazer.

"Suspeito que parte das informações foi Morrell quem deu", falei, pensando alto.

Marino continuava em silêncio.

"Vessey deve ter falado também. Ou, no mínimo, alguém do Smithsonian", falei. "Mas não sei como Ring descobriu que fomos encontrar Hilda Ozimek."

Marino pousou a xícara e o pires na mesa e disse, debruçando-se para me encarar de perto.

"É minha vez de dar uns conselhos."

Senti-me como uma criança na iminência de levar uma bronca.

"Essa história é que nem uma betoneira descendo ladeira abaixo sem os freios. Você não vai conseguir detê-la, doutora. A única coisa a fazer é sair da frente."

"Importa-se em traduzir?", perguntei, com impaciência.

"Faça seu trabalho e esqueça o resto. Se for questionada — e sem dúvida será — diga só que nunca conversou com Clifford Ring e que não sabe de nada a respeito. Em outras palavras, faça-se de morta. Se comprar uma briga com a imprensa, vai acabar como Pat Harvey. Bancando a idiota."

Ele estava coberto de razão.

"E, se ainda lhe resta algum bom senso, não fale com Abby, por algum tempo."

Fiz que sim.

Ele se levantou. "Enquanto isso, preciso investigar umas coisas. Se aparecer alguma pista boa, eu aviso."

As palavras de Marino fizeram com que eu me lembrasse. Peguei minha agenda e tirei o pedaço de papel com o número da placa anotado por Abby.

"Seria bom checar essa placa. Lincoln Mark Seven, cinza-escuro. Veja no que dá."

"Alguém andou seguindo você?" Ele enfiou o papel no bolso.

"Não sei. O motorista parou para perguntar o caminho. Mas não achei que ele estivesse perdido de verdade."

"Onde?", ele perguntou, enquanto eu o acompanhava até a porta.

"Williamsburg. Estava sentado dentro do carro, num estacionamento vazio. Aconteceu por volta das dez e meia, onze horas, ontem à noite, em Merchant's Square. Estava entrando no carro quando um farol foi aceso de repente e ele se aproximou, perguntando onde ficava a Sessenta e Quatro."

"Sei", Marino disse, lacônico. "Provavelmente, um investigador cretino trabalhando disfarçado, morrendo de tédio, esperando alguém passar um sinal vermelho ou fazer uma conversão proibida. Talvez quisesse conhecer você melhor também. Uma mulher decente, sozinha tarde da noite, entrando numa Mercedes."

Não revelei que Abby estava comigo. Não queria ouvir outro sermão.

"Não conheço investigadores que andam de Lincoln novo", falei.

"Olhe só que chuva. Merda", ele reclamou, entrando no carro.

Fielding, meu principal assistente, jamais estava preocupado ou ocupado demais para deixar passar em branco qualquer superfície ou objeto capaz de refletir sua imagem. Isso incluía vidros espelhados, telas de computador e a divisória de segurança, de vidro à prova de balas, que separava o saguão das salas em que trabalhávamos. Quando saí do elevador, no primeiro andar, flagrei-o parado na frente da porta de aço inoxidável da geladeira do necrotério, ajeitando o cabelo.

"Está cobrindo um pouco a orelha", falei.

"E o seu está ficando grisalho", ele disse, sorrindo.

"Cinza. Louras ficam prateadas, jamais grisalhas."

"Certo." Ele apertou distraidamente o cordão do traje cirúrgico. Os bíceps aumentaram como se fossem grapefruits. Fielding não conseguiria piscar sem flexionar algum músculo formidável. Sempre que eu o via, debruçado sobre o microscópio, pensava numa versão anabolizada de *O Pensador*, de Rodin.

"Jackson foi liberado há uns vinte minutos", ele disse, referindo-se a um dos casos daquela manhã. "No entanto, já temos outro para amanhã. O sujeito que estava na UTI, baleado no tiroteio do final de semana."

"Quem está de plantão esta tarde?", perguntei. "Ah, isso me lembra uma coisa. Achei que você tinha uma audiência em Petersburg."

"O réu se declarou culpado." Ele consultou o relógio. "Faz mais ou menos uma hora."

"Ele deve ter ouvido falar que você estava a caminho."

"A pilha de relatórios quase bate no teto da cela de blocos que o estado chama de minha sala. Essa é minha tarefa para esta tarde. Ou era, pelo menos." Ele me olhou, interrogativo.

"Tenho um problema, e espero que você me ajude. Preciso localizar uma receita que deve ter sido emitida, faz uns oito anos, em Richmond."

"Em que farmácia?"

"Se eu soubesse disso", falei enquanto seguíamos para o segundo andar pelo elevador, "não estaria com um problema. Por isso, precisamos fazer uma maratona telefônica. Colocar o maior número de pessoas ligando para as farmácias de Richmond."

Fielding franziu a testa. "Minha nossa, Kay. Deve haver pelo menos umas cem."

"Cento e trinta e três. Já contei. Seis pessoas, com uma lista de vinte e duas ou vinte e três farmácias. Dá para fazer. Você pode me ajudar?"

"Claro." Ele parecia deprimido.

Além de Fielding, chamei o administrador, Rose, outra secretária e a analista de sistemas. Fomos para a sala de reuniões com uma lista das farmácias. Minhas instruções foram claras. Agir discretamente. Nenhum comentário sobre o assunto com familiares, amigos ou policiais. Como a receita devia ter pelo menos oito anos, e Jill estava morta, havia uma boa chance de que os registros não estivessem mais disponíveis para consulta nos terminais. Instruí a equipe a pedir ao farmacêutico que pesquisasse no arquivo morto. Se o sujeito não quisesse cooperar ou mostrasse má vontade, deveria ser transferido para mim.

Desaparecemos atrás da porta de nossas respectivas salas. Duas horas depois, Rose aproximou-se de minha mesa massageando a orelha direita.

Ela me entregou uma folha do bloco de recados, incapaz de reprimir o sorriso de triunfo. "Boulevard Drug Store, na esquina da Broad com a Boulevard. Jill Harrington apresentou duas receitas de Librax lá." E informou as datas.

"O médico?"

"Doutora Anna Zenner", ela respondeu.

Meu Deus do céu!

Ocultando minha surpresa, cumprimentei-a. "Você é o máximo, Rose. Pode tirar o resto do dia de folga."

"Saio às quatro e meia, de qualquer maneira. Já deveria ter ido embora."

"Então faça três horas de almoço, amanhã." Sentia vontade de abraçá-la. "E passe aos outros o aviso de missão cumprida. Eles podem parar de ligar."

"A doutora Zenner não foi presidente da Academia de Medicina de Richmond, há algum tempo?", Rose perguntou, parando pensativa à minha porta. "Creio ter lido algo a respeito dela. Ah, sim. Ela é música!"

"Ela presidiu a Academia no ano retrasado. E, realmente, toca violino na Sinfônica de Richmond."

"Então você a conhece!" Minha secretária parecia impressionada.

Conheço até demais, pensei, e peguei o telefone.

Naquela noite, em casa, recebi o retorno da ligação para Anna Zenner.

"Soube, pelo jornais, que você anda muito ocupada ultimamente, Kay", ela disse. "Está agüentando firme?"

Imaginei que ela havia lido o *Post.* A matéria do dia incluía uma entrevista com Hilda Ozimek. Sob a foto, a legenda dizia: "Vidente sabia que estavam todos mortos". O jornal entrevistara parentes e amigos dos casais assassinados, e metade da página era ocupada por um mapa colorido mostrando onde os corpos e carros haviam sido encontrados. Camp Peary fora colocado no centro do mapa, apavorante como a caveira no meio de uma bandeira pirata.

"Estou indo bem", falei. "E ficarei ainda melhor se puder me ajudar numa coisa." Expliquei do que se tratava e acrescentei: "Amanhã enviarei o fax citando o artigo do Código que me dá direito de acesso aos registros do tratamento de Jill Harrington".

Era um procedimento *pro forma.* Eu me sentia constrangida ao lembrá-la de minha autoridade, do ponto de vista legal.

"Pode trazer o formulário pessoalmente, se quiser. Que tal jantar aqui às sete, na quarta-feira?"

"Não queria incomodar..."

"Será um prazer, Kay", ela me interrompeu, com carinho. "Estou com saudade de você."

13

Os tons pastel da decoração das fachadas do centro me fazia lembrar de Miami Beach. Os prédios eram cor-de-rosa, amarelos e azul-Wedgwood, com maçanetas de latão polido nas portas e bandeiras brilhantes feitas a mão tremulando nas entradas, uma visão que parecia ainda mais deslocada por causa do tempo. A chuva dera lugar à neve.

Peguei um trânsito horrível, de hora do rush, sendo forçada a dar duas voltas no quarteirão até achar uma vaga a uma distância razoável de minha loja de bebidas favorita. Escolhi quatro garrafas de bons vinhos, dois tintos e dois brancos.

Segui pela Monument Avenue, na qual estátuas eqüestres de generais confederados dominavam as rotatórias, fantasmagóricas em meio à cortina leitosa de neve. No verão anterior eu havia feito o percurso duas vezes por semana, para consultar Anna. A freqüência das consultas diminuiu no outono e acabaram completamente no inverno.

O consultório ficava na casa dela, uma construção antiga adorável, com estrutura de madeira pintada de branco. A rua calçada de pedra era iluminada por lampiões de gás. Toquei a campainha para anunciar minha chegada, como faziam os pacientes. Entrei no *foyer* que dava na sala de espera de Anna. Sofás de couro rodeavam a mesa de centro coberta de revistas. Um tapete oriental cobria o piso de madeira. No canto, havia uma caixa com brinquedos para os pacientes mais jovens, uma mesinha de recepcionista, uma cafeteira e uma lareira. No final do longo corredor ficava a cozinha. De lá vinha um cheiro de comida que me fez lembrar que eu não havia almoçado.

"Kay? É você?"

A voz inconfundível, com forte sotaque alemão, chegou a meus ouvidos marcada por passos ritmados, pesados. Anna limpou a mão no avental e me abraçou.

"Trancou a porta ao entrar?"

"Sim, e você sabe que precisa trancar a porta depois que o último paciente vai embora, Anna." Eu dizia isso todas as vezes.

"Você é a última paciente."

Segui-a até a cozinha. "Todos os seus *pacientes* trazem vinho?"

"Eu não permitiria. Não faço comida nem mantenho contatos sociais com eles. Mas, para você, quebro todas as regras."

"Sim", falei, suspirando. "Como poderei retribuir?"

"Espero que não seja com seus serviços", ela disse, colocando a sacola com o vinho em cima do balcão.

"Prometo que a tratarei com muita gentileza."

"E eu estarei muito morta e nua. Pouco me importará sua gentileza. Está a fim de me embebedar ou aproveitou uma oferta?"

"É que eu esqueci de perguntar o que você pretendia fazer para o jantar", expliquei. "Não sabia se deveria trazer vinho tinto ou branco. Por via das dúvidas, trouxe dois de cada tipo."

"Preciso lembrar de não lhe contar nunca o que vou fazer de comida. Minha nossa, Kay!" Ela abriu a sacola e tirou as garrafas. "Devem ser deliciosos. Quer tomar uma taça agora ou prefere uma bebida mais forte?"

"Prefiro uma mais forte."

"O de sempre?"

"Por favor." Olhando para a panela grande que fervia no fogão, acrescentei: "Espero que seja o que estou pensando". Anna fazia um chili fabuloso.

"Vai nos esquentar um bocado. Usei a lata de pimenta verde ao tomate que você me trouxe de Miami, da última vez. Estava reservada. Tem pão caseiro no forno e salada *coleslaw*. Como vai sua família, falando nisso?"

"Lucy passou a se interessar por rapazes e carros, de repente. Mas só a levarei a sério quando ela gostar mais deles do que dos computadores. Minha irmã vai lançar outro livro infantil no próximo mês, mas continua sem saber nada a respeito da filha que deveria estar criando. Quanto a minha mãe, além de se queixar e reclamar que Miami virou um inferno onde ninguém mais sabe falar inglês, está ótima."

"Passou o Natal com elas?"

"Não."

"Sua mãe a perdoou?"

"Ainda não", respondi.

"Não posso culpá-la. As famílias devem passar o Natal juntas."

Não respondi.

"No entanto, isso é bom", ela disse, o que me surpreendeu. "Você não estava a fim de ir a Miami, e não foi. Cansei de lhe dizer que as mulheres precisam aprender a ser egoístas. Será que você está aprendendo a ser egoísta?"

"Creio que o egoísmo sempre foi uma coisa fácil para mim, Anna."

"Quando não sentir mais culpa a esse respeito, saberei que está curada."

"Ainda me sinto culpada. Portanto, imagino que não esteja curada. Você tem razão."

"Sim, eu sei. Dá para perceber."

Observei-a enquanto abria a garrafa e a punha de lado para respirar um pouco. Com as mangas da blusa branca de algodão erguidas até o cotovelo, Anna exibia antebraços firmes como os de uma mulher com metade de sua idade. Não sabia como tinha sido a aparência de Anna na juventude, mas agora, com quase setenta anos, ela era uma mulher vistosa, com traços germânicos acentuados, cabelo louro curto e olhos azul-claros. Abrindo o armário, ela apanhou as garrafas e rapidamente preparou um scotch com club soda para mim e um manhattan para ela.

"O que andou acontecendo desde que nos vimos pela última vez, Kay?" Levamos os drinques para a mesa da cozinha. "Foi pouco antes do Dia de Ação de Graças, não foi? Claro, conversamos pelo telefone. Sobre sua preocupação com o livro."

"Sim. Você sabe a respeito do livro de Abby. Pelo menos, sabe o que eu sei. E a respeito dos casos. De Pat Harvey." Acendi um cigarro.

"Acompanhei o noticiário. Você parece bem. Um pouco cansada, talvez. Meio magra demais, também?"

"Ninguém pode ser magra demais."

"Já vi você muito pior, é o que estou querendo dizer. Portanto, está lidando bem com as tensões do trabalho."

"Em certos dias melhor do que em outros."

Anna bebeu um pouco do manhattan e olhou pensativa para o fogão. "E Mark?"

"Estive com ele", falei. "Conversamos algumas vezes por telefone. Ele ainda está confuso, incerto. Acho que eu também estou. Então, nenhuma novidade."

"Você esteve com ele. Isso é novidade."

"Ainda o amo."

"Isso não é novidade."

"É tudo tão difícil, Anna. Sempre foi. Não sei por que não consigo deixar isso de lado."

"Porque seus sentimentos são intensos. Mas vocês dois têm medo do compromisso. Os dois querem um relacionamento forte, mas do seu próprio jeito. Percebi que ele foi citado indiretamente no jornal."

"É verdade."

"E então?"

"Ainda não contei a ele."

"Não acho que deva contar. Se ele não viu o jornal, certamente alguém do FBI o alertou. Caso tenha ficado contrariado, você saberá, certo?"

"Tem razão", falei, aliviada. "Saberei com certeza."

"Pelo menos vocês estão em contato. Está mais feliz?"

Eu estava.

"E esperançosa?"

"Estou disposta a ver no que isso vai dar", respondi. "Mas não tenho certeza se vai dar certo."

"Ninguém tem certeza de nada."

"Infelizmente, é verdade", concordei. "Não tenho certeza de nada. Só sei o que sinto."

"Então você está melhor do que muita gente."

"Seja como for, estou melhor do que muita gente. Isso também é verdade, infelizmente."

Ela se levantou para tirar o pão do forno. Observei-a enquanto enchia as travessas de chili, temperava a salada e servia o vinho. Lembrei-me do formulário que havia trazido, tirei-o da agenda e o coloquei em cima da mesa.

Anna nem sequer o olhou enquanto nos servia. Depois, sentou-se.

Ela disse: "Gostaria de ver a ficha dela?".

Eu conhecia Anna o suficiente para saber que ela jamais anotaria detalhes das sessões de terapia. Pessoas como eu tinham direito aos registros, pela lei, e tais documentos poderiam também ser exibidos como prova em tribunal. Terapeutas como Anna eram cuidadosos demais para registrar qualquer confidência.

"Por que não me dá um resumo?", sugeri.

"Diagnostiquei um desajuste funcional", ela disse.

Era o equivalente a dizer que a morte de Jill se deu por parada cardíaca ou respiratória. As pessoas morrem porque pararam de respirar ou porque o coração deixou de bater, quer tenham sido atropeladas por um trem ou levado um tiro. O diagnóstico de desajuste funcional era uma definição abrangente, tirada do *Manual de diagnóstico e estatística de perturbações mentais*. Dava ao paciente direito ao seguro de saúde sem divulgar nada de significativo a respeito do problema ou histórico da pessoa.

"A espécie humana inteira sofre de desajuste funcional", disse a Anna.

Ela sorriu.

"Respeito sua ética profissional", falei. "E não tenho a menor intenção de incluir em meu relatório informações que você considera confidenciais. Mas é importante para mim saber coisas a respeito de Jill que dêem pistas a respeito de quem a matou. Aspectos de seu modo de vida, por exemplo, que fossem um fator de risco."

"Também respeito sua ética profissional."

"Obrigada. Agora que já declaramos nossa admiração recíproca pela integridade e senso de justiça da outra, podemos deixar as formalidades de lado e conversar um pouco?"

"Claro, Kay", ela disse, carinhosa. "Recordo-me claramente de Jill. Não é difícil lembrar de uma paciente incomum, principalmente se ela foi assassinada."

"Por que ela era especial?"

"Especial?" Ela sorriu, melancólica. "Linda moça. Encantadora, brilhante. Tinha tanto a seu favor. Eu costumava aguardar com ansiedade as sessões com ela. Se não fosse minha paciente, gostaria de tê-la como amiga."

"Quanto tempo ela se tratou com você?"

"Mais de um ano. Três a quatro sessões por mês."

"Por que você, Anna?", perguntei. "Por que não alguém de Williamsburg ou de mais perto de onde morava?"

"Tenho um número razoável de pacientes de outras cidades. Alguns vêm de Filadélfia."

"Por não quererem que saibam que se tratam com um psiquiatra?"

Ela fez que sim. "Infelizmente, muita gente se apavora quando pensa na possibilidade de outros virem a saber. Você ficaria surpresa se soubesse a quantidade de pessoas que vem ao meu consultório e sai pela porta dos fundos."

Eu não havia contado a ninguém que estava me consultando com um psiquiatra. E, se Anna não tivesse se recusado a cobrar de uma colega, eu teria pago em dinheiro. Só me faltava algum escriturário pegar meu relatório de reembolso de consultas e espalhar a história para o Departamento de Saúde e Serviço Social.

"Obviamente, Jill não queria que soubessem que ela consultava um psiquiatra", falei. "E isso pode explicar por que comprava Librax nas farmácias de Richmond."

"Antes de sua ligação, eu não sabia que ela levava as receitas a uma farmácia de Richmond. Mas isso não me surpreendeu." Ela estendeu o braço para pegar a taça de vinho.

O chili me fez verter lágrimas, de tão ardido. Estava delicioso, porém. Anna caprichara, e eu a elogiei. Depois, expliquei o que ela provavelmente já imaginara.

"Existe uma possibilidade de que Jill e a amiga, Elizabeth Mott, tenham sido mortas pelo mesmo indivíduo que está matando esses casais", contei. "Ou, pelo menos, há certos paralelismos entre a morte dessas moças e a dos casais, e isso me preocupa."

"Não estou interessada no que você sabe a respeito dos casos atuais. Portanto, só conte o que julgar necessário. Faça as perguntas e me esforçarei ao máximo para lembrar o que eu puder a respeito da vida de Jill."

"Por que ela temia que alguém soubesse que consultava um psiquiatra? Por que esconder isso?", perguntei.

"Jill era de uma família importante do Kentucky, e a aceitação e a aprovação da família eram muito importantes para ela. Freqüentou boas escolas, com ótimas notas. Seria uma advogada bem-sucedida. A família se orgulhava dela. Eles não sabiam de nada."

"Não sabiam o quê? Que ela consultava um psiquiatra?"

"Eles não sabiam disso", Anna disse. "E, mais importante, eles não sabiam que ela estava envolvida num relacionamento homossexual."

"Elizabeth?" Soube a resposta antes mesmo de pronunciar o nome. A possibilidade já havia me passado pela cabeça.

"Isso mesmo. Jill e Elizabeth ficaram amigas quando Jill entrou na faculdade de direito. Depois, tiveram um caso. O relacionamento era muito passional e complicado, cheio de conflitos. Primeira vez para as duas, ou pelo menos foi assim que a história chegou a mim, contada por Jill. Não esqueça que nunca falei com Elizabeth, nunca ouvi o lado dela. Jill me procurou, inicialmente, porque desejava mudar. Ela não queria ser homossexual, esperava que a terapia recuperasse sua heterossexualidade."

"Via alguma esperança quanto a isso?", perguntei.

"Não sei o que poderia ter acontecido, com o passar do tempo", Anna disse. "Só posso falar com base no que Jill me dizia, e seu vínculo com Elizabeth era muito forte. Tenho a impressão de que Elizabeth vivia o relacionamento com mais tranqüilidade do que Jill, que intelectualmente não o aceitava, mas era afetivamente incapaz de acabar com ele."

"Ela deve ter sofrido muito."

"Nas últimas vezes em que estive com ela, percebi um agravamento. Ela acabara de concluir o curso de direito. Tinha um futuro brilhante pela frente. Estava na hora de tomar uma decisão. Começou a sofrer de problemas psicossomáticos. Cólicas nervosas. Receitei Librax."

"Jill mencionou algo que possa dar uma pista de quem fez isso a elas?"

"Pensei muito no assunto, analisei a questão detidamente, depois do que aconteceu. Quando li a história no jornal, mal pude acreditar. Jill estivera comigo três dias antes. Você não imagina o quanto me concentrei em tudo que ela havia me dito. Esperava lembrar de algo, de um detalhe qualquer que pudesse ajudar. Mas não consegui."

"As duas escondiam o relacionamento dos outros?"

"Sim."

"E quanto a namorados? Jill ou Elizabeth saíam com alguém, mesmo esporadicamente?"

"Pelo que me disseram, nenhuma das duas saía com rapazes. Pelo que eu sei, não havia alguém com ciúme por perto." Ela olhou para meu prato vazio. "Mais chili?"

"Estou satisfeita."

Ela se levantou para pôr os pratos na máquina de lavar louça. Paramos de conversar por algum tempo. Anna tirou o avental e pendurou-o num gancho, ao lado do armário de vassouras. Em seguida, levamos as taças e o vinho para a sala íntima.

Era meu aposento favorito da casa. Estantes de livros cobriam duas paredes. A terceira tinha uma *bay window* pela qual ela podia observar, de sua mesa lotada de trabalho, as flores que desabrochavam ou a neve caindo no pequeno quintal. Daquela janela eu observara o florescer das magnólias, num espetáculo em branco-limão, assim como vira os últimos reflexos cintilantes do outono. Ali, conversamos sobre minha família, o divórcio e Mark. Falamos de sofrimento e morte. Da velha poltrona de couro na qual eu me sentava conduzi Anna a um passeio pela minha vida, da mesma forma que Jill Harrington.

Elas foram amantes. Isso as ligava aos outros casais e tornava a teoria do "Mr. Goodbar" ainda mais improvável. Comentei isso com Anna.

"Concordo com você", ela disse.

"Elas foram vistas pela última vez no Anchor Bar and Grill. Alguma vez Jill mencionou o local a você?"

"Pelo nome, não. Mas ela falou de um bar aonde iam às vezes para conversar. Freqüentavam restaurantes afastados, onde ninguém as conhecia. Passeavam de carro, às vezes. Em geral, essas saídas aconteciam em meio a discussões acaloradas sobre o relacionamento entre elas."

"Se elas estivessem no meio de uma discussão desse tipo, naquela sexta-feira à noite, no Anchor, então provavelmente estariam perturbadas. Uma das duas talvez se sentisse rejeitada, magoada", falei. "Seria possível que Jill ou Elizabeth chegassem ao ponto de flertar ou sair com um homem para agredir a outra?"

"Não posso afirmar que isso seria impossível", Anna disse. "Mas me surpreenderia muito. Nunca tive a impressão de que Jill ou Elizabeth fizessem esse tipo de jogo. Estou mais inclinada a suspeitar que, naquela noite, a conversa foi muito profunda, e que elas provavelmente não prestaram atenção ao local. Concentraram-se uma na outra."

"Ou seja, qualquer um poderia ter ouvido a conversa sem ser notado."

"Esse é o risco de discussões pessoais em público, e eu dizia isso a Jill."

"Se ela era tão paranóica a respeito do relacionamento, por que corria esse risco?"

"Sua determinação não era grande, Kay", Anna disse, apanhando a taça de vinho. "Quando ela e Elizabeth estavam sozinhas, era muito fácil retomar a intimidade. Abraços, beijos, choro, mas nenhuma decisão era tomada."

Aquilo me soava familiar. Quando Mark e eu discutíamos, na casa dele ou na minha, inevitavelmente acabávamos na cama. Depois disso, um dos dois ia embora, e os problemas permaneciam exatamente como estavam.

"Anna, voce já considerou que a relação delas pudesse estar ligada ao que ocorreu?", perguntei.

"No mínimo, a relação delas fez com que tudo parecesse ainda mais incomum. Eu calculava que uma mulher sozinha num bar, a fim de arranjar companhia, correria muito mais perigo do que duas mulheres que não estavam nem um pouco interessadas em chamar a atenção."

"Vamos voltar aos hábitos e rotinas das duas", sugeri.

"Elas residiam no mesmo prédio, mas não moravam juntas. Por uma questão de aparências, embora o arranjo fosse conveniente. Elas podiam levar vidas distintas e se encontrar tarde da noite no apartamento de Jill. Jill preferia que se vissem em sua casa. Lembro-me de que ela me disse que a família ou outras pessoas poderiam ligar, tarde da noite. Se nunca estivesse em casa, fariam perguntas." Ela fez uma pausa, pensativa. "Jill e Elizabeth também praticavam atividades físicas, eram muito atléticas. Corriam, creio. Mas nem sempre juntas."

"Onde corriam?"

"Num parque próximo ao local onde moravam, eu acho."

"Algo mais? Teatros, lojas, shopping centers que freqüentavam?"

"Nada que eu me recorde."

"O que lhe diz sua intuição? O que imaginou, na época?"

"Senti que Jill e Elizabeth tiveram uma conversa tensa, no bar. Provavelmente, queriam ficar sozinhas sem ser incomodadas."

"E depois?"

"Obviamente, encontraram o assassino naquela noite mesmo, em algum momento."

"Consegue imaginar o que pode ter acontecido?"

"Em minha opinião, foi algum conhecido, ou pelo menos alguém que inspirava confiança. A não ser que tenham sido seqüestradas sob ameaça de revólveres, por uma ou mais pessoas, no bar, no estacionamento ou em qualquer outro local para onde tenham ido."

"E se um estranho se aproximou delas no estacionamento do bar, pedindo uma carona, alegando problemas mecânicos no carro...?"

Ela balançou a cabeça. "Não combina com as impressões que guardei a respeito delas. Só se fosse algum conhecido, insisto."

"E se o assassino estivesse vestindo farda, bancando o policial, e parasse o carro delas para pedir documentos?"

"Isso seria diferente. Imagino que até mesmo você e eu estaríamos vulneráveis numa situação dessas."

Anna dava sinais de cansaço. Agradeci pelo jantar e pela atenção. Sabia que nossa conversa fora difícil para ela. Tentei imaginar como eu me sentiria em seu lugar.

Minutos depois de ter entrado em casa, o telefone tocou.

"Lembrei-me de mais um detalhe, que provavelmente não interessa", Anna disse. "Jill mencionou que as duas faziam palavras cruzadas quando resolviam ficar em casa, sozinhas. Nas manhãs de domingo, por exemplo. Insignificante, talvez. Mas era uma rotina, algo que faziam juntas."

"Um livro de palavras cruzadas? Ou as que saem nos jornais?"

"Não sei. Mas Jill lia vários jornais, Kay. Ela costumava ler enquanto esperava a hora da consulta. O *Wall Street Journal*, ou o *Washington Post*."

Agradeci novamente e disse que na próxima oportunidade eu faria questão de cozinhar. Em seguida, liguei para Marino.

"Duas mulheres foram assassinadas na comarca de James City, faz uns oito anos", falei, indo direto ao assunto. "É possível que haja uma ligação. Conhece o detetive Montana, de lá?"

"Já nos conhecemos."

"Precisamos da ajuda dele para repassar o caso. Ele consegue ficar de boca fechada?"

"Como posso saber, caramba?", Marino resmungou.

Montana fazia jus ao nome. Era um sujeito énorme, magro, com olhos azul-acinzentados engastados num rosto enrugado e honesto. Grisalho, exibia o sotaque pronunciado dos nativos da Virgínia, pontilhando a conversa com "sim, senhora". Na tarde do dia seguinte, Marino, ele e eu nos reunimos em minha casa, onde poderíamos falar em particular, sem interrupções.

Montana deve ter torrado seu orçamento anual para fotografias no caso de Jill e Elizabeth, pois cobriu a mesa da cozinha com fotos dos corpos na cena do crime, do Volkswagen abandonado no motel Palm Leaf, do Anchor Bar and Grill e, curiosamente, de todos os aposentos dos apartamentos das duas mulheres, inclusive armários e closets. Tinha uma pasta gorda cheia de anotações, mapas, transcrições de depoimentos, diagramas, inventários de provas coletadas, registros de telefonemas. É preciso admitir, em relação a detetives que raramente têm casos de homicídio em sua jurisdição: eles trabalham meticulosamente. Esses crimes ocorrem apenas uma ou duas vezes na carreira, afinal de contas.

"O cemitério fica perto da igreja", ele disse, empurrando uma fotografia em minha direção.

"Deve ser muito antiga", falei, admirando os tijolos e a ardósia castigados pelas intempéries.

"É e não é. Foi construído no século XVIII e ficou em pé até há uns vinte anos, quando a fiação malcuidada acabou com ela. Lembro-me da fumaça, estava de serviço. Pensei que a casa de um dos fazendeiros estava pegando fogo, ali perto. Aí uma sociedade histórica se interessou. Foi restaurada para ficar igualzinha ao que era, por dentro e por fora."

"Chega-se lá por uma estrada secundária", ele disse, mostrando outra foto. "A menos de três quilômetros a oeste da Route Sixty, ou seis quilômetros a oeste do Anchor Bar, onde as moças foram vistas com vida pela última vez, na noite do crime."

"Quem descobriu os corpos?", Marino perguntou, enquanto seus olhos percorriam as fotos expostas.

"Um paroquiano, que trabalhava para a igreja. Ele ia lá aos sábados, pela manhã, para fazer a limpeza e aprontar tudo para o domingo. Disse que estava estacionando quando viu duas pessoas dormindo na grama, a cerca de seis metros de distância do portão do cemitério. Os corpos estavam visíveis do estacionamento da igreja. Quem as matou não estava preocupado em esconder os cadáveres."

"Quer dizer que não havia atividade alguma na igreja na sexta à noite, certo?", perguntei.

"Não, senhora. Estava trancada, não tinha nada."

"A igreja costuma marcar atividades para as noites de sexta?"

"De vez em quando, grupos de jovens se encontram na igreja às sextas. Às vezes há ensaio do coral, essas coisas. Na verdade, escolher previamente aquele cemitério para matar alguém não faz muito sentido. Não se poderia garantir que a igreja estaria vazia, em nenhuma noite da semana. Essa foi uma das razões que me levaram a pensar, desde o início, que os assassinatos foram fortuitos. As moças provavelmente conheceram alguém no bar. Não há elementos no caso que me levem a pensar que os homicídios foram premeditados."

"O assassino estava armado", argumentei com Montana. "Ele tinha uma faca e um revólver."

"O mundo está cheio de sujeitos que portam facas e revólveres. No carro ou mesmo consigo", ele disse, imperturbável.

Juntei as fotos dos corpos no local em que foram encontrados e comecei a estudá-las detalhadamente.

As duas mulheres estavam a menos de um metro uma da outra, deitadas na grama, entre duas lápides de granito, um tanto inclinadas. Elizabeth estava de bruços, com as pernas ligeiramente afastadas, o braço esquerdo sob o estômago, o direito estendido ao lado do corpo. Esguia, usando o cabelo castanho cortado curto, estava vestindo calça jeans e pulôver branco com uma mancha vermelha em volta do pescoço. Em outra foto, o corpo havia sido virado, e a frente do pulôver estava empapada de sangue. Os olhos fitavam o nada, mortos. O corte na garganta não era profundo, o ferimento a bala no pescoço não a incapacitara imediatamente, lembrei-me, pelo relatório da autópsia. A facada no peito, porém, havia sido fatal.

Os ferimentos em Jill causaram muito mais mutilações. Ela estava de costas, com o rosto tão sujo de sangue que eu não poderia dizer qual fora sua aparência em vida, exceto que tinha cabelo preto curto e nariz arrebitado, pequeno. Como a companheira, era magra. Usava calça jeans e blusa amarela clara de algodão, ensangüentada, para fora da calça, rasgada até a cintura, expondo os múltiplos ferimentos a faca. Vários haviam atingido o sutiã. Havia cortes profundos nos antebraços e mãos. O corte no pescoço era raso, provavelmente infligido quando já estava morta, ou quase.

As fotos eram valiosas por uma razão especial. Elas revelavam algo que eu não fora capaz de descobrir por meio de recortes de jornais ou dos relatórios que lera.

Virei-me para Marino, e nossos olhares se cruzaram.

Dirigi-me a Montana. "Onde foram parar os sapatos delas?"

14

"Sabe, curioso que esteja mencionando isso", Montana respondeu. "Nunca consegui encontrar uma boa explicação para o fato de as moças estarem sem sapatos. A não ser que estivessem dentro do motel, vestissem a roupa na hora de ir embora e não se preocupassem em pôr os sapatos. Encontramos os sapatos e as meias dentro do Volkswagen."

"Fazia calor naquela noite?", Marino perguntou.

"Fazia. Mesmo assim, teria sido mais lógico que elas calçassem os sapatos quando se vestiram."

"Não sabemos exatamente o que aconteceu dentro do quarto do motel", falei a Montana.

"Quanto a isso tem razão", ele concordou.

Fiquei pensando se Montana havia lido as matérias do *Post*, que mencionavam a falta dos sapatos e meias nos casais mortos. Se leu, ele não deu sinal de ter feito a ligação.

"Teve contato com a repórter Abby Turnbull quando ela estava cobrindo o caso da morte de Jill e Elizabeth?", perguntei.

"A mulher me seguia feito uma lata amarrada no rabo de um cachorro. Aonde quer que eu fosse, lá estava ela."

"Lembra-se de ter dito a ela que Jill e Elizabeth estavam descalças? Chegou a mostrar a Abby as fotos delas no local em que foram encontradas?", perguntei, pois Abby seria esperta demais para esquecer um detalhe assim, especialmente quando adquiria uma importância tão grande para o caso.

Montana disse, sem parar para pensar: "Falei com ela, mas nunca mostrei as fotos, não, senhora. E medi bem minhas palavras. Leu o que saiu nos jornais, não foi?".

"Vi alguns artigos."

"Então, não saiu nada a respeito do modo como as moças estavam vestidas, nada sobre a blusa rasgada de Jill nem sobre a falta dos sapatos e meias."

Portanto, Abby não sabia, pensei aliviada.

"Notei, pelas fotografias da autópsia, que as duas mulheres tinham marcas de cordas nos pulsos", falei. "Recuperaram o que foi usado para amarrá-las?"

"Não, senhora."

"Evidentemente, o assassino removeu a corda depois de matá-las", falei.

"Ele foi muito cuidadoso. Não encontramos cartuchos vazios nem a arma ou o que usou para amarrá-las. Nenhum fluido seminal. Pelo jeito, ele não as estuprou. Se fez isso, não deu para saber. Além disso, estavam vestidas. E, quanto à blusa rasgada" — ele apanhou a foto de Jill —, "isso pode ter acontecido quando eles lutaram."

"Recuperou botões na cena?"

"Vários. Na grama, perto do corpo."

"E quanto a pontas de cigarro?"

Montana procurou calmamente, no meio da papelada. "Nenhuma ponta de cigarro." Ele fez uma pausa, puxando uma folha de relatório. "Mas achamos um negócio interessante, sabe? Um isqueiro bacana, todo prateado."

"Onde?", Marino perguntou.

"A uns cinco metros do local onde os corpos estavam. Como pode ver, há uma cerca de ferro em volta do cemitério. A entrada é pelo portão." Ele mostrou outra foto. "Achamos o isqueiro na grama, do lado de dentro do portão. Uns dois metros. Era um isqueiro caro, fino, no formato de uma caneta-tinteiro, do tipo usado para acender cachimbo."

"Estava funcionando?", Marino quis saber.

"Deve ter sangrado para danar. Havia muito sangue." Ele ficou pensativo, por um momento. "Talvez uma das mulheres o tenha atingido no nariz com uma cotovelada."

"Como você teria reagido, se uma mulher o agredisse assim?", perguntei. "Supondo que fosse o assassino."

"Ela não teria chance de atacar novamente. Provavelmente, eu atiraria nela dentro do carro mesmo. Daria um soco ou coronhada na cabeça."

"Não havia sangue no banco da frente", observei. "Nenhum sinal de que uma delas foi atingida, quando estava dentro do carro."

"Sei...."

"Intrigante, não acha?"

"Sim." Ele franziu a testa. "Ele estava no banco de trás, debruçado, e de repente começou a sangrar? Acho surpreendente."

Preparei mais um bule de café quente enquanto discutíamos outras possibilidades. Para começar, havia o problema de como um indivíduo conseguia dominar duas pessoas.

"O carro pertencia a Elizabeth", falei. "Vamos presumir que ela estava dirigindo. Evidentemente, suas mãos não estavam amarradas nesse momento."

"Mas Jill poderia estar amarrada. Ele talvez tenha feito isso no caminho, por trás, obrigando-a a erguer as mãos para poder amarrá-las."

"Ou pode ter forçado Jill a se virar e estender os braços por cima do apoio da cabeça", propus. "E ela o golpeou nesse momento, na face."

"Pode ser."

"De qualquer maneira", prossegui, "vamos presumir que, na hora em que pararam o carro, Jill já estava amarrada e descalça. Em seguida, ele ordena a Elizabeth que tire os sapatos e a amarra. Depois ele as força a entrar no cemitério, ameaçando-as com o revólver."

"Jill tinha vários cortes nas mãos e nos antebraços", Marino ressaltou. "São compatíveis com tentativas de afastar a faca, com as mãos amarradas?"

"Desde que as mãos tenham sido amarradas à frente do corpo, e não nas costas, a resposta é sim."

"Teria sido mais eficiente amarrar as mãos nas costas."

"Ele provavelmente descobriu isso da maneira mais difícil e aprimorou sua técnica", falei.

"Elizabeth não apresentava ferimentos de defesa?"

"Nenhum."

"O cara matou Elizabeth primeiro", Marino decidiu.

"Como você teria feito isso? Lembre-se, tem dois reféns de quem cuidar."

"Eu teria obrigado as duas a se deitar de bruços no gramado. Teria encostado a arma na nuca de Elizabeth, para que permanecesse imóvel enquanto eu me preparava para usar a faca. Se ela me surpreendesse, tentando reagir, eu puxaria o gatilho, atiraria nela embora essa não fosse minha intenção inicial."

"Isso pode explicar o tiro que ela levou no pescoço", falei. "Se ele encostou o revólver na nuca e ela resistiu, o cano pode ter deslizado um pouco. A cena faz lembrar o que aconteceu a Deborah Harvey, exceto que eu duvido muito que ela estivesse deitada quando levou o tiro."

"Esse cara gosta de usar a faca", Marino retrucou. "Ele só usa a arma quando as coisas não saem conforme o planejado. Até agora, isso só ocorreu duas vezes, pelo que sabemos. Com Elizabeth e com Deborah."

"Elizabeth levou o tiro. E depois, Marino?"

"Ele acaba com ela e ataca Jill."

"Jill lutou contra ele", ponderei.

"Pode apostar que ela lutou para valer. A amiga tinha acabado de ser assassinada. Jill sabia que não tinha a menor chance, que não perderia nada lutando feito louca."

"Ou então ela já estava lutando com ele", arrisquei.

Os olhos de Marino se estreitaram, como ele fazia quando estava cético.

Jill era advogada. Duvido que ela ignorasse as maldades que as pessoas cometem contra outras pessoas. Quando ela e a amiga foram forçadas a entrar no cemitério, tarde da noite, desconfio que Jill sabia que as duas iam morrer. As duas podem ter resistido. Ou uma delas, quando ele abriu o portão de ferro. Se o isqueiro prateado pertencia ao assassino, pode ter caído de seu bolso nesse instante. Depois, e aí talvez Marino estivesse correto, o assassino forçou as duas mulheres a se deitar de bruços no chão. Quando ele atacou Elizabeth, Jill entrou em pânico, tentou proteger a amiga. A arma disparou, atingindo Elizabeth no pescoço.

"O padrão dos ferimentos de Jill indica agitação frenética, de alguém furioso e apavorado por ter perdido o controle da situação", falei. "Ele pode ter golpeado Jill na cabeça com a arma, subido em cima dela e rasgado a blusa antes de começar a esfaqueá-la. Num gesto de despedida, cortou a garganta das duas. E foi embora no Volkswagen, deixou o carro no motel e voltou a pé para o local em que havia deixado o próprio carro."

"Ele estava coberto de sangue", Marino considerou. "Curiosamente, nenhum sangue foi encontrado no banco do motorista, só no banco de trás."

"Não havia sangue no banco do motorista em nenhum dos carros dos casais", falei. "Trata-se de um assassino muito cauteloso. Ele pode levar uma muda de roupa consigo, toalhas ou outro tipo de proteção quando sai para cometer um crime."

Marino enfiou a mão no bolso e tirou um canivete suíço. Começou a cortar as unhas em cima do guardanapo. Só Deus sabe o que Doris foi obrigada a aturar durante todos esses anos, pensei. Marino provavelmente nunca se dava ao trabalho de esvaziar um cinzeiro, tirar seu prato da mesa e colocá-lo na pia ou pegar a roupa suja do chão. Eu nem queria imaginar como o banheiro devia ficar depois que ele o usava.

"Abby Turnbull, aquela vigarista, continua querendo falar com você?", ele perguntou, sem erguer os olhos.

"Gostaria que não falasse dela desse jeito."

Ele não respondeu.

"Ela não ligou, nos últimos dias. Pelo menos, não que eu saiba."

"Achei que você ia gostar de saber que ela e Clifford Ring têm um relacionamento que vai muito além do profissional, doutora."

"O que está querendo insinuar?", perguntei, inquieta.

"Estou dizendo que a história do tal livro que Abby está escrevendo não teve nada a ver com sua saída da editoria de polícia." Ele cortava a unha do polegar esquerdo, e as lascas de unha caíam sobre o guardanapo. "Pelo que eu sei, ela andava tão nervosa que ninguém mais na redação conseguia lidar com ela. O negócio atingiu o auge no outono, antes que ela viesse a Richmond para vê-la."

"O que aconteceu?", perguntei, encarando-o.

"Pelo que me disseram, ela fez uma cena em plena redação. Jogou uma xícara de café no colo de Ring e saiu batendo a porta. Não disse aos editores aonde ia nem quando pretendia voltar. Aí a transferiram para variedades e perfis."

"Quem lhe contou tudo isso?"

"Benton."

"E como Benton sabe o que acontece na redação do *Post*?"

"Não perguntei." Marino dobrou o canivete e guardou-o novamente no bolso. Levantando-se, dobrou o guardanapo e jogou-o na lata de lixo.

"Mais uma coisa", ele disse, parado no meio da cozinha. "Sabe o Lincoln pelo qual você se interessou?"

"Sei."

"É um Mark Seven 1990. Registrado no nome de Barry Aranoff, trinta e oito anos, sexo masculino, residente em Roanoke. Trabalha para uma companhia de suprimentos médicos. É vendedor. Viaja bastante."

"Então você conversou com o sujeito?"

"Falei com a mulher dele. Disse que o marido estava fora da cidade, fazia umas duas semanas."

"Onde ele deveria estar quando vi seu carro em Williamsburg?"

"A esposa disse que não sabia ao certo o roteiro dele. Ele pode ir a uma cidade diferente por dia, cobre uma área muito grande, que vai além dos limites estaduais. Ao norte, chega até Boston. Pelo que ela se lembrava, na época mencionada por você ele estava em Tidewater. Depois ia de avião para Newport News, no rumo de Massachusetts."

Fiquei em silêncio. Marino interpretou isso como embaraço, mas não era. Eu estava pensando.

"Deixe estar. Você fez um bom trabalho de investigação. Não há nenhum problema em anotar a placa de um carro e checá-la. Deveria ficar contente por não estar sendo seguida por um espião qualquer."

Não respondi.

Ele acrescentou: "Você só errou a cor. Disse que o Lincoln era cinza-escuro. Mas o carro de Aranoff é marrom".

Mais tarde, naquela mesma noite, os relâmpagos iluminavam as árvores agitadas enquanto uma tempestade digna do verão descarregava seu arsenal violento. Sentada na cama, folheava diversos periódicos esperando que a linha do capitão Montana desocupasse.

Ou o telefone dele estava com defeito ou alguém passara duas horas conversando. Depois que Marino foi embora, recordei-me de um detalhe, numa das fotografias, que me fez lembrar da última coisa que Anna me dissera. Dentro do apartamento de Jill, no carpete, ao lado de uma poltrona La-Z-Boy da sala de estar, havia uma pilha de documentos legais, vários jornais de outras cidades e um exemplar do *New York Times Magazine*. Nunca me interessei por palavras cruzadas. Mas sabia que as do *Times* eram mais populares do que os cupons de desconto.

Peguei o telefone e tentei ligar para a casa de Montana novamente. Tive mais sorte.

"Você já pensou em ter uma linha de telefone com serviço de atendimento simultâneo?"

"Já pensei em comprar uma central telefônica para minha filha adolescente", ele respondeu.

"Tenho uma pergunta."

"Pode falar."

"Quando você revistou os apartamentos de Jill e Elizabeth, deve ter examinado a correspondência delas, imagino."

"Sim, senhora. Chequei a correspondência das duas por um bom tempo. Para ver o que chegava, quem escrevia para elas. Examinei os extratos dos cartões de crédito e tudo o mais."

"O que sabe a respeito das assinaturas de jornais de Jill, entregues pelo correio?"

Ele fez uma pausa.

Aí eu me lembrei. "Desculpe-me. As pastas do caso estão em sua sala, na delegacia..."

"Não, senhora. Voltei direto para casa, está tudo aqui comigo. Estou só tentando me lembrar. Hoje foi um dia duro. Pode aguardar um momento?"

Ouvi o ruído das páginas sendo viradas.

"Bem, temos algumas contas, malas diretas. Mas nada de jornais."

Surpresa, expliquei que Jill tinha vários jornais de outras cidades no apartamento dela. "Ela deve ter adquirido os jornais em algum lugar."

"Talvez nas máquinas automáticas", ele sugeriu. "Há muitas, perto da universidade. É o meu palpite."

O *Washington Post* ou o *Wall Street Journal*, talvez, pensei. Mas não o *New York Times* de domingo. Era mais provável que os jornais tivessem sido comprados numa banca ou loja na qual Jill e Elizabeth costumavam parar quando saíam para tomar café da manhã, nas manhãs de domingo. Agradeci e desliguei.

Apaguei a luz, entrei na cama e fiquei ouvindo a chuva a tamborilar no telhado, em seu ritmo incansável. Puxei as cobertas mais para perto, até que me envolvessem. Imagens e pensamentos vagavam. Vi a bolsa vermelha de Deborah Harvey, molhada e coberta de terra.

Vander, no laboratório de datiloscopia, terminara as análises e anteriormente eu já havia olhado o relatório.

"O que pretende fazer?", Rose me perguntou. Curiosamente, a bolsa estava numa bandeja plástica, em cima da mesa de Rose. "Você não pode devolvê-la à família deste jeito."

"Claro que não."

"Então seria melhor tirar os cartões de crédito e outros itens, lavar e enviar tudo?" O rosto de Rose estava deformado de raiva. Ela empurrou a bandeja para o outro lado de sua mesa e gritou: "Leve isso embora daqui! Eu não agüento mais!".

De repente, eu estava na cozinha de casa. Pela janela, vi Mark chegar num carro diferente, mas que eu de certo modo reconhecia. Procurando a escova na bolsa, ajeitei o cabelo freneticamente. Corri para o banheiro, para escovar os dentes, mas não deu tempo. A campainha da porta tocou apenas uma vez.

Ele me abraçou, murmurando meu nome, como se fosse um grito contido de dor. Não entendia o que ele estava fazendo ali, pois deveria estar em Denver.

Ele me beijou e fechou a porta com um chute. Ela bateu, fazendo um barulho terrível.

Meus olhos se abriram. O trovão explodiu. Um relâmpado iluminou meu quarto, depois outro e outro. Meu coração batia com força.

Na manhã seguinte realizei duas autópsias e subi para falar com Neils Vander, chefe da seção de datiloscopia do laboratório. Encontrei-o na sala de computadores do Sistema Automático de Identificação de Digitais, na frente de um monitor, absorto em seus pensamentos. Eu levava na mão minha cópia do relatório que detalhava o exame da bolsa de Deborah Harvey e coloquei-o em cima do teclado.

"Preciso fazer uma pergunta." Ergui a voz para superar o zumbido difuso dos computadores.

Ele olhou para o relatório com ar preocupado. O cabelo grisalho rebelde cobria a orelha.

"Como foi capaz de encontrar digitais numa bolsa que passou tanto tempo no mato, exposta ao tempo? Estou surpresa."

Olhando novamente para o monitor, ele disse: "A bolsa é de náilon, à prova d'água, e os cartões de crédito estavam protegidos pelas lâminas de plástico, dentro de um compartimento fechado por zíper. Quando coloquei os cartões no tanque de supercola, vi várias impressões borradas e parciais. Nem precisei do laser".

"Impressionante."

Ele sorriu de leve.

"Mas nenhuma pôde ser identificada", ressaltei.

"Quanto a isso, lamento."

"O que me interessa é a carteira de motorista. Não havia digitais."

"Nem mesmo uma manchinha."

"Limpa?"

"Como bunda de nenê depois do banho."

"Obrigada, Neils."

Ele já estava longe, perdido em seu mundo de curvas e espirais.

Desci novamente e procurei o número do 7-Eleven que Abby e eu havíamos visitado no outono anterior. Fui avisada de que Ellen Jordan, a caixa com quem havíamos conversado, só entraria em serviço às nove da noite. Enfrentei o resto do dia sem fazer sequer um intervalo para o almoço, sem me dar conta da passagem das horas. Não me sentia nem um pouco cansada quando cheguei em casa.

Estava pondo a louça na máquina de lavar quando a campainha tocou, às oito da noite. Enxuguei as mãos numa toalha e segui ansiosa para a porta de entrada.

Abby Turnbull estava parada na porta, com a gola do casaco levantada para cobrir as orelhas. Olhos encovados num rosto pálido, doentio. O vento frio agitava as árvores escuras no quintal e levantava mechas de seu cabelo.

"Você não respondeu a minhas ligações. Espero que não me impeça de entrar em sua casa", ela disse.

"Claro que não, Abby. Entre, por favor." Abri a porta e recuei um passo.

Ela só tirou o casaco quando sugeri que o fizesse. Quando me ofereci para pendurá-lo no armário, ela fez que não e deixou-o nas costas da cadeira, como se quisesse me mostrar que não pretendia ficar por muito tempo. Usava calça jeans desbotada e um pulôver de tricô grená enfeitado com fiapos. Passando por ela para limpar a mesa da cozinha, cheia de jornais e papelada de meu serviço, senti um odor forte de cigarro e suor.

"Quer beber alguma coisa?", perguntei. Por algum motivo, não conseguia sentir raiva dela.

"O que você tiver à mão, se não se importa." Ela acendeu um cigarro enquanto eu preparava nossas bebidas.

"Nem sei por onde começar", ela disse quando me sentei. "As reportagens foram no mínimo injustas com você. Imagino o que deve estar pensando."

"O que estou pensando é irrelevante. Gostaria de saber o que se passa em *sua* cabeça."

"Eu lhe disse que cometi erros." A voz dela tremeu ligeiramente. "Cliff Ring foi um deles."

Continuei quieta.

"Ele é repórter investigativo. Foi uma das primeiras pessoas que conheci quando mudei para Washington. Bem-sucedido, interessante... brilhante, seguro de si. Eu estava vulnerável, acabava de me mudar para uma nova cidade, tendo passado... pelo que aconteceu com Henna." Ela desviou os olhos de mim.

"Éramos apenas amigos, no começo. De repente, tudo aconteceu. Foi muito rápido, e não vi quem ele era porque não quis ver." Sua voz embargada impediu que continuasse. Esperei em silêncio, até que ela se recuperasse.

"Confiei minha vida a ele, Kay."

"Portanto, devo concluir que os detalhes da reportagem foram fornecidos por você", falei.

"Não. Estavam na minha matéria."

"O que isso quer dizer?"

"Não falo com ninguém a respeito do que estou escrevendo", Abby disse. "Cliff estava a par de meu envolvimento com os casos, mas nunca entrei em detalhes a respeito. E ele não parecia nem um pouco interessado." Sua voz começava a trair o ressentimento. "Só que ele estava interessado, e muito. É assim que ele age."

"Se você não contou os detalhes para ele", falei, "então como ele conseguiu as informações?"

"Eu havia dado a chave do meu apartamento para ele, para que recolhesse a correspondência e regasse as plantas quando eu estivesse viajando. Ele deve ter copiado tudo."

Recordei-me de nossa conversa no Mayflower. Quando Abby afirmou suspeitar que alguém mexera em seu computador, acusando o FBI e a CIA, minha reação havia sido de ceticismo. Um agente experiente dificilmente abriria um arquivo do processador de texto sem se dar conta de que a hora e a data seriam modificados.

"Cliff Ring invadiu seu computador?"

"Não posso provar, mas sei que ele fez isso", Abby disse. "Não posso provar que ele andou mexendo em minha correspondência, mas sei que fez isso. Não é difícil abrir uma carta no vapor, fechá-la novamente e devolvê-la à caixa de correio. Principalmente para quem tem uma cópia da chave da caixa."

"Você sabia que ele estava escrevendo a matéria?"

"Claro que não. Nem desconfiava, até abrir o jornal de domingo! Ele entrava no apartamento quando sabia que eu não estaria lá. Mexia no computador, em tudo, para ver o que conseguia. Depois seguia meus passos, telefonando para as pessoas, pedindo entrevistas e declarações e informações. Tudo muito fácil, pois ele sabia exatamente o que procurar e o que estava procurando."

"E mais fácil ainda porque você havia sido transferida da editoria de polícia para outro setor. Pensou que o *Post* estava derrubando a história, quando na verdade os editores estavam derrubando você."

Abby fez que sim, furiosa. "A matéria foi entregue a gente mais confiável. Clifford Ring."

Entendi por que Clifford Ring não fizera o menor esforço para me contatar. Ele sabia que Abby e eu éramos amigas. Se tivesse pedido detalhes dos casos, eu poderia contar isso a Abby, e ele queria deixar Abby no escuro em relação ao que estava fazendo, enquanto isso fosse possível. Assim, Ring evitou contato comigo.

"Tenho certeza de que..." Abby pigarreou a estendeu a mão para pegar o copo. A mão tremia. "Ele consegue ser muito convincente. Provavelmente, ganhará um prêmio. Pela série de reportagens."

"Lamento muito, Abby."

"Não foi culpa de ninguém, só minha. Banquei a idiota."

"Todos nós corremos riscos quando nos apaixonamos..."

"Jamais correrei um risco como esse novamente", ela me interrompeu. "O relacionamento com ele sempre foi problemático. Era um problema atrás do outro. E eu sempre fazia concessões; dei-lhe a segunda chance, depois a terceira, a quarta..."

"O pessoal do jornal sabe a respeito de seu relacionamento com Cliff?"

"Nós tomávamos cuidado", ela foi evasiva.

"Por quê?"

"A redação é um lugar perigoso, cheio de fofoqueiros."

"Mas seus colegas devem ter visto vocês dois juntos."

"Nós tomávamos muito cuidado", ela enfatizou.

"As pessoas devem ter percebido que havia algo entre vocês. Tensão, no mínimo."

"Competição. Tomando conta do que é meu. Ele diria isso, se alguém comentasse."

E ciúme, pensei. Abby jamais conseguira ocultar suas emoções. Eu podia imaginar seus acessos de ciúme. Pude imaginar as pessoas que a observavam na redação, deduzindo que ela era ambiciosa e que invejava Clifford Ring, quando não era esse o caso. Ela sentia ciúme de outros envolvimentos dele.

"Ele é casado, não é?"

Ao ouvir isso, ela não conseguiu evitar as lágrimas.

Levantei-me para servir mais uma dose. Ela ia contar que Ring não era feliz no casamento, que pensava em se divorciar. Abby acreditara que ele ia largar tudo por causa dela. A história era tão comum e previsível quanto um caso de Ann Landers. Eu já a escutara antes uma centena de vezes. Abby havia sido usada.

Pus a bebida sobre a mesa e toquei seu ombro de leve, antes de me sentar novamente.

Ela me contou o que eu já esperava ouvir. Olhei para ela, entristecida.

"Não mereço sua compaixão", ela disse, chorando.

"Você sofreu muito mais do que eu nesta história."

"Todo mundo sofreu. Você. Pat Harvey. Os pais e amigos dos adolescentes mortos. Se os casos não tivessem acontecido, eu ainda trabalharia na página de polícia. Pelo menos profissionalmente, tudo estaria bem. Ninguém deveria ter o poder de causar tanta destruição."

Percebi que ela não falava mais de Clifford Ring. Referia-se ao assassino.

"Você tem razão. E ninguém terá se nós não permitirmos."

"Deborah e Fred não permitiram nada disso. Jill, Elizabeth, Jimmy, Bonnie. Todos eles." Ela parecia arrasada. "Eles não consentiram em ser assassinados."

"O que Cliff vai fazer agora?", perguntei.

"Seja lá o que for, não tem nada a ver comigo. Troquei todos os segredos das portas de minha casa."

"E seu medo de que o telefone estivesse grampeado, de que alguém a estaria seguindo?"

"Cliff não é o único interessado em saber o que ando fazendo. Não posso mais confiar em ninguém!" Seus olhos se encheram de lágrimas de raiva. "Você é a última pessoa no mundo que eu queria magoar, Kay."

"Pare com isso, Abby. Você pode ficar aí chorando o ano inteiro que não vai me ajudar em nada."

"Desculpe-me..."

"Chega de pedir desculpas." Fui firme, porém gentil. Ela mordeu o lábio inferior e tomou um gole.

"Está pronta para me ajudar agora?"

Ela ergueu os olhos e me encarou.

"Em primeiro lugar, de que cor era o Lincoln que vimos em Williamsburg, na semana passada?"

"Cinza-escuro. Por dentro, couro cinza-escuro, ou preto", ela disse, e seus olhos se encheram de vida.

"Obrigada. Foi o que pensei."

"O que está havendo?"

"Não tenho certeza. Coisa grande, acho."

"Como assim?"

"Tenho uma *missão* para você", falei, sorrindo. "Antes, porém, me diga quando voltará a Washington. Esta noite?"

"Não sei, Kay." Ela desviou os olhos. "Não posso ir para lá, neste momento."

Abby sentia-se como uma fugitiva, e de certa forma o era. Clifford Ring a expulsara de Washington. Provavelmente, não seria má idéia que ela desaparecesse por algum tempo.

Ela explicou: “Conheço uma pensão em Northern Neck, e...”.

“E eu tenho um quarto de hóspedes”, interrompi-a. “Pode ficar aqui, por algum tempo.”

Ela me olhou, hesitante, e confessou: “Kay, tem alguma idéia da impressão que isso causaria?”.

“Francamente, no momento não estou preocupada. Nem um pouco.”

“Por que não?” Ela me olhou atentamente.

“Seu jornal já me fritou em óleo fervendo. Estou na corda bamba. As coisas vão piorar ou melhorar, mas nada será como antes.”

“Pelo menos, você não foi despedida.”

“Nem você, Abby. Teve um caso e se comportou de maneira inadequada, perante seus colegas, quando jogou café no colo de seu amante.”

“Ele mereceu.”

“Tenho certeza de que sim. Mas eu não aconselho você a entrar em atrito com o *Post.* Sua chance de redenção está no livro.”

“E quanto a você?”

“Minha preocupação é com os casos. Você poderia ajudar, pois há coisas que não posso fazer.”

“Como assim?”

“Não posso mentir, enganar, trapacear, iludir, espionar, me infiltrar e fingir que sou outra pessoa, sendo funcionária pública. Você, porém, tem mais liberdade de movimento. É uma repórter.”

“Obrigada”, ela disse, saindo da cozinha. “Vou pegar minhas coisas no carro.”

Eu não recebia hóspedes com freqüência; normalmente, deixava o quarto de baixo para Lucy, quando ela me visitava. Sobre o assoalho de madeira havia um tapete Dergezine iraniano com um motivo floral exuberante que transformava o quarto num jardim, no qual minha sobrinha era um botão de rosa ou um espinho, dependendo de seu comportamento.

"Pelo visto, você adora flores", Abby disse, distraída, colocando a mala em cima da cama.

"O tapete fica meio exagerado, aqui", desculpei-me. "Mas tive que comprá-lo, quando o vi, e não achei outro lugar para colocá-lo. Além disso, é virtualmente indestrutível, e como Lucy costuma dormir aqui, trata-se de uma característica importante."

"Ou era, pelo menos", Abby disse, abrindo a porta do closet. "Lucy não tem mais dez anos."

"Creio que há cabides de sobra aí." Aproximei-me para inspecionar. "Se precisar de mais..."

"Isso chega."

"Você encontrará toalhas, pasta de dente e sabonete no banheiro." Mostrei tudo a ela.

Abby desfazia as malas, sem prestar muita atenção.

Sentei-me na beirada da cama.

Ela pendurou as blusas e conjuntos no armário. Os cabides retiniram no trilho metálico. Observei-a em silêncio, sufocando uma pontada de impaciência.

A atividade durou vários minutos. Gavetas rangeram, cabides chiaram, o armário do banheiro foi aberto e se fechou com um estalo. Ela guardou a mala no closet e olhou em volta, como se estivesse decidindo o que fazer em seguida. Abrindo a mala, tirou um romance e um bloco de anotações, que posicionou ao lado da cama, na mesa-de-cabeceira. Nervosa, vi quando guardou um trinta-e-oito e uma caixa de balas na gaveta da cômoda.

Passava da meia-noite quando finalmente subi. Antes de ir para a cama, disquei o número do 7-Eleven novamente.

"Ellen Jordan?"

"Ela mesma. Quem fala?"

Expliquei quem eu era. "Você mencionou, na última vez, quando Fred Cheney e Deborah Harvey estiveram aí, que ela tentou comprar cerveja, e que você pediu um documento a ela."

"É, foi isso mesmo."

"Pode me dizer exatamente o que fez, nesse momento?"

"Eu só disse que precisava da carteira de motorista dela", Ellen disse, parecendo intrigada. "Sabe como é, pedi para ver a carteira, só isso."

"Ela tirou a carteira da bolsa?"

"Claro. Ela tinha de tirar para poder me mostrar."

"Então ela entregou a carteira de motorista para você."

"Isso mesmo."

"Estava dentro de alguma coisa? De uma carteirinha plástica?"

"Não estava dentro de nada", ela disse. "A moça me deu o documento, eu olhei e devolvi para ela." Pausa. "Por quê?"

"Estou tentando determinar se você tocou a carteira de motorista de Deborah Harvey."

"Claro que toquei. Tinha de tocar, para olhar." Sua voz revelava temor. "Isso pode me dar algum problema?"

"Não se preocupe, Ellen", falei, para acalmá-la. "Isso não tem nada a ver com você e não lhe criará problema algum."

15

A missão de Abby era descobrir o que pudesse a respeito de Barry Aranoff. Pela manhã, ela seguiu para Roanoke. Na noite seguinte, ela voltou minutos antes de Marino aparecer em casa para jantar, a meu convite.

Quando viu Abby na cozinha, sua pupila se contraiu e o rosto ficou vermelho.

"Jack Black?", perguntei.

Voltei do bar, encontrando Abby fumando, à mesa, enquanto Marino me esperava parado na frente da janela. Ele abrira a veneziana e olhava para o comedor dos pássaros, emburrado.

"Não vai ver passarinhos a esta hora, a não ser que se interesse por morcegos", falei.

Ele não respondeu nem se virou.

Servi a salada. Só quando estava servindo o vinho Marino finalmente se acomodou em sua cadeira.

"Você não me disse que tinha companhia", ele falou.

"Se eu tivesse dito, você não viria", respondi, também sem rodeios.

"Ela também não me falou nada", Abby disse, irritada. "Portanto, agora que todo mundo já deixou claro que está adorando a companhia do outro, vamos jantar."

Uma coisa, pelo menos, eu havia aprendido em meu fracassado casamento com Tony. Era nunca brigar tarde da noite ou na hora de comer. Fiz o possível para preencher o silêncio com conversas ligeiras. Esperei até o café para dizer o que estava pensando.

"Abby vai passar um tempo aqui", contei a Marino.

"Problema seu." Ele pegou o açúcar.

"E seu também. Estamos nisso juntos."

"Acho melhor você explicar no que estamos juntos, doutora. Mas, antes" — ele olhou para Abby —, "eu gostaria de saber em que página este jantar vai sair no seu livro. Assim eu não preciso ler a droga inteira, posso ir direto ao ponto."

"Marino, você sabe ser desagradável, né?", Abby disse.

"Posso ser filho da puta também. Você ainda não teve o prazer de ver isso, sabia?"

"Agradeço o aviso. Não vejo a hora."

Tirando a caneta do bolso, ele a jogou em cima da mesa. "Melhor começar a escrever. Não quero que adultere o que vou dizer."

Abby o encarou, furiosa.

"Vamos parar com isso", falei, com raiva.

Eles olharam para mim.

"Você está agindo tão mal quanto os outros", acrescentei.

"Que outros?" O rosto de Marino permaneceu inexpressivo.

"Todos os outros", falei. "Estou até a tampa de mentiras, inveja, disputas. Espero mais do que isso dos meus amigos. Pensei que vocês fossem meus amigos."

Afastei minha cadeira.

"Se vocês querem continuar trocando insultos, vão em frente. Eu não agüento mais."

Sem olhar para nenhum dos dois, fui para a sala de estar. Liguei o aparelho de som e fechei os olhos. A música era minha terapia, e ultimamente eu andava ouvindo muito Bach. A *Sinfonia número dois, Cantata nº 29*, me ajudou a relaxar. Durante várias semanas, após a partida de Mark, eu descia quando não conseguia dormir, colocava os fones de ouvido e desfrutava a companhia de Beethoven, Mozart e Pachelbel.

Abby e Marino apareceram com o ar arrependido de um casal briguento que havia feito as pazes quando se juntaram a mim, quinze minutos depois.

"Bem, andamos conversando", Abby disse, quando desliguei o som. "Expliquei tudo, da melhor maneira possível. Chegamos a um certo entendimento."

Adorei ouvir aquilo.

"Podemos agir juntos, nós três", Marino disse. "Droga. Afinal de contas, no momento Abby não é repórter."

O comentário abalou-a um pouco, percebi. Mas os dois pretendiam cooperar, milagre dos milagres.

"Quando o livro dela sair, provavelmente essa história já terá acabado. Isso é o que importa, que acabe de uma vez. Já estamos no terceiro ano, nos dez jovens. Se incluirmos Jill e Elizabeth, são doze." Ele balançou a cabeça, com expressão decidida. "O sujeito que está pegando esses jovens não pretende aposentar-se, doutora. Ele vai continuar matando, até que o detenham. Numa investigação como essa, isso normalmente ocorre porque alguém dá sorte."

"Pode ser que já tenhamos dado sorte", Abby disse a ele. "Aranoff não estava dirigindo aquele Lincoln."

"Tem certeza?"

"Absoluta. O pouco cabelo que resta a Aranoff é grisalho. Tem um metro e setenta e pesa uns cem quilos."

"Quer dizer que o conheceu?"

"Não", ela disse. "Ele ainda estava viajando. Bati na casa dele e a mulher me recebeu. Eu estava usando uniforme e bota. Disse que era da companhia de eletricidade e precisava checar o relógio de luz. Conversamos um pouco. Ela me ofereceu uma Coca. Enquanto estava lá dentro, vi uma foto da família, perguntei a respeito, só para ter certeza. Foi assim que descobri qual era a aparência de Aranoff. O homem que vimos não era ele. Tampouco era ele o sujeito que estava me seguindo em Washington."

"Acho que não há nenhuma possibilidade de que você tenha errado ao anotar o número da placa", Marino falou para mim.

"Não. Mesmo que o tivesse feito, seria uma coincidência incrível. Os dois carros são Lincoln Mark Seven. Aranoff estava passando pela região de Williamsburg-Tidewater quando eu *errei* ao anotar o número da placa que por acaso era do carro dele?"

"Parece que Aranoff e eu precisamos ter uma conversinha", Marino disse.

Marino ligou para meu escritório dias depois, naquela semana, dizendo sem rodeios: "Está sentada?".

"Você conversou com Aranoff."

"Isso mesmo. Ele saiu de Roanoke na segunda-feira, 10 de fevereiro, e foi a Danville, Petersburg e Richmond. Na quarta, dia 12, esteve na região de Tidewater. Aí a história fica muito interessante. Ele precisava estar em Boston no dia 13, quinta-feira, ou seja, na noite em que você e Abby estavam em Williamsburg. Na véspera, quarta-feira, 12, Aranoff deixou o carro num estacionamento por dia, no aeroporto de Newport News. De lá foi para Boston de avião, passou a maior parte da semana trabalhando na região, usando um carro alugado. Retornou a Newport News ontem pela manhã, pegou o carro e foi para casa."

"Está sugerindo que alguém pode ter roubado as placas do carro dele, enquanto estava no estacionamento, pois sendo do tipo pago por dia e não por hora ele ficaria bastante tempo fora? E depois devolveu as placas?", perguntei.

"A não ser que Aranoff esteja mentindo, não há outra explicação, doutora. E ele não tem razão nenhuma para mentir, eu acho."

"Quando ele pegou o carro novamente, algo o levou a desconfiar que podiam ter mexido no veículo?"

"Nada. Fomos até a garagem e demos uma olhada no carro. As placas estavam no lugar, bem presas pelos parafusos. Elas estavam sujas, como o resto do carro, o que pode ou não significar alguma coisa. Não procurei digitais, mas o sujeito que pegou as placas emprestadas provavelmente usava luvas, o que explicaria as manchas. E, pelo que pude ver, não havia marcas de ferramentas nem riscos."

"O carro ficou num lugar visível, no estacionamento?"

"Aranoff disse que o deixou praticamente no meio do pátio, que estava quase cheio."

"Acha que o carro dele poderia passar vários dias lá, sem placas? O pessoal da segurança ou alguém poderia notar", falei.

"Não necessariamente. As pessoas não são assim tão atentas. Quando deixam o carro no aeroporto ou voltam de viagem a única coisa que passa pela cabeça delas é empurrar a bagagem, pegar o avião ou voltar logo para casa. Mesmo que alguém tenha notado, dificilmente avisaria a segurança. E o pessoal da segurança não poderia fazer nada até a volta do dono. E caberia a ele dar parte do furto das placas. A remoção das placas, em si, não seria muito difícil. Depois da meia-noite, quem for ao aeroporto não encontrará muita gente. Se fosse eu, entraria no estacionamento como quem estava procurando o carro e depois de cinco minutos sairia de lá com as placas na pasta."

"Acha que aconteceu isso?"

"Essa é a minha teoria", Marino falou. "O sujeito que pediu informações na semana passada não era detetive, agente do FBI ou espião em ação. Era um cara mal-intencionado. Podia ser um traficante, qualquer bandido. Creio que o Mark Seven cinza-escuro em que estava é seu carro pessoal. Para garantir a segurança, quando ele sai para exercer sua atividade, seja lá qual for, troca as placas para o caso de alguém notar seu veículo na área. Polícia, passantes, qualquer um."

"Meio arriscado, se ele for parado por furar o sinal vermelho", lembrei. "O número da placa daria o carro de outra pessoa."

"Certo. Mas ele não planejava ser parado. Creio que se preocupava mais em evitar que o carro fosse visto, pois pretendia cometer um crime. Algo ia acontecer, e ele não queria correr o risco de que sua placa fosse vista e anotada naquela rua quando estivesse agindo."

"Por que não usava um carro alugado, e pronto?"

"Seria tão ruim quanto ter o próprio carro no local. Qualquer policial é capaz de reconhecer um carro alugado. Todas as placas de carros alugados começam com R, na Virgínia. Se a polícia checar, vai identificar facilmente o sujeito que o alugou. Trocar as placas é uma idéia melhor, se o cara for esperto o bastante para criar um procedimento seguro. Eu teria feito isso e provavelmente escolheria um estacionamento pago por dia. Usaria as placas, depois as removeria e colocaria as minhas de volta. Seguiria até o aeroporto à noite e, quando ninguém estivesse olhando, devolveria as placas roubadas do carro."

"E se o dono já tivesse voltado e percebido o furto das placas?"

"Se o carro não estivesse mais no estacionamento eu jogaria as placas na lata de lixo mais próxima. De um jeito ou de outro, daria certo."

"Meu Deus. Então o homem que Abby viu naquela noite pode ser o assassino, Marino."

"O sujeito que vocês viram não era nenhum executivo perdido ou maluco seguindo duas mulheres", ele disse. "Ele pretendia cometer um crime", Marino disse. "Isso não quer dizer que ele seja o assassino."

"O adesivo de permissão de estacionamento..."

"Vou atrás disso, também. Ver se o pessoal da Colonial Williamsburg me consegue uma lista das pessoas que têm essa permissão."

"O carro que o senhor Joyce viu na estrada, com os faróis apagados, poderia ser um Lincoln Mark Seven", falei.

"Poderia ser. O Mark Seven foi lançado em 1990. Jim e Bonnie foram assassinados no verão de 1990. E, no escuro, um Mark Seven não difere muito de um Thunderbird, que foi o tipo que o senhor Joyce julgou ter visto."

"Wesley vai dar pulos quando souber disso", murmurei, incrédula.

"Se vai", Marino disse. "Preciso ligar para ele."

Março chegou com uma promessa murmurada de que o inverno não ia durar para sempre. O sol aquecia minhas costas enquanto eu limpava o pára-brisa da minha Mercedes e Abby punha gasolina no tanque. A brisa soprava suave e limpa pelos dias de chuva. As pessoas saíam para lavar carros e andar de bicicleta. A terra se agitava, mas ainda não despertara totalmente.

Como muitos postos de gasolina atualmente, aquele que eu freqüentava tinha uma loja de conveniência, na qual comprei dois cafés para viagem quando entrei para pagar. Em seguida, Abby e eu seguimos para Williamsburg, com os vidros abaixados, ouvindo Bruce Hornsby cantar *Harbor lights* no rádio.

"Peguei as mensagens na minha secretária eletrônica pelo controle remoto, antes de sair", Abby disse.

"E?"

"Ligaram cinco vezes, sem deixar recado."

"Cliff?"

"Aposto que sim", ela disse. "Não queria falar comigo. Suspeito que pretendia apenas descobrir se eu estava em casa. Provavelmente, passou pelo estacionamento algumas vezes, procurando meu carro."

"Por que ele faria isso, se não se interessa em conversar?"

"Talvez ele não saiba que troquei os segredos das fechaduras."

"Então deve ser um estúpido. Qualquer um acharia que ele perceberia que você ia somar dois e dois quando as matérias saíssem no jornal."

"De estúpido ele não tem nada", Abby disse, olhando pela janela.

Abri o teto solar.

"Ele sabe que eu sei. Mas não é estúpido", ela repetiu. "Cliff engana todo mundo. Ninguém sabe que ele é maluco."

"É difícil acreditar que ele chegou aonde está sendo maluco", falei.

"Aí está o encanto de Washington", ela retrucou, cinicamente. "As pessoas mais poderosas e bem-sucedidas do mundo moram lá, e metade delas é maluca. A outra metade, neurótica. Quase todos são imorais. O poder faz isso. Não sei por que Watergate surpreendeu as pessoas."

"O que o poder fez a você?", perguntei.

"Conheci seu gosto, mas não fiquei por lá tempo suficiente para me viciar."

"Acho que você teve sorte."

Ela não respondeu.

Pensei em Pat Harvey. O que ela andaria fazendo? O que se passava por sua mente naquele momento?

"Você conversou com Pat Harvey?", perguntei a Abby.

"Sim."

"Depois que os artigos saíram no *Post*?"

Ela fez que sim.

"Como ela está?"

"Certa vez, li um texto escrito por um missionário no que era então o Congo. Ele fala que encontrou um africano no meio do mato que parecia perfeitamente normal, até que ele sorriu. Seus dentes haviam sido limados, até ficarem pontudos. Ele era canibal."

Sua voz se encheu de raiva, seu estado de espírito tornou-se subitamente sombrio. Eu não tinha a menor idéia do que ela estava falando.

"Pat Harvey é assim", ela prosseguiu. "Passei para vê-la antes de ir a Roanoke no outro dia. Conversamos rapidamente sobre as matérias do *Post*. Pensei que ela estava lidando bem com a história toda, até que ela sorriu. Seu sorriso fez gelar o sangue em minhas veias."

Eu não sabia o que dizer.

"Aí eu me dei conta de que as reportagens de Cliff fizeram com que perdesse de vez o juízo. O assassinato de Deborah a abalou profundamente. Mas as matérias foram a gota d'água. Lembro-me de quando falei com ela e tive a sensação de que faltava algo. Depois de um tempo, percebi que ali faltava Pat Harvey."

"Ela sabia que o marido tinha um caso?"

"Agora sabe."

"Caso seja verdade", acrescentei.

"Cliff não publicaria algo que não pudesse atribuir a uma fonte confiável."

Fiquei pensando no que me faria perder o juízo. Lucy, Mark? Se eu sofresse um acidente e não pudesse mais usar as mãos, ou perdesse a visão? Não sabia o que me faria sair do ar. Talvez fosse igual a morrer. Depois que a gente ia embora, não sabia mais a diferença.

Chegamos a Old Towne pouco depois do meio-dia. O conjunto habitacional em que Jill e Elizabeth viviam era comum, uma colméia de prédios idênticos na aparência. Revestidos de tijolo, com toldos vermelhos anunciando os números dos blocos nas entradas. Os jardins eram compostos de grama marrom-esverdeada tendo nas margens estreitos canteiros de flores cobertos de serragem. Havia áreas de lazer com churrasqueiras, mesas de piquenique e balanços.

Paramos no estacionamento e olhamos para o antigo terraço de Jill. Vimos pelas frestas largas do parapeito duas cadeiras de balanço em azul e branco a balançar levemente por causa da brisa. Uma corrente pendia do teto, aguardando o vaso com plantas. Elizabeth morava do lado oposto do estacionamento. De suas respectivas residências as duas amigas podiam se ver. Observar as luzes acesas ou apagadas, saber quando a outra estava acordada ou na cama, em casa ou fora dela.

Por um momento, Abby e eu compartilhamos um silêncio opressivo.

Ela disse, então: "Elas eram mais do que amigas, não é, Kay?".

"Responder seria dar ouvidos a fofocas."

Ela sorriu de leve. "Para dizer a verdade, pensei nisso quando fiz a cobertura do caso. Passou pela minha cabeça, de qualquer maneira. No entanto, ninguém sugeriu isso, nem mesmo insinuou." Ela fez uma pausa, olhando para fora. "Acho que sei como elas se sentiam."

Olhei para ela.

"Deve ter sido da maneira como eu me sentia com Cliff. Sempre escondida, desconfiada, passando metade do tempo preocupada com o que as pessoas iam pensar, temendo que pudessem suspeitar de algo."

"A ironia", falei, engatando a marcha do carro, "é que as pessoas, no fundo, não estão nem aí. Vivem preocupadas demais com os próprios problemas."

"Pena que provavelmente Jill e Elizabeth nunca se deram conta disso."

"Se o amor entre elas fosse maior que o medo, algum dia acabariam entendendo isso."

"Para onde vamos, afinal?" Ela olhou pela janela, para a estrada.

"Estamos só passeando", falei. "No rumo do centro."

Eu não havia dito a ela qual seria o itinerário. Só contei que pretendia "dar uma olhada" no local.

"Está procurando aquele carro, não é?"

"Não custa tentar."

"E o que pretende fazer se o encontrar, Kay?"

"Anotar o número da placa, ver a quem realmente pertence."

"Bem" — ela começou a rir —, "se você avistar um Lincoln Mark Seven cinza-chumbo com um adesivo de Colonial Williamsburg no pára-choque traseiro, eu lhe dou cem dólares."

"Melhor pegar o talão de cheques. Se estiver aqui, vou achá-lo."

E foi o que fiz, cerca de meia hora depois, seguindo a velha regra para achar objetos perdidos. Repeti meu caminho. Quando voltei a Merchant's Square vi o carro parado lá, no mesmo estacionamento, perto do local em que o vimos da primeira vez, quando o motorista parou para pedir informações.

"Meu Deus do céu", Abby sussurrou. "Não acredito."

O carro estava vazio. O sol refletia nos vidros. Parecia ter sido lavado e encerado recentemente. Havia um selo adesivo de estacionamento no lado esquerdo do pára-choque traseiro. O número da placa era ITU-144. Abby o anotou.

"Fácil demais, Kay. Não pode ser verdade."

"Não sabemos se é o mesmo carro." Tentei ser mais científica. "Parece o mesmo, mas não podemos ter certeza."

Estacionei umas vinte vagas adiante, pondo a Mercedes entre uma perua e um Pontiac. Fiquei ao volante, observando as fachadas das lojas. Uma loja de presentes, uma de molduras, um restaurante. Entre a tabacaria e a padaria havia uma livraria, pequena, discreta, com alguns poucos livros na vitrine. Uma placa de madeira anunciava, em letras estilo colonial: "The Dealer's Room".

"Palavras cruzadas", falei, respirando fundo ao sentir um arrepio percorrer a espinha.

"Como é?" Abby ainda estava olhando para o Lincoln.

"Jill e Elizabeth gostavam de palavras cruzadas. Elas costumavam sair no domingo de manhã para tomar café e comprar o *New York Times*." Estava abrindo a porta.

Abby ergueu a mão e segurou meu braço, impedindo que eu saísse. "Não, Kay. Espere um minuto. Precisamos pensar melhor."

Recostei no banco novamente.

"Você não pode entrar lá sem mais nem menos", ela disse, e a frase soou como uma ordem.

"Quero comprar um jornal."

"E se ele estiver lá? O que pretende fazer?"

"Quero ver se é mesmo ele, se é o homem que estava dirigindo naquela noite. Acho que posso reconhecê-lo."

"E ele pode reconhecer você."

"'Dealer' pode se referir a cartas", pensei alto, enquanto uma jovem de cabelos pretos curtos e encaracolados caminhava na direção da loja. Ela abriu a porta e desapareceu lá dentro.

"A pessoa que dá as cartas, que dá o valete de copas", falei, com voz sumida.

"Você falou com o sujeito, quando ele pediu informações. Seu retrato saiu nos jornais", Abby dizia, assumindo o controle. "Não pode entrar lá. É melhor que eu vá."

"Vamos nós duas."

"Você ficou louca?"

"Está bem." Tomei uma decisão. "Você fica de olho. Vou entrar."

Saí do carro antes que ela pudesse argumentar. Abby saiu também e ficou lá parada, parecendo perdida, enquanto eu caminhava decidida na direção da loja. Seu bom senso impediu que fizesse uma cena.

Quando minha mão tocou a fria maçaneta de latão, senti o coração disparar. Entrei, sentindo os joelhos bambos.

Ele estava parado atrás do balcão, sorrindo, preenchendo o recibo do cartão de crédito para uma senhora de meia-idade vestindo um conjunto de Ultrasuede, que dizia: "...Para isso as pessoas fazem aniversário. A *gente* compra um livro que está querendo ler e dá para o marido...".

"Desde que os dois apreciem o mesmo tipo de livro, não há problema algum", ele disse. Sua voz era suave, tranqüila, inspirava confiança.

Agora, dentro da loja, eu sentia uma vontade desesperadora de ir embora. Queria sair correndo dali. Vi uma pilha de jornais ao lado do balcão, incluindo o *New York Times.* Poderia pegar um, pagar rapidamente e ir embora. Mas não queria fitar seus olhos.

Era ele.

Dei meia volta e saí, sem olhar para trás.

Abby estava sentada dentro do carro, fumando.

"Impossível que ele trabalhe aqui e não saiba o caminho para a Sessenta e Quatro", falei, ligando o motor.

Ela me entendeu perfeitamente. "Quer ligar para Marino agora ou vamos esperar até voltarmos para Richmond?"

"Vamos telefonar para ele imediatamente." Procurei uma cabine telefônica e liguei, descobrindo que Marino estava fora. Deixei um recado: "ITU-144. Ligue para mim".

Abby fez um monte de perguntas, que tentei responder da melhor maneira possível. Enquanto voltávamos, houve também longos momentos de silêncio. Meu estômago doía. Pensei em parar o carro. Sentia vontade de vomitar.

Ela me encarava. Percebi sua preocupação.

"Minha nossa, Kay. Você está branca como cera."

"Estou bem."

"Quer que eu dirija?"

"Pode deixar, já disse que estou bem."

Quando chegamos em casa, fui direto para meu quarto. Minhas mãos tremiam, enquanto eu discava. A secretária eletrônica de Mark atendeu no segundo toque, e pensei em desligar. No entanto, fui paralisada pela voz dele.

"No momento, não posso atender..."

Ao ouvir o sinal, hesitei. Mas acabei devolvendo o fone ao gancho sem dizer nada. Quando olhei para cima, vi Abby parada na porta. Pela sua expressão, vi que ela sabia exatamente o que eu havia acabado de fazer.

Olhei para ela, com os olhos cheios de lágrimas. Ela se sentou ao meu lado, na beirada da cama.

"Por que não deixa um recado para ele?", ela murmurou.

"Como pode saber para quem eu estava telefonando?" Lutei para manter a voz firme.

"Porque sinto o mesmo impulso incontrolável quando estou perturbada. Sinto que preciso telefonar. Mesmo agora, depois de tudo que aconteceu. Continuo querendo ligar para Cliff."

"Fez isso?"

Ela balançou a cabeça negativamente.

"Não faça isso, Abby. Não telefone para ele."

Ela olhou atentamente para mim. "Foi por causa de você ter entrado na livraria e visto aquele homem?"

"Não tenho certeza."

"Acho que tem."

Desviei os olhos. "Quando chego muito perto, eu sei. Cheguei muito perto, antes. Sempre me pergunto por que isso acontece."

"Pessoas como nós não podem evitar. Sofremos de compulsão. Algo nos impele. Por isso, essas coisas acontecem."

Eu não conseguia admitir meu medo para ela. Se Mark tivesse atendido ao telefone, eu não sei se teria admitido isso a ele tampouco.

Abby, com o olhar perdido, perguntou com voz distante: "Você, que sabe tanto sobre a morte, já parou para pensar na sua?".

Levantei-me da cama. "Onde foi que Marino se meteu, caramba?" Peguei o telefone e liguei para ele de novo.

16

Os dias se transformaram em semanas, enquanto eu aguardava, ansiosa. Não ouvira mais falar em Marino desde que lhe dera a informação a respeito da livraria The Dealer's Room. Ninguém entrara em contato comigo. A cada hora que se passava, o silêncio tornava-se mais agudo e agourento.

No primeiro dia da primavera, saí da sala de reuniões depois de ser inquirida por três horas por dois advogados. Rose me disse que havia um recado para mim.

"Kay? É Benton."

"Boa tarde", falei, sentindo a adrenalina subir.

"Pode vir a Quantico amanhã?"

Consultei minha agenda. Rose havia marcado uma reunião, a lápis. Poderia ser transferida.

"A que horas?"

"Dez, se for conveniente para você. Já conversei com Marino."

Antes que eu pudesse fazer alguma pergunta, ele disse que não seria possível explicar nada, e que diria tudo quando nos encontrássemos.

Só consegui sair do escritório depois das seis. O sol sumira e o ar estava frio. Quando cheguei, vi luzes acesas. Abby estava em casa.

Estávamos nos vendo muito pouco, cada uma entretida em seus afazeres. Raramente conversávamos. Ela nunca ia ao supermercado, mas deixava uma nota de cinqüenta dólares em cima da geladeira, de vez em quando, mais do que suficiente para pagar o pouco que comia. Quando o vinho ou o scotch se aproximavam do final, eu encontrava uma nota de vinte sob a garrafa. Dias antes, eu descobrira uma nota de cinco sob uma caixa vazia de sabão em pó. Percorrer os aposentos de minha casa se tornara uma espécie de garimpo peculiar.

Quando destranquei a porta da frente, Abby surgiu repentinamente e chegou a me assustar.

"Desculpe-me", ela disse, "mas ouvi você chegar. Não pretendia assustá-la."

Eu me senti uma tola. Desde que Abby viera passar uns tempos em minha casa, eu me tornara cada vez mais nervosa. Dificuldade de adaptação à perda da privacidade, imagino.

"Quer que eu lhe prepare um drinque?", ela perguntou. Abby parecia cansada.

"Obrigada", falei, desabotoando o casaco. Meus olhos percorreram a sala. Na mesa de centro, ao lado do cinzeiro transbordando de pontas de cigarro, havia uma taça de vinho e vários blocos de anotações de reportagem.

Tirei o casaco e as luvas, subi e joguei-os em cima da cama. Parei apenas o suficiente para pegar os recados na secretária eletrônica. Minha mãe queria falar comigo. Eu poderia ganhar um prêmio se discasse determinado número às oito da noite. Marino ligara para avisar que passaria de manhã para me pegar. Mark e eu continuávamos sentindo saudade, conversando com a secretária eletrônica um do outro.

"Preciso ir a Quantico amanhã", contei a Abby, quando voltei à sala.

Ela apontou para meu copo, sobre a mesa de centro.

"Marino e eu temos uma reunião com Benton", expliquei.

Ela pegou um cigarro.

"Não sei do que se trata", prossegui. "Talvez você saiba."

"Como eu poderia saber?"

"Você quase não fica em casa. Não sei o que anda fazendo."

"Quando você está em seu trabalho, eu também não sei o que faz."

"Não tenho feito nada de especial. O que gostaria de saber?" Tentei manter um tom leve na conversa, para dissipar a tensão.

"Não costumo perguntar porque sei quanto você é preocupada com os segredos de seu trabalho. Não quero parecer abelhuda."

Deduzi que eu, se perguntasse a respeito do trabalho dela, estaria sendo abelhuda.

"Abby, ultimamente você parece muito distante."

"Preocupada. Por favor, entenda que isso não tem nada a ver com você."

Ela sem dúvida tinha muito com que se preocupar. Escrevia um livro, precisava decidir o que fazer da vida. Mesmo assim, eu nunca vira Abby tão fechada.

"Estou preocupada com você, só isso", falei.

"Você não compreende meu jeito de ser, Kay. Quando me envolvo com alguma coisa, vou fundo. Ela me consome, não consigo desviar a mente." Ela fez uma pausa. "Você tinha razão quando disse que esse livro seria a chance para eu me redimir. Vai ser mesmo."

"Fico contente em ouvir isso, Abby. Conhecendo você, aposto que teremos um best-seller."

"Talvez. Não sou a única pessoa interessada em escrever um livro a respeito desses casos. Meu agente já ouviu boatos a respeito de outros projetos em andamento. Saí na frente, mas só manterei a dianteira se trabalhar depressa."

"Não estou preocupada com seu livro, mas com você."

"Eu com você, Kay", ela disse. "Agradeço muito o que fez por mim, permitindo que eu ficasse aqui. Não vou ficar muito tempo, prometo."

"Pode ficar quanto tempo quiser."

Ela recolheu os blocos e o copo. "Preciso começar a escrever logo. E só vou conseguir fazer isso quando tiver meu próprio espaço e meu computador."

"Então, até agora você está apenas fazendo a pesquisa."

"Sim. Descobri um monte de coisas que eu não sabia que estava procurando", ela disse, enigmática, e foi para seu quarto.

Quando avistamos o acesso a Quantico, na manhã seguinte, o trânsito parou subitamente. Calculei que ocorrera um acidente ao norte, na I-95, interrompendo a pista. Marino acionou a sirene e com a luz piscando avançou pelo acostamento. O carro balançou nos buracos, enquanto os pedregulhos batiam no fundo, por uns cem metros.

Ele havia passado as últimas duas horas fazendo um relato detalhado de suas conquistas domésticas enquanto eu tentava imaginar o que Wesley teria a nos dizer e me preocupava com Abby.

"Nunca imaginei que venezianas dessem tanto trabalho", Marino reclamou quando passamos pelo alojamento dos fuzileiros navais e do stand de tiro. "A melhor coisa é usar o spray 409, você não acha?" Ele olhou para mim. "Mas levo um minuto para limpar cada tabuinha, o local fica lotado de papel-toalha. Acabei tendo uma idéia legal. Arranquei as janelas e joguei-as na banheira. Enchi a banheira de água quente e sabão em pó. Funcionou que foi uma beleza."

"Essa é boa", murmurei.

"Estou no meio da remoção do papel de parede da cozinha. Veio junto com a casa. Doris sempre o detestou."

"O mais importante é se *você* gosta. Quem mora lá agora é você."

Ele ergueu os ombros. "Nunca dei muita bola para essas coisas, se quer mesmo saber. Mas, se Doris diz que é feio, então deve ser mesmo. A gente falava em vender o trailer e fazer uma piscina. Acho que finalmente vou agitar isso. Acho que no verão vai dar tempo."

"Marino, tome muito cuidado", falei, delicadamente. "Faça apenas coisas para você."

Ele não me respondeu.

"Seu futuro não pode depender de um sonho que talvez não se realize."

"Não vai fazer mal a ninguém", ele disse, finalmente. "Mesmo que ela não volte nunca mais, não tem nenhum problema a casa ficar bacana."

"Bem, você vai ter que me convidar para conhecer sua casa, qualquer dia", falei.

"Claro. Sempre vou à sua casa, e você nunca esteve na minha."

Ele estacionou o carro. Descemos. A Academia do FBI continuava a crescer nas bordas da base dos fuzileiros navais. O prédio principal, com fonte e bandeiras na entrada, fora transformado em sede administrativa. O centro das atividades se transferira para o edifício de tijolo amarelado adjacente. Parecia apenas mais um alojamento e fora melhorado desde minha última visita. O som das armas de fogo disparadas ao longe me fazia lembrar de bombinhas juninas.

Marino deixou o trinta-e-oito na recepção. Assinamos o livro de acesso e pusemos os crachás. Ele me levou por uma série de atalhos, evitando os corredores envidraçados, ou caminhos de rato, como os chamavam. Segui-o até a porta que dava para fora do prédio. Depois, fomos pela entrada de serviço e passamos pela cozinha. Finalmente chegamos aos fundos da loja de lembranças, que Marino atravessou sem nem sequer olhar para a moça que segurava uma pilha de camisetas. Seus lábios se entreabriram num protesto mudo quando percebeu nosso trajeto heterodoxo. Depois da loja, viramos e entramos no bar e restaurante chamado The Boardroom, onde Wesley nos aguardava, numa mesa lateral.

Ele não perdeu tempo. Foi direto ao assunto.

O dono da livraria The Dealer's Room era Steven Spurrier. Wesley o descreveu como sendo "branco, trinta e quatro anos, cabelos pretos, olhos castanhos, um metro e oitenta, oitenta quilos". Spurrier não havia sido detido ou interrogado, mas estava sob vigilância permanente. A conduta observada até agora não poderia ser considerada normal.

Em diversas ocasiões, ele saíra de sua casa, um sobrado de tijolo, tarde da noite. Fora a dois bares e a uma área de descanso. Não permanecia nos locais por muito tempo. Estava sempre sozinho. Na semana anterior, abordara um casal que saía de um bar chamado Tom-Toms. Pelo jeito, pedira informações, novamente. Nada aconteceu. O casal entrou no carro e foi embora. Spurrier entrou no Lincoln e acabou voltando para casa. As placas não foram trocadas.

"Temos um problema com as provas", Wesley avisou, olhando para mim através das lentes dos óculos sem aro, com ar sério. "Temos um cartucho vazio em nosso laboratório. Você tem uma bala retirada de Deborah Harvey, em Richmond."

"Não tenho a bala", retruquei. "O Laboratório da Polícia Técnica está com ela. Presumo que vocês já iniciaram o exame de DNA do sangue encontrado no carro de Elizabeth Mott."

"Ainda vai levar uma ou duas semanas."

Balancei a cabeça. O laboratório de DNA do FBI usava cinco provas polimórficas. Cada prova precisava ficar nos raios X por cerca de uma semana. Por isso eu havia escrito uma carta a Wesley, sugerindo que pedisse amostras do sangue a Montana e iniciasse a análise imediatamente.

"O DNA não vale nada sem uma amostra do sangue do suspeito", Marino ressaltou.

"Estamos cuidando disso", Wesley disse, sério.

"Bem, pelo jeito parece que só podemos pegar Spurrier por causa das placas. Vamos perguntar ao malandro como ele explica sair guiando por aí com a placa do carro de Aranoff, faz algumas semanas."

"Não podemos provar que ele estava usando placas de outro. Seria a palavra de Kay e Abby contra a dele."

"Só precisamos de um juiz que assine a ordem de prisão. Depois, cuidamos do resto. Vamos investigar. Talvez encontremos dez pares de sapatos", Marino disse. "Ou uma Uzi, munição Hydra-Shok. Quem sabe o que vamos achar lá?"

"Pretendemos fazer isso", Wesley prosseguiu. "Mas vamos dar um passo de cada vez."

Ele se levantou para pegar mais café, e Marino seguiu-o, levando minha xícara. Era cedo, e The Boardroom estava deserto. Olhei em volta, para as mesas vazias, para a televisão no canto, e tentei imaginar como seria o local à noite. Agentes em treinamento viviam como monges. Membros do sexo oposto, bebidas e cigarro não eram permitidos dentro dos quartos, nos dormitórios, que aliás não podiam ficar trancados. The Boardroom, porém, servia vinho e cerveja. Os confrontos, escândalos e indiscrições ocorriam ali. Recordo-me de Mark ter contado que houve uma briga cinematográfica no local quando um agente novato do FBI resolveu levar a lição de casa longe demais e deu "voz de prisão" a uma mesa de agentes veteranos do DEA. Mesas foram derrubadas, garrafas de cerveja e cestinhas de pipoca voaram para todos os lados.

Wesley e Marino voltaram. Depois de deixar o café sobre a mesa, Benton tirou o paletó cinza-pérola e pendurou-o com cuidado nas costas da cadeira. A camisa branca praticamente não tinha marcas. Notei que a gravata azul-pavão com flores-de-lis brancas minúsculas combinava com os suspensórios azuis. Marino servia como perfeito contraponto para seu colega dos 500 mais da *Fortune*. A barriga enorme de Marino impedia que ficasse elegante mesmo no terno mais caro. Mas fui obrigada a reconhecer que ultimamente ele se esforçava ao máximo.

"O que sabe a respeito do passado de Spurrier?", perguntei. Wesley tomava notas enquanto Marino repassava as informações de uma pasta. Os dois homens pareciam ter se esquecido da presença de uma terceira pessoa à mesa.

"Ele não tem ficha na polícia", Wesley respondeu, erguendo os olhos. "Nunca foi preso, não levou uma multa sequer nos últimos dez anos. Comprou o Lincoln em fevereiro de 1990 de uma concessionária em Virginia Beach, dando uma Town Car 86 e o resto em dinheiro."

"Ele deve ter uma boa grana", Marino comentou. "Tem um carrão, mora numa casa legal. Difícil acreditar que tira tudo daquela livraria."

"Ele não ganha muito", Wesley disse. "De acordo com a declaração de renda do ano passado, ele faturou menos de trinta mil dólares. No entanto, tem mais de meio milhão de dólares em contas de investimento, propriedades à beira-mar, ações."

"Puxa vida", Marino disse, balançando a cabeça.

"Dependentes?", perguntei.

"Não", Wesley informou. "Nunca se casou. Os pais já morreram. O pai tinha uma imobiliária em Northern Neck. Morreu quando Steven tinha vinte e poucos anos. Creio que o dinheiro dele foi herdado."

"E quanto à mãe?", perguntei.

"Ela morreu cerca de um ano depois do pai. Câncer. Steven foi um filho temporão. Nasceu quando a mãe tinha quarenta e dois anos. O único irmão se chama Gordon. Mora no Texas, é quinze anos mais velho, casado, quatro filhos."

Folheando suas anotações novamente, Wesley forneceu outras informações. Spurrier nascera em Gloucester, freqüentara a universidade da Virgínia, onde se formou em inglês. Depois entrou para a marinha, onde ficou menos de quatro meses. Passou os onze meses seguintes trabalhando numa gráfica, onde sua principal tarefa era realizar a manutenção do equipamento.

"Gostaria de saber mais a respeito da temporada na marinha", Marino disse.

"Não há muito para saber", Wesley respondeu. "Depois de se alistar ele foi para um campo de treinamento, na área dos Grandes Lagos. Escolheu jornalismo como especialidade e foi destacado para a Escola de Informação da Defesa no Fort Benjamin Harrison, em Indianapolis. Em seguida foi enviado para seu posto, assessor do comandante-em-chefe da Esquadra do Atlântico, em Norfolk." Ele olhou para nós. "Cerca de um mês após a morte do pai ele foi dispensado do serviço, para que pudesse retornar a Gloucester e cuidar da mãe, que já sofria de câncer."

"E quanto ao irmão?", Marino perguntou.

"Não podia afastar-se do serviço nem deixar de lado suas responsabilidades familiares no Texas, evidentemente." Ele fez uma pausa, olhando para nós. "Talvez haja outros motivos. É óbvio que o relacionamento de Steven com a família apresenta interesse para mim, mas não saberei muito mais, por algum tempo."

"Por que não?", perguntei.

"Seria arriscado demais entrar em contato direto com o irmão, a esta altura. Não quero que ele ligue para Steven, avisando. Dificilmente Gordon cooperaria conosco, de qualquer maneira. Membros de uma mesma família tendem a permanecer unidos em momentos como este, mesmo que não se entendam muito bem."

"Bem, você andou falando com muita gente", Marino disse.

"Alguns colegas da marinha e universidade, além do chefe dele, na gráfica."

"E o que mais eles falaram sobre o sujeito?"

"Um solitário", Wesley disse. "Nem parecia jornalista. Mostrava mais interesse pela leitura do que pelas entrevistas com as pessoas. Não gostava muito de escrever reportagens. Pelo jeito, a gráfica era conveniente para ele. Ficava nos fundos, com a cara enfiada num livro, quando as coisas andavam devagar. O chefe disse que Steven adorava cuidar das impressoras e outras máquinas. Deixava tudo impecável.

Por vezes, passava dias sem falar com ninguém. O chefe chamou Steven de 'peculiar'."

"Ele deu algum exemplo de excentricidade?"

"Vários", Wesley disse. "Uma mulher, funcionária da gráfica, certa manhã arrancou a ponta do dedo com uma guilhotina para papel. Steven ficou furioso porque ela sangrou no equipamento que ele tinha acabado de limpar. Sua reação à morte da mãe também foi anormal. Steven estava lendo, na hora do almoço, quando recebeu um telefonema do hospital. Ele não demonstrou emoção alguma. Voltou para a cadeira e continuou a ler o livro."

"Um sujeito profundamente amoroso", Marino disse.

"Ninguém o descreveu como amoroso."

"O que aconteceu depois da morte da mãe?", perguntei.

"Bem, presumo que Steven recebeu a herança. Ele se mudou para Williamsburg, alugou a loja em Merchant's Square e abriu a livraria, The Dealer's Room. Isso foi há nove anos."

"Um ano antes do assassinato de Jill Harrington e Elizabeth Mott", falei.

Wesley fez que sim. "Ele já estava morando na região. Esteve por aqui durante todos os crimes. Vem trabalhando na livraria desde que a abriu, exceto por um período de cinco meses, há uns sete anos. A loja ficou fechada, então. Não sabemos qual o motivo, nem para onde Spurrier foi."

"Ele toca a livraria sozinho?", Marino indagou.

"É uma loja pequena. Não tem empregados. Fecha às segundas-feiras. Pelo que sabemos, quando não há muito movimento ele fica sentado atrás do balcão, lendo. Quando sai da loja antes do horário do fechamento, simplesmente tranca a porta e encerra o expediente. Se pretende voltar, coloca um aviso dizendo a hora em que reabrirá a loja. Ele tem secretária eletrônica também. Se a pessoa quer determinado livro, ou deseja que ele procure uma obra esgotada, pode deixar o pedido na secretária."

"É curioso que alguém tão anti-social abra um negócio que exige contato com clientes, mesmo que esse contato seja limitado", falei.

"Na verdade, ele tem um comportamento muito coerente", Wesley disse. "A livraria serve como covil perfeito para um voyeur, alguém intensamente interessado na observação das pessoas sem envolvimento pessoal direto com elas. Soubemos que os estudantes de William e Mary freqüentam a livraria, pois Spurrier tem livros difíceis e esgotados, além de sucessos de ficção e não-ficção. Além disso, oferece uma vasta seleção de novelas de espionagem e revistas militares, que atraem pessoas das bases militares próximas. Se ele é o assassino, então observar casais jovens e atraentes, bem como militares que entram na loja, deve fasciná-lo como voyeur. Ao mesmo tempo, isso estimula suas noções de inadequação, frustração, raiva. Ele odeia o que inveja, e invejava o que odeia."

"Fico imaginando se ele não sofreu alguma humilhação quando estava na marinha", conjeturei.

"Com base nas informações que obtive, isso de certa forma ocorreu. Os colegas de Spurrier o consideravam incompetente e fracassado, enquanto os superiores o achavam arrogante e distraído. No entanto, ele nunca teve problemas disciplinares. Spurrier não fazia sucesso com as mulheres e vivia isolado, em parte por escolha própria e em parte porque os outros não consideravam sua personalidade particularmente atraente."

"Talvez na marinha ele tenha chegado mais perto da sensação de ser um homem de verdade", Marino disse. "Conseguiu ser o que sonhava. O pai morreu, e Spurrier teve de cuidar da mãe doente. Em seu modo de ver, ele foi sacaneado."

"Isso é bem possível", Wesley concordou. "De qualquer maneira, o assassino com quem lidamos acredita que seus problemas são culpa dos outros. Ele não assume responsabilidades. Sente que sua vida é controlada pelos outros, e portanto controlar os outros e o ambiente tornou-se uma obsessão para ele."

"Pelo jeito, parece que ele quer vingar-se do mundo", Marino disse.

"O assassino está mostrando que tem poder", Wesley disse. "Se os aspectos militares entram em suas fantasias, como eu acredito que aconteça, então ele acredita ser o soldado perfeito. Mata sem ser apanhado. É mais esperto do que o inimigo, chega a brincar com ele, e sempre vence. É bem possível que ele prepare tudo de maneira a levar os encarregados da investigação a suspeitar que o autor é um soldado profissional, provavelmente alguém de Camp Peary."

"Uma campanha de desinformação particular", concluí.

"Ele não pode destruir os militares", Wesley acrescentou, "mas tenta denegrir a imagem da corporação, caluniar e degradar os soldados."

"Sim, e enquanto isso ele fica lá, dando risada", Marino disse.

"Creio que o ponto principal é que as atividades do assassino são produto de suas fantasias sexuais violentas que existiam antes, no contexto de seu isolamento social. Ele acredita que vive num mundo injusto, e a fantasia lhe fornece uma válvula de escape importante. Em suas fantasias, ele pode expressar as emoções e controlar outros seres humanos, ele pode ser e conseguir tudo que deseja. Ele pode controlar a vida e a morte. Tem o poder de decidir se vai ferir ou matar."

"Infelizmente, Spurrier não fica só *fantasiando* a morte dos casais", Marino disse. "Se fosse assim, nós três não estaríamos sentados aqui tendo esta conversa."

"Infelizmente, as coisas não funcionam desse jeito", Wesley disse. "Se o comportamento violento e agressivo domina o pensamento e a imaginação, a pessoa começa a agir de maneira a se aproximar da expressão real dessas emoções. A violência alimenta pensamentos mais violentos, e pensamentos mais violentos estimulam ações violentas. Depois de um tempo, a violência e o assassinato passam a fazer parte da vida adulta, naturalmente, e o sujeito não vê nada de errado nisso. Ouvi serial killers dizerem enfaticamente que, ao matar, eles estão fazendo apenas o que todo mundo gostaria de fazer."

"Pensar o mal é fazer o mal", falei.

E resolvi divulgar minha teoria a respeito da bolsa de Deborah Harvey.

"Creio que é possível que o assassino soubesse quem Deborah era", falei. "Talvez não o soubesse quando seqüestrou o casal, mas acho que já sabia quando os matou."

"Por favor, explique-se", Wesley disse, estudando minha expressão com interesse.

"Vocês por acaso viram o relatório das impressões digitais?"

"Eu vi", Marino respondeu.

"Como sabe, quando Vander examinou a bolsa de Deborah ele encontrou impressões parciais, borradas, nos cartões de crédito. Mas não achou nada na carteira de motorista."

"E daí?", Marino perguntou, intrigado.

"O conteúdo da bolsa foi bem preservado, pois era de náilon à prova d'água. Os cartões de crédito e a carteira de motorista estavam num compartimento com zíper, dentro de carteirinhas plásticas. Portanto, foram preservados da ação dos elementos e dos fluidos corporais da decomposição. Se Vander não tivesse encontrado nada, fim da questão. Mas eu achei muito interessante que ele tivesse encontrado vestígios de impressões nos cartões de crédito, mas não na licença de motorista. Afinal, sabemos que Deborah tirou a carteira de motorista dentro do Seven-Eleven, quando tentou comprar cerveja. Ela entregou a carteira a Ellen Jordan, a moça do caixa. Andei pensando que o assassino pode ter tocado a carteira de motorista de Deborah, também, e depois precisou limpá-la."

"Por que ele faria isso?", Marino perguntou.

"Talvez, quando ele estava dentro do carro, com o casal, apontando a arma para eles, com intenção de cometer o seqüestro, Deborah tenha se identificado", respondi.

"Interessante", Wesley disse.

"Deborah era uma moça discreta, mas tinha perfeita noção da importância de sua família e do poder da mãe", prossegui. "Ela pode ter informado o seqüestrador esperando que ele mudasse de idéia, imaginando que fazer mal aos dois seria arranjar uma confusão dos diabos. Talvez isso tenha abalado o assassino, e ele pediu uma prova da identidade dela. Aí, pegou a carteira de motorista, para ver o nome."

"E como a bolsa foi parar no meio do mato, e por que ele deixou o valete de copas dentro dela?", Marino perguntou.

"Talvez para ganhar algum tempo", falei. "Ele sabia que o jipe seria encontrado logo, e se sabia quem era Deborah deduziu que metade da polícia do estado sairia atrás deles. Acho que ele resolveu reduzir os riscos, evitando que o valete de copas fosse achado imediatamente. Por isso, deixou a carta junto com os corpos, e não dentro do jipe. Ao colocar o valete dentro da bolsa e a bolsa debaixo do corpo de Deborah, ele garantiu que a carta seria encontrada, mas só depois de algum tempo. Ele mudou as regras um pouco, mas ganhou o jogo de qualquer maneira."

"Nada mau. O que acha?" Marino olhou para Wesley.

"Creio que jamais saberemos o que ocorreu exatamente", ele disse. "Mas não me surpreenderia se Deborah tivesse feito exatamente o que Kay sugeriu. Uma coisa é certa — não importa o que a moça disse, ou as ameaças que fez; teria sido arriscado demais para o assassino libertar Deborah e Fred, pois provavelmente eles seriam capazes de identificá-lo. Sendo assim, deu seguimento ao plano de assassiná-los. Contudo, os desdobramentos inesperados podem tê-lo abalado." Ele se voltou para mim. "Portanto, ele talvez tenha mesmo alterado o ritual. Também pode ter deixado a carta na bolsa de Deborah como forma de mostrar o desprezo por ela e por quem ela era."

"Uma espécie de 'vá se danar'", Marino disse.

"Possivelmente", Wesley concordou.

Steven Spurrier foi detido na sexta-feira seguinte, quando dois agentes do FBI e um detetive local que o seguiam o dia inteiro foram atrás dele no estacionamento por dia do aeroporto de Newport News.

Quando o telefonema de Marino me acordou, antes do amanhecer, meu primeiro pensamento foi que outro casal havia desaparecido. Precisei de algum tempo para entender o que ele estava dizendo ao telefone.

"Eles o pegaram quando ele estava roubando outro par de placas", ele disse. "Ele foi acusado de furto. Não deu para fazer mais nada. Pelo menos, temos um motivo para virar o cara pelo avesso."

"Outro Lincoln?", perguntei.

"Desta vez um 1991, cinza-prata. Está no xadrez, esperando o magistrado. Não tem como segurar o cara por conta de um furto vagabundo como esse. No máximo, a polícia pode enrolar um pouco e a justiça processá-lo sem muita pressa. Mas ele vai acabar saindo."

"E quanto a um mandado de busca?"

"A casa dele está cheia de policiais e agentes federais, agora mesmo. Eles estão atrás de qualquer coisa, de revistas *Soldier of Fortune* a modelos de montar."

"Você vai para lá, imagino."

"Claro. Depois eu ligo."

Seria impossível para mim voltar a dormir. Joguei um robe por cima do ombro, desci e acendi a luz no quarto de Abby.

"Sou eu", falei, quando ela se sentou na cama. Abby gemeu, cobrindo os olhos.

Contei-lhe o que havia acontecido. Depois fui para a cozinha e pus água para o café.

"Eu daria tudo para estar presente durante a busca na casa dele", Abby disse, tão excitada que fiquei surpresa por ela não ter saído correndo pelo jardim.

Pelo contrário, ela passou o dia em casa, subitamente interessada nos afazeres domésticos. Fez faxina no quarto dela, me ajudou a limpar a cozinha, chegou a varrer o quintal. Queria saber o que a polícia havia encontrado e foi suficientemente inteligente para perceber que não adiantava nada pegar o carro e seguir para Williamsburg, pois não permitiriam que entrasse nem na casa nem na livraria de Spurrier.

Marino passou no início da noite, quando Abby e eu estávamos pondo a louça na máquina. Soube instantaneamente, pela expressão em seu rosto, que as notícias não eram boas.

"Em primeiro lugar, vou lhe contar o que *não* encontramos", ele começou. "Não encontramos nada remotamente capaz de convencer um júri de que Spurrier algum dia matou uma mosca sequer. Facas, só na cozinha. Nada de armas ou cartuchos. Nada de lembranças, como sapatos, jóias, chumaços de cabelo, seja lá o que for, que possa ter pertencido às vítimas."

"A livraria também foi revistada?"

"Claro."

"E o carro dele, obviamente."

"Nada."

"Então conte o que vocês *encontraram*", perguntei, deprimida.

"Um monte de material depravado, o bastante para mostrar que foi ele, doutora", Marino disse. "Sabe, o sujeito não é nenhum escoteiro. Tem revistas de mulher pelada, com pornografia violenta. Além disso, tem muitos livros sobre militares, especialmente a CIA, além de pastas com recortes sobre a CIA. Tudo catalogado, rotulado. O sujeito é mais organizado que uma bibliotecária velha."

"Encontraram recortes de jornais sobre os casos?", perguntei.

"Encontramos, bem como reportagens antigas sobre Jill Harrington e Elizabeth Mott. Também achamos catálogos de lojas de espionagem, como eles chamam. Sabe, onde vendem equipamento de segurança e sobrevivência, de carros blindados a detectores de bombas e óculos para visão noturna. O FBI vai checar tudo, ver o que ele andou comprando nos últimos anos. As roupas de Spurrier são interessantes, também. Ele deve ter uma dúzia de conjuntos esportivos de náilon no guarda-roupa, todos em preto ou azul-marinho. Sem uso, com as etiquetas cortadas, como se fossem descartáveis, para usar por cima da roupa e largar em algum lugar, depois do ato."

"Náilon deixa pouquíssimas fibras", falei. "Jaquetas e agasalhos de náilon não soltam quase nada."

"Certo. Vamos ver. O que mais?" Marino fez uma pausa para terminar a bebida. "Ah, certo. Duas caixas de luvas cirúrgicas e um monte daqueles protetores para sapatos que vocês usam lá no necrotério."

"Galochas descartáveis?"

"Isso mesmo. Como as que vocês usam no necrotério, para não sujar o sapato de sangue. Adivinhe o que mais tinha lá. Baralhos, quatro baralhos ainda fechados, com o celofane em volta."

"Imagino que não tenham encontrado nenhum baralho aberto, faltando o valete de copas", arrisquei, esperançosa.

"Não. Mas isso não me surpreende. Ele provavelmente tira o valete de copas e joga o resto do baralho fora."

"Todas da mesma marca?"

"Não. Mais de uma marca."

Abby estava sentada na cadeira, silenciosa, com os dedos cruzados no colo.

"Não faz sentido não haver armas lá", falei.

"O sujeito é ladino, doutora. Toma muito cuidado."

"Não tomou cuidado suficiente. Ele guardava recortes dos assassinatos, agasalhos de náilon, luvas. E foi flagrado com a mão na massa, furtando as placas de um carro, o que me leva a pensar que ele estava se preparando para atacar de novo."

"Ele tinha placas roubadas no carro, quando pediu informações a vocês", Marino lembrou. "Nenhum casal desapareceu naquele final de semana, pelo que sabemos."

"Isso é verdade", concordei. "E ele tampouco estava usando o agasalho de náilon."

"Talvez deixe para pôr a roupa no final. Talvez a guarde numa sacola esportiva, no porta-malas. Aposto que ele tem um kit."

"Encontraram alguma sacola?", Abby perguntou, direta.

"Não", Marino disse. "Nada de kit para assassinar."

"Bem, se encontrarem uma sacola esportiva, ou kit para assassinar", Abby acrescentou, "então vão achar a faca, o revólver, os óculos e o resto."

"Vamos procurar até dizer chega."

"Onde ele está agora?", perguntei.

"Estava sentado na cozinha da casa dele, tomando café, quando saí", Marino respondeu. "Inacreditável pra cacete. Estávamos botando a casa abaixo e ele nem suava. Quando perguntamos a respeito dos agasalhos esportivos, ele disse que não ia falar conosco sem a presença de um advogado. Depois tomou um gole de café e acendeu um cigarro, como se não estivéssemos lá. Ah, esqueci disso. O malandro fuma."

"Que marca?", perguntei.

"Dunhill. Provavelmente compra naquela tabacaria fresca do lado da livraria. Usa um isqueiro chique, também. Muito caro."

"Isso explica a remoção do papel das pontas, antes de deixá-las nas cenas dos crimes", falei. "Dunhill não é um cigarro comum."

"Sei disso", Marino falou. "Tem um anel dourado em volta do filtro."

"Vocês recolheram amostras?"

"Claro que sim." Ele sorriu. "É o nosso trunfo. A carta na manga que vai derrubar o valete de copas dele. Se não conseguirmos provar nada nos outros casos, pelo menos teremos o assassinato de Jill Harrington e Elizabeth Mott para condená-lo. O teste de DNA vai cuidar dele. Pena que esses testes demorem tanto tempo."

Depois que Marino saiu, Abby me encarou, friamente.

"O que acha?", perguntei.

"Apenas provas circunstanciais."

"Por enquanto, é só o que temos, mesmo."

"Spurrier tem dinheiro", ela disse. "Ele vai conseguir o melhor advogado que o dinheiro puder comprar. Sei exatamente o que vai acontecer. O advogado vai dizer que o cliente dele foi escolhido pela polícia e pelos federais por causa da pressão para resolver os homicídios. Vai enfatizar que muita gente anda procurando um bode expiatório, principalmente em face das acusações feitas por Pat Harvey."

"Abby..."

"Talvez o assassino seja mesmo alguém de Camp Peary."

"Você não acredita nisso realmente", protestei.

Ela consultou o relógio. "Talvez os agentes federais já saibam quem é e tenham resolvido o problema. Isso explicaria por que nenhum outro casal desapareceu, depois de Fred e Deborah. E alguém precisa pagar, para dissipar as suspeitas e encerrar o caso dando uma satisfação ao público..."

Reclinada na cadeira, ergui os olhos para o teto enquanto ela falava.

"Não há dúvida de que Spurrier anda metido em alguma encrenca, ou não estaria furtando placas de automóveis. Talvez venda drogas. Talvez seja arrombador, ou goste de passear com placas dos carros dos outros. Sei que ele é esquisito o bastante para se encaixar no perfil do assassino, mas o mundo anda lotado de malucos que não matam ninguém. Quem pode afirmar que o material na casa dele não foi plantado?"

"Por favor, chega", falei sem levantar a voz.

Mas ela não pretendia parar. "Tudo parece certinho demais. Agasalhos esportivos, luvas, baralhos, pornografia, recortes de jornais. Não faz o menor sentido não haver nem armas nem munição. Spurrier foi apanhado de surpresa, não tinha a menor idéia de que o vigiavam. Na verdade, essa história não só não faz sentido como é conveniente demais. Afinal, os federais não poderiam plantar a pistola que disparou a bala que foi achada no corpo de Deborah Harvey."

"Você tem razão. Isso eles não poderiam plantar." Levantei-me da mesa e comecei a limpar o balcão, pois não conseguia ficar parada.

"É interessante notar que a única prova que não poderiam plantar acabou não aparecendo."

Não faltavam histórias de policiais e agentes federais plantando provas para prender alguém. A ACLU provavelmente tinha uma sala cheia de arquivos com acusações do gênero.

"Você não está me escutando", Abby disse.

"Vou tomar um banho", respondi, desanimada.

Ela se aproximou da pia, onde eu torcia o pano de pia. "Kay?"

Parei o que fazia e olhei para ela.

"Você quer que tudo se resolva facilmente", ela disse, em tom de censura.

"Sempre quero que as coisas se resolvam facilmente. Mas quase nunca é assim."

"Você quer que tudo se resolva facilmente", ela repetiu. "Não quer pensar que as pessoas em quem confia possam mandar um homem inocente para a cadeira elétrica, só para livrar a própria cara."

"Quanto a isso, não resta a menor dúvida. Não quero pensar assim. Recuso-me a pensar nisso, a não ser que tenha provas. E Marino estava na casa de Spurrier. Ele nunca faria uma coisa dessas."

"Ele estava lá." Ela se afastou de mim. "Mas não foi o primeiro a chegar. Quando chegou, talvez tenha visto o que eles queriam que ele visse."

17

A primeira pessoa que vi quando cheguei ao departamento, na segunda-feira pela manhã, foi Fielding.

Eu havia entrado pelos fundos, e ele já estava usando a roupa cirúrgica, pronto para entrar no elevador. Quando notei as galochas plásticas descartáveis sobre seu sapato, pensei no que a polícia encontrara na casa de Steven Spurrier. Nossos suprimentos médicos eram fornecidos pelo governo. Mas havia uma série de lojas, em qualquer cidade, que vendia galochas e luvas descartáveis. Não era preciso ser médico para adquirir esses objetos, assim como ninguém precisava ser policial para comprar farda, distintivo e revólver.

"Espero que tenha dormido bastante esta noite", Fielding me preveniu, quando as portas do elevador se abriram.

Entramos.

"Pode dar a má notícia. Quantos temos esta manhã?", perguntei.

"Seis autópsias, todas de casos de homicídio."

"Ótimo", falei, irritada.

"Pois é. O Clube da Faca e Tiro andou animado, no final de semana. Quatro mortos a bala, dois a facada. A primavera chegou."

Descemos no segundo andar e eu já estava tirando o casaco e enrolando a manga da blusa quando entrei em minha sala. Marino, sentado na poltrona, com a pasta no colo, acendia um cigarro. Presumi que um dos casos daquela manhã era dele até que ele me passou dois relatórios do laboratório.

"Achei que você ia querer ver isso pessoalmente", ele disse.

No cabeçalho de um dos exames constava o nome de Steven Spurrier. O laboratório de serologia já havia completado o exame de sangue. O outro relatório tinha oito anos e continha os exames feitos no sangue encontrado dentro do carro de Elizabeth Mott.

"Claro, ainda vai demorar um pouco até chegarem os resultados do DNA", Marino explicou. "Mas, até agora, tudo bem."

Sentei-me à mesa para estudar os exames. O sangue do Volkswagen era tipo O, PGM tipo 1, EAP tipo B, ADA tipo 1 e EsD tipo 1. Essa combinação específica podia ser encontrada em cerca de oito por cento da população. Os resultados combinavam com os obtidos no sangue de Spurrier, obtido no kit de suspeitos. Ele também era tipo O, e os tipos dos outros grupos idênticos. Como outras enzimas haviam sido testadas, a combinação se reduzira a aproximadamente um por cento da população.

"Não é o bastante para acusá-lo de assassinato", falei a Marino. "Precisamos mais do que o tipo sanguíneo para localizá-lo num grupo de milhares de pessoas."

"Uma pena que o antigo exame de sangue não seja mais completo."

"Eles não costumavam realizar testes para tantas enzimas naquele tempo", expliquei.

"Não podem fazer isso agora?", ele sugeriu. "Se pudéssemos reduzir o grupo, ajudaria muito. O teste de DNA do sangue de Spurrier vai levar semanas."

"Eles não vão conseguir fazer o teste", avisei-o. "O sangue do carro de Elizabeth é velho demais. Depois de tantos anos, as enzimas se deterioraram. Os resultados seriam menos específicos do que o relatório que já temos há oito anos. O máximo que se poderia obter atualmente é o grupo

ABO, e quase metade da população é tipo O. Não temos escolha senão aguardar o resultado do DNA. Além disso", acrescentei, "mesmo que pudéssemos prendê-lo agora, ele sairia pagando a fiança. Continua sob vigilância, espero."

"Está sendo vigiado de perto, e pode apostar que ele sabe disso. A boa notícia é que dificilmente ele vai tentar assassinar alguém. A má notícia é que terá tempo para destruir provas. Como a arma do crime."

"A tal sacola esportiva que não apareceu."

"Não sei como não conseguimos encontrá-la. Fizemos tudo, menos arrancar as tábuas do assoalho."

"Talvez devessem arrancar as tábuas do assoalho."

"É, talvez."

Eu estava tentando imaginar onde Spurrier poderia ter escondido a sacola quando me dei conta. Não sei por que não pensei nisso antes.

"Spurrier é forte?", perguntei.

"Ele não é muito grande, mas parece bem forte. Não tem um grama de gordura."

"Então ele deve malhar, fazer exercícios."

"Provavelmente. Por quê?"

"Se ele freqüenta algum lugar, como o YMCA ou uma academia, deve ter um armário. Eu tenho um, em Westwood. Se quisesse esconder alguma coisa, lá seria um ótimo lugar. Ninguém desconfiaria quando ele saísse do clube com uma sacola esportiva na mão, ou quando voltasse para guardar a sacola no armário."

"Idéia interessante", Marino disse, pensativo. "Vou pesquisar por aí, ver o que consigo descobrir."

Ele acendeu outro cigarro e abriu a pasta. "Tenho fotografias da casa dele, caso esteja interessada."

Olhei para o relógio. "Estou com a casa cheia, lá embaixo. Precisamos ver isso depressa."

Ele me entregou um envelope pardo cheio de fotos dezoito por vinte e quatro. Estavam em ordem, e examiná-las era o mesmo que andar pela casa de Spurrier usando os olhos de Marino, começando pela entrada colonial de tijolo com caminho calçado com tijolo ladeado de sebe que conduzia à porta de entrada preta. Nos fundos havia um acesso pavimentado que dava para a garagem anexa à casa.

Espalhei as outras fotos sobre a mesa e vi a sala. Sobre o assoalho de tábuas havia um sofá de couro cinza e uma mesa de centro com tampo de vidro. No meio da mesa havia uma planta de latão, num pedaço de coral. Um exemplar recente do *Smithsonian* estava perfeitamente alinhado com as beiradas da mesa. No centro da revista encontrava-se o controle remoto que devia operar o projetor de televisão suspenso no teto branco como se fosse uma nave espacial. Um telão para projeção de oitenta polegadas estava discretamente enrolado numa barra acima da estante cheia de fitas de vídeo cuidadosamente etiquetadas e dezenas de volumes encadernados cujos títulos não consegui identificar. Na lateral da estante havia uma bancada com equipamento eletrônico sofisticado.

"O malandro tem um home theater", Marino disse. "Tem caixas tipo surround, falantes em todos os quartos. O sistema deve ter custado mais do que a sua Mercedes, e ele não passava as noites vendo *A noviça rebelde*, pode apostar. Aquelas fitas ali na estante" — ele estendeu o braço por cima da mesa para apontar — "são do tipo *Máquina mortífera*, com cenas de Vietnã e grupos de extermínio. Na prateleira de cima está o melhor da história. As fitas parecem ser do tipo comum, grandes sucessos do cinema. Mas, quando a gente as coloca no aparelho, leva um susto daqueles. A que tem escrito no rótulo *Num lago dourado* deveria se chamar *Numa fossa negra*. Pornografia violenta. Benton e eu passamos o dia juntos, ontem, vendo tudo. Não dá para acreditar. Fiquei com vontade de tomar banho o tempo inteiro."

"Achou vídeos domésticos?"

"Não. Nem equipamento fotográfico."

Olhei outras fotos. Na sala de jantar havia outra mesa de vidro, rodeada de cadeiras de acrílico transparente. Notei que o assoalho de madeira não tinha tapetes. Aliás, não havia nem tapete nem carpete em canto algum da casa.

A cozinha era imaculada e moderna. Persianas cor de gelo protegiam as janelas. Não havia cortinas nos quartos, nem mesmo no aposento onde a criatura dormia. A cama de latão de casal era king size, bem arrumada, com lençóis brancos mas sem colcha. As gavetas abertas da cômoda mostravam os agasalhos esportivos que Marino mencionara, e nas caixas no chão do closet estavam as luvas cirúrgicas e as galochas descartáveis.

"Não há nada de tecido", eu falei, atônita, guardando as fotos no envelope. "Nunca vi uma casa que não tivesse pelo menos um tapete."

"Nem cortinas. Nem mesmo no chuveiro", Marino disse. "Ele tem box de vidro. Claro, há toalhas, lençóis, roupas."

"Que ele provavelmente lava a todo momento."

"O estofamento do Lincoln é de couro", Marino disse. "E o carpete está coberto com tapetes de borracha."

"Ele não tem animais de estimação?"

"Não."

"O modo como mobiliou a casa talvez tenha um significado mais amplo do que traços de sua personalidade."

Marino olhou para mim. "É, andei pensando nisso."

"Fibras, pêlos de animais", falei. "Ele não precisa preocupar-se em largar pistas por aí."

"Não achou interessante que os veículos abandonados estivessem tão limpos?"

Sim.

"Talvez ele passasse aspirador neles depois dos crimes", ele disse.

"Num lava-rápido?"

"Num posto de gasolina, prédio de apartamentos, qualquer lugar que tenha um aspirador que funciona com moedas. Os assassinatos foram cometidos tarde da noite. Quando ele parava em algum lugar para aspirar o carro, não havia muita gente por perto para ver o que estava fazendo."

"Talvez. Quem pode saber o que ele fazia?", indaguei. "Mas o quadro que temos é de alguém obsessivamente limpo e cuidadoso. Alguém muito paranóico e familiarizado com os tipos de provas importantes em exames forenses."

Reclinando-se na cadeira, Marino disse: "O Seven-Eleven no qual Deborah e Fred pararam na noite em que eles desapareceram. Estive lá no fim de semana e falei com a moça do caixa".

"Ellen Jordan?"

Ele fez que sim. "Mostrei algumas fotos a ela, perguntando se havia alguém parecido com o sujeito que comprou café no Seven-Eleven na noite em que Fred e Deborah estiveram lá. Ela apontou para a foto de Spurrier."

"Tinha certeza?"

"Sim. Disse que usava uma espécie de agasalho escuro. Ela só se lembra mesmo que o sujeito usava roupa escura. Creio que Spurrier já estava com o conjunto esportivo quando entrou no Seven-Eleven. Andei repassando algumas coisas, em minha cabeça. Vamos começar pelos dois fatos comprovados. O interior dos carros abandonados estava muito limpo, e nos quatro casos anteriores ao de Deborah e Fred, havia fibras brancas de algodão no banco do motorista, certo?"

"Certo", concordei.

"Muito bem. Creio que o maluco saiu para procurar uma vítima e viu Fred e Deborah na estrada, quem sabe sentados bem juntinhos. A cabeça dela no ombro de Fred, essas coisas. Isso detonou o processo. Ele começou a segui-los, estacionou no Seven-Eleven logo depois que eles pararam lá. Pode ter vestido o agasalho esportivo nesse momento, no próprio carro. Talvez já o usasse. De todo modo, ele entra, fica por lá olhando as revistas, compra café e ouve a conversa do casal com a moça do caixa. Ela orienta Fred e Deborah a irem até a área de descanso mais próxima, onde encontrarão um banheiro. Ele sai, segue para o leste pela Sessenta e Quatro, entra na área de descanso e estaciona. Pega a bolsa na qual guarda armas, material para amarrar, luvas e outros objetos. Esconde-se até ver Deborah e Fred chegarem. Provavelmente, espera até que ela se afaste para usar o banheiro das mulheres e se aproxima de Fred. Conta uma história qualquer a respeito do carro, que quebrou em algum lugar. Talvez Spurrier diga que estivera malhando na academia e agora voltava para casa. Isso explicaria o modo como se vestia."

"Fred não o reconheceria do Seven-Eleven?"

"Duvido muito", Marino disse. "Mas não importa. Spurrier seria esperto o suficiente para dizer que foi isso mesmo. Ele havia tomado um café lá, no Seven-Eleven, e o carro pifou logo depois que ele saiu. Ele diz que acabou de chamar o guincho e queria saber se Fred poderia dar-lhe uma carona até o carro, onde ele esperaria pelo guincho. Disse que o carro estava logo adiante etc. Fred concorda, Deborah retorna. Assim que entra no Cherokee, Spurrier pode dominar Fred e Deborah."

Recordei-me de que Fred foi descrito como um rapaz solícito, atencioso. Provavelmente, teria ajudado um desconhecido em dificuldades, em especial alguém convincente e convencional como Steven Spurrier.

"Quando o Cherokee voltou para a Interestadual, Spurrier encosta no banco e abre o zíper da sacola. Põe as luvas, as galochas descartáveis e saca a arma. Aponta para a cabeça de Deborah..."

Pensei na reação do sabujo quando farejou o assento em que Deborah estivera sentada. O cachorro percebera o terror sentido por ela.

"...Spurrier ordena a Fred que siga até o local que havia selecionado previamente. Quando param na estradinha vicinal, as mãos de Deborah provavelmente já estão amarradas nas costas. Ela já tirou o sapato e a meia. Spurrier ordena a Fred que também tire o sapato e a meia, depois amarra as mãos dele. Spurrier os obriga a sair do Cherokee e caminhar para o mato. Ele deve estar usando equipamento de visão noturna, para enxergar melhor. Talvez estivesse na sacola também.

"Aí começa o jogo", Marino prosseguiu, num tom de voz neutro. "Ele pega Fred primeiro, depois vai atrás de Deborah. Ela resiste, sofre um corte e ele atira. Arrasta os corpos até a clareira, posiciona-os lado a lado. Coloca o braço dela debaixo do braço do namorado, como se estivessem de mãos dadas. Spurrier fuma alguns cigarros, talvez sentado no escuro, ao lado dos corpos, desfrutando a sensação. Em seguida, volta ao Cherokee, tira o conjunto esportivo, a luva e a galocha, que guarda no saco plástico levado para essa finalidade na sacola. Põe os sapatos do casal lá dentro também. Vai embora no carro, acha um lugar deserto com aspirador de moeda e limpa o interior do Cherokee, principalmente o banco do motorista, que ele ocupou. Feito isso, dispensa o saco de lixo, provavelmente numa caçamba. Acho que, daí para a frente, ele cobre o banco do motorista. Usa um lençol branco dobrado, uma toalha branca nos quatro primeiros casos..."

"A maioria dos clubes e academias", interrompi, "oferece toalhas. Há um suprimento de toalhas brancas nos vestiários. Se Spurrier escondia a sacola com o material em alguma academia..."

Marino me cortou. "Sim, estou entendendo direitinho. Droga. Acho melhor começar a trabalhar nisso logo."

"Uma toalha branca poderia explicar as fibras brancas de algodão que encontramos", acrescentei.

"Só que ele deve ter usado alguma coisa diferente, com Deborah e Fred. Diacho, quem pode saber? Talvez um saco plástico, da última vez. A questão é que ele, na minha opinião, cobria o banco para não deixar fibras das roupas dele no assento. Lembre-se, ele não está mais usando o agasalho esportivo, não seria possível, pois estaria cheio de sangue. Ele vai embora, larga o Cherokee onde o encontramos e cruza a Interestadual para chegar à área de descanso na pista leste, onde o Lincoln está estacionado. Pega o carro e some. Missão cumprida."

"Provavelmente, havia muitos carros entrando e saindo da área de descanso naquela noite", falei. "Ninguém notaria um Lincoln parado ali. Mesmo que alguém notasse, as placas não conduziriam a ele, pois seriam 'emprestadas' de alguém."

"Certo. Essa seria sua última tarefa, devolver as placas para o carro do qual as removera ou, se isso fosse complicado, simplesmente jogá-las fora, em algum lugar." Ele parou, esfregando o rosto com as mãos. "Tenho a impressão de que Spurrier adotou esse *modus operandi* antes e o manteve, sem muitas variações, nesses casos. Ele sai por aí caçando, escolhe as vítimas, segue o carro delas, sabe que vai conseguir se elas pararem em algum lugar, seja um bar ou área de descanso em que fiquem o suficiente para que ele tenha tempo de se preparar. Aí ele se aproxima, aborda o casal com uma história qualquer e ganha a confiança deles. Talvez ataque só uma vez em cada cinqüenta saídas. Mas ele não desiste até conseguir pegar alguém."

"A reconstituição parece plausível para os cinco casos mais recentes", falei. "Não creio, porém, que funcione tão bem para Jill e Elizabeth. Se ele deixou o carro no motel Palm Leaf, estava a quase oito quilômetros do Anchor Bar and Grill."

"Não sabemos se Spurrier realmente as pegou no Anchor."

"Tenho a impressão de que foi assim."

Marino olhou para mim, surpreso. "Por quê?"

"Porque as duas mulheres estiveram na livraria dele antes", expliquei. "Elas sabiam quem Spurrier era, embora em minha opinião não o conhecessem muito bem. Estou supondo que ele as observava quando iam comprar jornais ou livros. Suspeito que tenha percebido logo que as duas eram mais do que amigas, e isso o perturbou. Ele tem obsessão por casais. Talvez estivesse pensando no primeiro crime e achou que duas mulheres seriam presas mais fáceis do que um homem e uma mulher. Ele planejou o crime com muita antecedência, e suas fantasias eram estimuladas sempre que Jill e Elizabeth iam à livraria. Ele deve ter seguido as duas, vigiado seus movimentos à noite, ensaiado tudo em diversas oportunidades, sem atacar. Já havia escolhido a área de mata, próxima ao local onde o senhor Joyce morava, e provavelmente atirou no cachorro dele. Certa noite, segue Jill e Elizabeth até o Anchor e decide atacar. Deixa o carro em algum lugar, chega a pé ao bar com a sacola esportiva na mão."

"Está pensando que ele entrou no bar e observou-as enquanto elas tomavam cerveja?"

"Não", falei. "Creio que ele é cauteloso demais para tomar uma atitude dessas. Esperou lá fora, até que saíssem e fossem para o Volkswagen, imagino. Spurrier abordou-as nesse momento e usou a mesma desculpa, o carro quebrado. Era o dono da livraria que elas freqüentavam. Não tinham motivo para temê-lo. Ele entrou no carro e colocou seu plano em prática. Eles não seguiram para a área de mata, e sim para o cemitério. As mulheres, e Jill em particular, não se mostraram muito dispostas a cooperar."

"E ele sangrou no Volkswagen", Marino disse. "Um sangramento pelo nariz, talvez. E nenhum aspirador de pó seria capaz de remover sangue do estofamento ou do tapete do carro."

"Duvido que ele tenha pensado nisso. Spurrier provavelmente se apavorou. Descartou o carro o mais depressa possível, no local mais conveniente, que por acaso era aquele motel. Quanto ao lugar onde o carro dele estava estacionado, não dá para saber. Aposto, porém, que ele precisou dar uma boa caminhada."

"Talvez o episódio com as duas mulheres o tenha assustado tanto que por cinco anos ele não tentou mais nada."

"Não acho que seja isso", falei. "Falta algo nessa história."

Algumas semanas depois, eu estava sozinha em casa, trabalhando em meu escritório, quando o telefone tocou. A gravação da secretária eletrônica mal começou, e a pessoa já desligou. O telefone tocou novamente, meia hora mais tarde. Respondi antes que o aparelho fosse acionado. Eu disse alô, e a pessoa desligou outra vez.

Poderia ser alguém a fim de contatar Abby que não queria falar comigo? Clifford Ring poderia ter descoberto onde ela estava? Distraída, fui até a geladeira preparar um lanche e escolhi algumas fatias de queijo.

Estava de volta ao escritório, cuidando das contas da casa, quando ouvi o ruído de um carro estacionando. O cascalho estalou sob os pneus. Deduzi que era Abby, mas a campainha tocou.

Olhei pelo visor e vi Pat Harvey de jaqueta vermelha, com o zíper fechado. As ligações, pensei. Ela quis se certificar de que eu estava em casa, pois pretendia conversar comigo cara a cara.

Ela me cumprimentou com um "Lamento aparecer assim, sem avisar", mas percebi que não lamentava nada.

"Entre, por favor", falei, hesitante.

Ela me seguiu até a cozinha, para tomar um café. Ela se sentou à mesa, rígida, segurando a xícara com as duas mãos.

"Vou ser direta", ela disse. "Eu soube que o sujeito detido em Williamsburg, Steven Spurrier, pode ter assassinado duas mulheres há oito anos."

"Onde foi que ouviu isso?"

"Não importa. O crime nunca foi solucionado, e agora sabe-se que há uma ligação com as mortes dos cinco casais. As duas mulheres foram as primeiras vítimas de Steven Spurrier."

Notei que a pálpebra inferior de seu olho esquerdo tremia. A deterioração física de Pat Harvey desde que eu a vira pela última vez era chocante. O cabelo castanho perdera o viço; os olhos pareciam embaçados; a pele estava pálida, descorada. Ela estava mais magra do que na época da entrevista coletiva.

"Não tenho certeza de que entendi direito", falei, tensa.

"Ele conquistava a confiança das pessoas e elas se tornavam vulneráveis. Foi exatamente o que ele fez com os outros, com minha filha, com Fred."

Ela disse isso como se declarasse um fato. Em sua cabeça, Pat Harvey já condenara Spurrier.

"Mas ele jamais será punido pelo assassinato de Deborah", ela disse. "Já sei disso."

"É cedo demais para afirmar qualquer coisa", respondi, de modo calmo.

"Eles não têm provas. O que encontraram dentro da casa não basta. Não vai convencer o júri, caso ele chegue a julgamento. Não se pode condenar alguém por assassinato só porque havia recortes de jornal e luvas cirúrgicas dentro de sua casa, especialmente quando a defesa alega que as provas foram plantadas para incriminar o réu."

Ela havia conversado com Abby, percebi, e me veio uma sensação ruim.

"A única prova", ela continuou, fria, "é o sangue encontrado no carro das mulheres. Tudo vai depender do DNA, e o exame poderá ser questionado, pois os crimes aconteceram há muito tempo. Mesmo se houver uma identificação positiva, e o juiz aceitar a prova, não há garantia de que o júri vai acatá-la, principalmente porque a polícia não foi capaz de localizar as armas usadas nos crimes."

"Eles continuam procurando."

"A esta altura ele já teve tempo de sobra para dar fim em tudo", ela retrucou, e eu sabia que tinha razão.

Marino descobrira que Spurrier se exercitava numa academia não muito distante de sua casa. A polícia revistou o armário dele, que não só estava trancado a chave como tinha cadeado. O armário estava vazio. A sacola esportiva azul que segundo várias testemunhas Spurrier sempre carregava, quando ia para a academia, jamais foi encontrada. E nunca o seria, disso eu tinha certeza.

"O que deseja de mim, senhora Harvey?"

"Quero que responda a minhas perguntas."

"Que perguntas?"

"Se existe alguma prova que desconheço, acho melhor me contar."

"A investigação ainda não terminou. A polícia e o FBI estão trabalhando com afinco no caso de sua filha."

Ela olhou para o outro lado da cozinha. "Eles dão informações a você?"

Na hora eu entendi tudo. Nenhum dos envolvidos diretamente na investigação informava sequer o dia da semana a Pat Harvey. Ela se tornara um pária, talvez até motivo de piadas. Não ia admitir isso para mim, mas viera me procurar por causa disso.

"Acredita que Steven Spurrier matou minha filha?"

"Por que minha opinião seria importante?", perguntei.

"Ela importa para mim, e muito."

"Por quê?", insisti.

"Você não forma sua opinião irrefletidamente. Não creio que tire conclusões precipitadas nem que acredite em algo apenas porque deseja acreditar. Você tem familiaridade com as provas" — a voz dela tremeu — "e cuidou de Debbie."

Eu não sabia o que dizer.

"Portanto, vou perguntar novamente. Acredita que Steven Spurrier matou essas pessoas, matou minha filha?"

Hesitei apenas por um instante, mas foi o suficiente. Quando lhe disse que não poderia responder a uma pergunta daquelas e que realmente não sabia a resposta, ela não me ouviu.

Ela se levantou da mesa.

Observei-a enquanto partia. Ela se dissolveu na noite, seu perfil rapidamente iluminado pela luz interna do Jaguar quando entrou no carro e foi embora.

* * *

Abby só voltou depois que eu desisti de esperá-la e fui para a cama. Dormi inquieta e acordei com o ruído da água correndo no andar de baixo. Olhei o relógio. Quase meia-noite. Levantei-me e vesti o robe.

Abby deve ter ouvido o barulho no corredor, pois quando me aproximei do quarto ela estava de pé na porta, descalça, de pijama de moletom.

"Ficou acordada até tarde", ela disse.

"Você também."

"Bem, eu..." Ela não terminou a frase, enquanto eu entrava no quarto e me sentava na beirada da cama.

"O que foi?", ela perguntou, inquieta.

"Pat Harvey veio me visitar esta noite, foi isso. Você andou conversando com ela."

"Andei conversando com um montão de gente."

"Sei que deseja ajudá-la", falei. "Sei que ficou revoltada com a maneira pela qual a morte da filha foi usada para atingi-la. A senhora Harvey é uma mulher excepcional, e sei que você se preocupa com ela. Mas ela precisa ficar afastada da investigação, Abby."

Ela me encarou, sem dizer nada.

"Para seu próprio bem", acrescentei, de modo enfático.

Abby sentou-se no tapete, cruzando as pernas à moda indiana, e encostou na parede.

"O que ela lhe disse?", Abby perguntou.

"Ela está convencida de que Spurrier matou a filha dela e que jamais será punido por isso."

"Eu não tive absolutamente nada a ver com a conclusão a que ela chegou", ela disse. "Pat tem idéias próprias."

"A audiência para indiciamento de Spurrier ocorrerá na sexta-feira. Ela pretende ir até lá?"

"Trata-se apenas de um delito menor. Mas, se quer saber, estou preocupada. Temo que Pat apareça lá e faça uma cena..." Ela balançou a cabeça. "Nem pensar. Não adiantaria nada ela aparecer lá. Ela não é idiota, Kay."

"E você?"

"Eu? Idiota?" Ela quis escapar de novo.

"Você vai ao indiciamento?"

"Claro. E vou lhe contar exatamente o que acontecerá lá. Ele vai entrar e sair. Declarar-se culpado de furto, que é um delito menor, e sair pagando uma multa de mil e quinhentos dólares. Talvez passe um tempinho na cadeia, um mês no máximo. A polícia quer que ele sofra um pouco atrás das grades. Para tentar quebrá-lo e ver se ele resolve falar."

"Como sabe disso?"

"Ele não vai falar", ela prosseguiu. "Eles vão conduzi-lo para fora do fórum na frente de todo mundo e empurrá-lo para dentro de um carro de polícia. Tentarão assustá-lo e humilhá-lo, mas não vai adiantar nada. Ele sabe que não têm provas suficientes. Vai cumprir os dias de prisão e sair. Um mês não é muito tempo."

"Você fala como se sentisse pena dele."

"Não sinto nada por ele", ela disse. "Spurrier usa cocaína esporadicamente, segundo o advogado dele. Na noite em que a polícia o pegou furtando as placas do carro, ele pretendia comprar a droga. Spurrier temia que algum traficante fosse informante e anotasse o número da placa para passar à polícia. Essa é a explicação para o roubo das placas."

"Você não pode acreditar nisso", falei, de modo veemente.

Abby esticou as pernas, piscando um pouco. Sem dizer uma palavra, ela se levantou e saiu do quarto. Segui-a até a cozinha, sentindo a frustração aumentar. Quando ela começou a encher um copo de gelo, pus as mãos no ombro dela e fiz com que se voltasse para me encarar.

"Está me ouvindo?"

Seus olhos se suavizaram. "Por favor, não fique brava comigo. O que estou fazendo não tem nada a ver com você nem com nossa amizade."

"Que *amizade*? Sinto como se não a conhecesse mais. Você deixa dinheiro pela casa como se eu fosse sua empregada, caramba. Não me lembro da última vez em que fizemos uma refeição juntas. Você nunca conversa comigo. Está tão obcecada com esse livro idiota! Você viu o que aconteceu a Pat Harvey. Não percebe que a mesma coisa está acontecendo com você?"

Abby apenas me encarou.

"Pelo jeito, você já tomou sua decisão a respeito", falei, tentando me comunicar com ela. "Por que não me diz o que é?"

"Não há decisão alguma a tomar", ela disse em voz baixa, afastando-se de mim. "Já foi tudo decidido."

Fielding ligou no sábado de manhã para avisar que não havia autópsias. Exausta, voltei para a cama. Levantei tarde. Depois de um banho quente demorado, estava pronta para lidar com Abby e buscar um modo de consertar nosso relacionamento abalado.

Quando, porém, desci a seu quarto e bati na porta, não obtive resposta. Ao sair para apanhar o jornal, reparei que o carro dela não estava lá fora. Irritada por perceber que ela havia conseguido me evitar mais uma vez, pus água para fazer o café.

Tomava a segunda xícara quando uma nota chamou minha atenção:

LIVREIRO DE WILLIAMSBURG
CUMPRIRÁ PENA EM LIBERDADE

Li, horrorizada, que Steven Spurrier não fora algemado e conduzido para uma viatura depois do indiciamento, no dia anterior, como Abby previra. Ele se declarou culpado de furto e, como não tinha passagem pela polícia, sendo um cidadão respeitado e cumpridor da lei em Williamsburg, recebeu multa de mil dólares e saiu do fórum em liberdade.

Já foi tudo decidido, Abby havia dito.

Estaria se referindo a isso? Se ela sabia que Spurrier seria solto, por que deliberadamente me levou a pensar o contrário?

Saí da cozinha e abri a porta do quarto dela. A cama estava feita e as cortinas fechadas. No banheiro, notei gotas de água na pia e um odor suave de perfume. Ela não podia ter saído havia muito. Procurei a pasta e o gravador e não achei. O trinta-e-oito não estava na gaveta. Revirei as gavetas até encontrar seus blocos de anotação, escondidos debaixo das roupas.

Sentada na beirada da cama, folheei os blocos freneticamente. Percorrendo os registros de seus dias e semanas, tudo ficou claro.

O que começara como uma cruzada de Abby para descobrir a verdade a respeito da morte dos casais se tornara uma obsessão ambiciosa. Ela parecia fascinada por Spurrier. Se ele fosse culpado, ela decidira tornar a história da vida dele o fio condutor do livro, explorando sua mente psicopata. Se ele fosse inocente, teríamos "outro Gainesville", ela escreveu, referindo-se ao assassinato dos estudantes universitários no qual um suspeito foi estigmatizado até que, no final, provou sua inocência. "Embora seja pior do que Gainesville", ela acrescentou, "por causa do significado da carta de baralho."

No começo, Spurrier recusou os insistentes pedidos de entrevista de Abby. No final da semana anterior, ela tentou novamente e ele acabou atendendo ao telefone. Sugeriu que se encontrassem depois da audiência de indiciamento, revelando a ela que o advogado conseguira "um acordo".

"Ele disse que leu minhas matérias no *Post*", Abby escreveu, "e que se lembrava de algumas reportagens da época em que eu estava em Richmond. Ele se recordava do que eu havia escrito a respeito de Jill e Elizabeth, comentou que elas eram 'boas moças' e que sempre torceu para que a polícia pegasse o 'psicopata'. Ele sabia também a respeito de minha irmã, disse ter lido sobre o assassinato dela. Foi esse o motivo para finalmente concordar em falar comigo, ele disse. 'Sentia muito' o que acontecera comigo e disse que eu devia saber exatamente como era 'ser uma vítima', pois a morte de minha irmã fizera também de mim uma vítima.

"'Sou uma vítima', ele disse. 'Podemos falar a respeito disso. Talvez você possa me ajudar a entender o que está acontecendo'.

"Ele sugeriu que eu fosse a sua casa no sábado de manhã, às onze. Concordei, desde que a entrevista fosse exclusiva. Ele disse que tudo bem, não tinha a menor intenção de falar com mais ninguém, desde que eu contasse o lado dele da história. 'A verdade', em suas palavras. Graças a Deus! Cliff, vá se foder, você e seu livro! Está perdido."

Cliff Ring estava escrevendo um livro a respeito dos casos. Minha nossa. Não admirava que Abby andasse tão estranha.

Ela mentira ao me contar o que ia acontecer na audiência de Spurrier. Ela não queria que eu suspeitasse que pretendia ir até a casa dele e sabia que eu jamais imaginaria isso se pensasse que o sujeito ficaria preso. Eu me lembro de ouvi-la dizer que não confiava em mais ninguém. Não confiava nem mesmo em mim.

Consultei o relógio. Onze e quinze.

Marino não estava. Deixei um recado em seu pager. Em seguida, liguei para a polícia de Williamsburg e o telefone ficou tocando horas, até que uma secretária atendeu. Disse a ela que precisava falar imediatamente com um dos detetives.

"No momento, estão todos fora."

"Então quero falar com quem estiver aí."

Ela me transferiu para um sargento.

Eu me identifiquei e disse: "Você deve saber quem é Steven Spurrier".

"Seria impossível trabalhar aqui e não saber."

"Uma repórter está entrevistando Steven neste momento, na casa dele. Estou avisando para que vocês possam alertar as equipes de vigilância que ela está lá, só para evitar algum mal-entendido."

Seguiu-se uma longa pausa. Ouvi barulho de papel amassado. Tive a impressão de que o sargento comia alguma coisa. Depois, ele disse: "Spurrier não está mais sob vigilância".

"Como é?"

"Eu falei que nosso pessoal suspendeu a vigilância."

"Por quê?", perguntei.

"Sei lá. Não sei de nada, doutora. Estive de férias até..."

"Bem, só quero que mandem uma viatura até a casa dele para garantir que está tudo em ordem." Fiz um esforço monumental para não gritar com ele.

"Não se preocupe." Sua voz era tranqüila como um lago. "Vou transmitir o aviso."

Desliguei e ouvi o barulho de um carro chegando.

Abby, graças a Deus.

Quando olhei pela janela, porém, vi que era Marino.

Abri a porta da frente antes que ele pudesse tocar a campainha.

"Estava aqui perto, recebi seu recado pelo bip, então..."

"Vamos para a casa de Spurrier!", gritei, agarrando-o pelo braço. "Abby está lá! Ela levou o revólver!"

O céu escureceu e começou a chover quando Marino e eu pegamos a 64, no rumo leste, a toda a velocidade. Todos os músculos de meu corpo estavam rígidos. O ritmo do coração não diminuía.

"Ei, relaxe", Marino disse, pegando a saída para Colonial Williamsburg. "Esteja a polícia observando o sujeito ou não, ele não é estúpido o bastante para atacá-la. Você sabe disso muito bem. Ele não vai fazer nada."

Só havia um veículo à vista quando dobramos na rua sossegada em que Spurrier residia.

"Merda", Marino disse, entre dentes.

Havia um Jaguar preto parado na frente da casa de Spurrier.

"Pat Harvey", falei. "Meu Deus do céu!"

Ele meteu o pé no breque.

"Fique aqui." Ele pulou para fora do carro como se tivesse sido ejetado e correu para a entrada, sob a chuva forte. Meu coração batia forte quando ele abriu a porta da frente com um pontapé, de arma em punho, e desapareceu lá dentro.

O vão da porta, vazio, subitamente se encheu com uma forma. Ele olhou na minha direção, gritando algo incompreensível.

Saí do carro, sentindo a chuva ensopar minha roupa enquanto eu corria.

Senti o cheiro de pólvora no instante em que pisei no vestíbulo.

"Já pedi ajuda", Marino disse, olhando em volta. "Dois estão ali."

A sala ficava à esquerda.

Ele subiu a escada aos pulos, enquanto as fotos da casa de Spurrier passavam pela minha mente em flashes alucinados. Reconheci a mesa de centro com tampo de vidro e vi o revólver em cima dela. O sangue formara uma poça no assoalho de madeira, debaixo do corpo de Spurrier. Havia um segundo revólver, pouco adiante. Ele estava de bruços, a poucos centímetros do sofá de couro cinza em que Abby estava caída de lado. Ela olhava para a almofada sob seu rosto com olhos baços, atordoados. A frente de sua blusa azul-clara estava encharcada de vermelho.

Por um momento, fiquei sem saber o que fazer, como se dentro de minha cabeça o barulho fosse maior do que o da tempestade lá fora. Ajoelhei-me ao lado de Spurrier. O sangue espirrou e escorreu em volta do meu sapato, quando eu o virei. Ele estava morto, com marcas de tiros no abdome e no peito.

Corri para o sofá e toquei o pescoço de Abby. Não senti nada. Virei-a de costas e iniciei os procedimentos de CPR, mas o coração e os pulmões haviam cessado de funcionar havia tempo demais para que se recordassem de suas funções. Segurei seu rosto entre as mãos, senti seu calor e seu perfume. Os soluços vieram e me sacudiram incontrolavelmente.

Não registrei os passos no assoalho de madeira, até me dar conta de que eram leves demais para ser de Marino. Ergui os olhos quando Pat Harvey pegava o revólver em cima da mesa de centro.

Encarei-a com os olhos arregalados, entreabrindo a boca.

"Lamento." O revólver tremia quando ela o apontou em minha direção.

"Senhora Harvey..." Minha voz sumiu na garganta, e as mãos ficaram paralisadas na frente, manchadas com o sangue de Abby. "Por favor..."

"Não se mexa." Ela recuou alguns passos, baixando um pouco a arma. Por algum motivo bizarro, ocorreu-me que ela usava o mesmo casaco vermelho com que fora a minha casa.

"Abby está morta", falei.

Pat Harvey não reagiu. Seu rosto pálido contrastava com os olhos tão escuros que pareciam negros. "Tentei encontrar um telefone. Ele não tem telefone."

"Por favor, abaixe a arma."

"Foi ele. Ele matou minha filha Debbie. Ele matou Abby."

Marino, pensei. *Por favor, venha depressa!*

"Senhora Harvey, agora está tudo acabado. Eles estão mortos. Por favor, abaixe a arma. Não piore ainda mais a situação."

"Não tem como piorar."

"Isso não é verdade. Por favor, preste atenção."

"Não posso mais ficar aqui", ela disse, no mesmo tom neutro.

"Posso ajudá-la. Por favor, largue a arma", falei, e me levantei do sofá, enquanto ela erguia o revólver novamente.

"Não", implorei, ao perceber o que ela pretendia fazer.

Ela apontou o cano para o peito enquanto eu corria em sua direção.

"*Senhora Harvey! Não!*"

A explosão atirou-a para trás. Ela cambaleou, deixando cair o revólver. Chutei-o para longe e ele girou, pesado, atravessando o assoalho de madeira encerada enquanto as pernas dela cediam. Estendeu o braço para se segurar em algo, mas não encontrou nada. Marino entrou subitamente na sala, gritando: "Puta merda!". Segurava o revólver com as duas mãos, e o apontou para cima. Com os ouvidos zumbindo, tremendo inteira, ajoelhei-me ao lado de Pat Harvey. Deitada de lado, com os joelhos encolhidos, ela segurava o peito.

"Pegue toalhas!" Afastei as mãos dela do peito e removi as roupas. Abri a blusa e abaixei o sutiã para pressionar o ferimento abaixo do seio esquerdo com um pano dobrado. Ouvi Marino praguejar ao sair correndo da sala.

"Agüente firme", falei, pressionando o furo para evitar que o ar entrasse, paralisando o pulmão.

Ela tremia e começava a gemer.

"Agüente firme", repeti, ouvindo as sirenes estridentes na rua.

As luzes vermelhas pulsaram através das persianas que cobriam as janelas da sala, como se o mundo fora da casa de Steven Spurrier estivesse pegando fogo.

18

Marino me levou para casa e ficou por lá. Sentei-me na cozinha e olhei para a chuva lá fora, registrando apenas parcialmente o que ocorria a minha volta. A campainha da porta soou, ouvi passos e vozes masculinas.

Mais tarde, Marino entrou na cozinha e puxou uma cadeira, sentando na minha frente. Ficou na beirada, como se não pretendesse passar muito tempo ali sentado.

"Abby pode ter guardado coisas em outros lugares da casa, além do quarto?", ele perguntou.

"Acho que não", murmurei.

"Bem, vamos precisar dar uma olhada. Lamento, doutora."

"Compreendo."

Ele seguiu meu olhar através da janela.

"Vou fazer café." Ele se levantou. "Vamos ver se eu me lembro do que você me ensinou. Minha primeira vez, né?"

Marino andou de um lado para outro da cozinha, abrindo e fechando portas de armários. Encheu a chaleira de água. Saiu enquanto o café coava e voltou logo depois acompanhado de outro detetive.

"Não vai demorar muito, doutora Scarpetta", o investigador disse. "Agradecemos sua cooperação."

Ele falou algo em voz baixa a Marino. Saiu em seguida e Marino voltou à mesa, colocando a xícara de café na minha frente.

"O que eles estão procurando?" Tentei me concentrar.

"Estamos examinando os blocos de anotações que você mencionou. Eles procuram fitas, qualquer coisa que nos faça entender o que levou a senhora Harvey a atirar em Spurrier."

"Você tem certeza de que foi ela?"

"Claro. Foi a senhora Harvey. Ela escapou por milagre, sabia? Errou o coração. Deu sorte, mas talvez não concorde comigo, se sobreviver."

"Chamei a polícia de Williamsburg. Disse a eles..."

"Sei o que fez", ele me interrompeu, com gentileza. "Agiu da maneira correta. Fez tudo que estava a seu alcance."

"Eles não me deram muita atenção." Fechei os olhos, lutando para afastar as lágrimas.

"Não foi bem assim." Ele fez uma pausa. "Precisa me ouvir, doutora."

Respirei fundo.

Marino pigarreou e acendeu um cigarro. "Enquanto estava em seu escritório, conversei com Benton. O FBI terminou a análise do sangue de Spurrier e o comparou com o sangue encontrado no carro de Elizabeth Mott. As amostras de DNA não combinam."

"Como é que é?"

"O DNA não confere", ele disse. "Os policiais de Williamsburg que estavam vigiando Spurrier foram informados disso ontem. Benton tentou falar comigo, mas houve um desencontro, por isso eu não sabia. Entende o que estou dizendo?"

Encarei-o, atordoada.

"Legalmente, Spurrier não era mais suspeito. Um tarado, sem dúvida. Mas estamos na terra dos doidos de pedra. De todo modo, ele não matou Elizabeth e Jill. Não derramou sangue no carro delas, de jeito nenhum. Se matou os outros casais, não temos provas. Manter a vigilância sobre ele, ficar de olho na casa ou bater na porta do sujeito para ver se ele tinha companhia seria intimidação. Bem, sabe como é, a gente chega a um ponto em que não há policiais disponíveis para fazer isso, e Spurrier poderia dar queixa. O FBI saiu da jogada. Foi o que aconteceu."

"E ele matou Abby."

Marino afastou os olhos de mim. "É, parece que sim. O gravador estava ligado, temos tudo gravado na fita. Mas isso não prova que ele tenha matado os casais, doutora. Está parecendo que a senhora Harvey atirou num inocente."

"Quero ouvir a fita."

"Acho melhor não ouvir. Confie em mim."

"Se Spurrier era *inocente*, por que atirou em Abby, então?"

"Tenho um palpite, com base no que escutei na fita e vi no local", ele disse. "Abby e Spurrier estavam conversando na sala. Abby estava sentada no sofá, onde a encontramos. Spurrier ouviu alguém bater na porta e foi atender. Não sei por que deixou Pat Harvey entrar. Era de esperar que ele a reconhecesse, mas talvez não tenha sido o caso. Ela usava o casaco com capuz erguido e calça jeans. Seria difícil identificá-la. Não dá para saber se ela se apresentou nem o que disse a ele. Só vamos saber quando a interrogarmos, e só se ela resolver falar."

"Mas ele permitiu que entrasse."

"Ele abriu a porta", Marino disse. "Depois, ela sacou o revólver, um Charter Arms, o mesmo que usou contra si mesma. A senhora Harvey forçou-o a entrar de novo e ir para a sala de estar. Abby continuava sentada lá, com o gravador ligado. Como o Saab de Abby estava estacionado nos fundos, a senhora Harvey não viu o carro quando estacionou na frente. Ela não tinha idéia de que Abby estava lá dentro, e isso desviou sua atenção o bastante para que Spurrier pulasse em cima de Abby, provavelmente com a intenção de usá-la como escudo. Difícil dizer exatamente o que aconteceu, mas sabemos que Abby estava armada, levava um revólver na bolsa que devia estar a seu lado, no sofá. Ela tentou pegar a arma, lutou contra Spurrier e levou um tiro. Depois, antes que ele pudesse atirar na senhora Harvey, ela atirou nele.

Duas vezes. Checamos o revólver dela. Três disparos, duas balas no tambor."

"Ela disse algo a respeito de um telefone", falei, sem ânimo.

"Spurrier tem dois aparelhos. Um fica no quarto, em cima, e o outro na cozinha. É da mesma cor da parede, está entre dois armários, praticamente impossível de ver. Quase não consegui encontrá-lo, tampouco. Parece que chegamos à casa minutos depois do tiroteio, doutora. Acho que a senhora Harvey deixou o revólver em cima da mesa de centro quando foi examinar Abby. Viu que o caso era sério e foi procurar um telefone para pedir ajuda. A senhora Harvey devia estar em outro cômodo quando entrei, talvez tenha me visto e se escondeu. Só sei que, ao entrar, examinei a área mais próxima. Só vi os corpos na sala de estar, conferi as carótidas e achei que Abby ainda tinha algum pulso, mas não tive certeza. Precisava tomar uma decisão, numa fração de segundo. Poderia vasculhar a casa de Spurrier, atrás da senhora Harvey, ou buscar você e fazer isso depois. Não a vi, quando entrei. Pensei que tivesse saído pela porta dos fundos ou estivesse em cima", ele disse, obviamente incomodado por ter me colocado em situação de risco.

"Quero ouvir a fita", falei novamente.

Marino esfregou o rosto com as mãos, e tinha os olhos vermelhos quando me olhou de novo. "Acho melhor não fazer isso."

"Eu preciso."

Relutante, ele se levantou e saiu. Ao voltar, abriu um saco plástico de guardar provas e tirou o aparelho de microcassete. Colocou o toca-fitas sobre a mesa, voltou a fita e apertou a tecla Play.

O som da voz da Abby encheu a cozinha.

"...estou apenas tentando ver seu lado da história, mas isso não explica o motivo que o levava a sair por aí de carro, à noite, parando pessoas e perguntando coisas que não precisava saber, como o caminho para lugares que conhecia."

"Bem, eu já lhe falei da coca. Já cheirou cocaína?"

"Nunca."

"Experimente, qualquer dia desses. A gente faz um monte de coisas malucas, quando está louco. Fica confuso, acha que sabe para onde está indo. De repente, percebe que se perdeu e precisa perguntar o caminho."

"Você disse que não está mais cheirando pó."

"Não estou mais. Parei. Foi um erro imenso. Nunca mais vou fazer isso."

"E quanto aos objetos que a polícia encontrou em sua casa? Hein?..." Ouve-se no fundo o ruído da campainha.

"Espere." Spurrier parecia tenso.

Passos de alguém que se afastava. Vozes indistintas, no fundo. Pude perceber que Abby mudava de posição, no sofá. Depois, a voz incrédula de Spurrier: "Espere aí... você não sabe o que está..."

"Sei exatamente o que estou fazendo, seu filho da puta." Era a voz de Pat Harvey, num crescendo. "Você levou minha filha para o meio do mato."

"Não sei do que você está falando..."

"Pat! Não faça isso!"

Pausa.

"Abby? Oh, meu Deus!"

"Pat. Não faça isso, Pat." A voz de Abby tremia de pavor. Ela soluçou, quando algo atingiu o sofá. "Fique longe de mim!" Agitação, respiração ofegante e gritos de Abby. "Pare! Pare!" Depois, o som de um tiro.

Outro e outro.

Soam passos no assoalho, mais e mais altos. Param.

"Abby?"

Pausa.

"Por favor, não morra... *Abby...*" A voz de Pat Harvey treme tanto que mal se pode ouvi-la.

Marino estendeu a mão e desligou o gravador, guardando-o de volta no saco plástico enquanto eu olhava para ele, em estado de choque.

* * *

No sábado pela manhã, dia do enterro de Abby, esperei até que as pessoas se afastassem e segui por um caminho sombreado por magnólias e carvalhos, com cornisos floridos em tons de vermelho e branco sob o sol fraco de primavera.

Havia pouca gente no funeral de Abby. Encontrei alguns de seus colegas de Richmond e tentei consolar seus pais. Marino foi. Mark também, e ele me abraçou com força antes de sair deixando a promessa de passar em minha casa mais tarde, naquele mesmo dia. Eu precisava conversar com Benton Wesley, mas antes queria passar alguns momentos sozinha.

O cemitério Hollywood era uma formidável cidade para os mortos de Richmond, um parque com vários alqueires de colinas, regatos e bosques, ao norte do rio James. As ruas curvas eram pavimentadas e tinham nomes, além de placas indicando o limite de velocidade. As encostas gramadas exibiam obeliscos de granito, lápides, anjos melancólicos, muitos com mais de um século. Ali estavam enterrados os presidentes James Monroe e John Tyler, além de Jefferson Davis e o magnata do tabaco, Lewis Ginter. Havia um setor militar, para os soldados mortos em Gettysburg, e um túmulo familiar na parte baixa do gramado, no qual Abby fora enterrada ao lado da irmã, Henna.

Passei por uma brecha entre as árvores, e o rio adiante brilhava como cobre velho, barrento das chuvas recentes. Não parecia possível que Abby agora pertencesse àquela população, uma lápide de granito a desbotar com o passar do tempo. Não sabia se ela havia conseguido retornar à antiga casa, ao quarto de Henna, no andar superior, como me contara que pretendia fazer quando reunisse coragem suficiente.

Ouvi passos atrás de mim e ao me virar vi Wesley caminhando lentamente em minha direção.

“Queria conversar comigo, Kay?”

Fiz que sim.

Ele tirou o paletó escuro e afrouxou a gravata. Olhando para o rio, esperou que eu me manifestasse.

“Temos algumas novidades”, comecei. “Telefonei para Gordon Spurrier na quinta-feira.”

“O irmão?”, Wesley perguntou, olhando para mim curioso.

“Sim, o irmão de Steven Spurrier. Não queria comentar com você antes de verificar outros aspectos.”

“Ainda não falei com ele”, Wesley declarou. “Mas isso consta na minha lista. Foi realmente uma vergonha o resultado do teste de DNA. Isso continua sendo um problema enorme.”

“Essa é a questão. Não há problema algum com o DNA, Benton.”

“Não entendo.”

“Durante a autópsia de Spurrier, descobri uma série de cicatrizes antigas, de cirurgias e tratamentos médicos. Uma delas era de uma pequena incisão acima da clavícula, que costumo associar à dificuldade para acessar uma linha subclavicular.”

“Isso quer dizer o quê?”

“Não se acessa uma linha subclavicular a não ser que o paciente tenha um problema sério, como um trauma que exija a remoção rápida de fluidos, uma infusão de drogas ou sangue. Em outras palavras, percebi que Spurrier teve um problema médico de porte, no passado, e comecei a cogitar que isso poderia ter algo a ver com os cinco meses em que ele ficou afastado da livraria, pouco depois do assassinato de Elizabeth e Jill. Havia outras cicatrizes, também, na lateral da nádega e no quadril. Cicatrizes pequenas, que me fizeram suspeitar que retiraram amostras de medula óssea. Então resolvi ligar para o irmão e descobrir o que pudesse sobre o histórico médico de Steven.”

“E o que soube?”

"Mais ou menos na época em que desapareceu da livraria, Steven passou por um tratamento de anemia aplástica na UVA", expliquei. "Falei com o hematologista dele. Steven passou por irradiação linfóide total e quimioterapia. Ele recebeu transplante de medula óssea de Gordon e depois passou um tempo numa sala isolada, ou bolha, como as pessoas dizem. Você deve se recordar de que a casa dele parecia uma bolha, num certo sentido. Tudo asséptico."

"Está dizendo que o transplante de medula óssea mudou o DNA dele?", Wesley disse, arregalando os olhos.

"No que diz respeito ao sangue, sim. Suas células sangüíneas foram totalmente destruídas pela anemia aplástica. Ele passou por um teste de tipo HLA para identificar um possível doador, e o irmão servia. O tipo ABO e os tipos em outros grupos sangüíneos eram compatíveis."

"Mas o DNA de Steven e de Gordon não pode ser o mesmo."

"Não, a não ser que os dois sejam gêmeos idênticos, o que não era o caso, claro. Por isso, o sangue de Steven combinava com o sangue encontrado no carro de Elizabeth Mott. No entanto, no caso do DNA, uma diferença sensível apareceria, pois Steven derramou sangue no Volkswagen antes do transplante de medula. Quando o sangue de Steven foi tirado recentemente, para o kit de suspeito, de certa forma estávamos recolhendo sangue de Gordon. O que usamos na comparação com o sangue antigo do Volkswagen não foi o DNA de Steven, mas sim o de Gordon."

"Incrível", ele disse.

"Quero repetir o teste usando tecido do cérebro, pois o DNA de Steven nas outras células será o mesmo de antes do transplante. A medula produz células sangüíneas, e quem faz transplante de medula recebe células do doador. Mas as células do cérebro, baço e esperma não mudam."

"Explique-me o que é anemia aplástica", ele disse quando começamos a caminhar.

"A medula deixa de produzir células. Como se você tivesse sido submetido a radiação. As células sangüíneas são eliminadas."

"E o que causa isso?"

"Acredita-se que seja idiopático; na verdade, não se sabe bem. Mas as possibilidades são exposição a pesticidas, produtos químicos, radiação, fosfatos orgânicos. Benzeno tem sido associado de forma significativa à anemia aplástica. Steven trabalhou numa gráfica. O benzeno é um solvente usado para limpar rotativas e outras máquinas. Segundo seu hematologista, ele ficou exposto ao produto por quase um ano, diariamente."

"E os sintomas?"

"Fadiga, falta de ar, febre, infecções, sangramento das gengivas e do nariz. Spurrier já sofria de anemia aplástica quando Jill e Elizabeth morreram. Ele devia sofrer de sangramento no nariz, que ocorria com qualquer pequeno estímulo. A tensão sempre piora as coisas, e ele esteve sob pressão intensa, quando seqüestrou Elizabeth e Jill. Se o nariz começou a sangrar, temos uma explicação para o sangue encontrado no banco traseiro do carro de Elizabeth."

"Quando ele resolveu procurar um médico?", Wesley perguntou.

"Um mês depois do assassinato das duas mulheres. Os exames revelaram que a contagem de glóbulos brancos estava baixa, que a hemoglobina e as plaquetas também estavam baixas. Quando as plaquetas estão baixas, a pessoa sangra muito."

"Ele cometeu assassinatos no período em que esteve seriamente doente?"

"A pessoa pode sofrer de anemia aplástica por algum tempo antes que a doença se manifeste com severidade", expliquei. "Certas pessoas descobrem isso apenas ao fazer exames de rotina."

"Saúde abalada e perda do controle sobre as primeiras vítimas foi o suficiente para fazer com que ele parasse", ele pensou em voz alta. "Os anos foram passando, e conforme ele se recuperou as fantasias ganharam força. Ele reviveu os assassinatos iniciais e aprimorou as técnicas. Acabou ganhando confiança suficiente para começar a matar outra vez."

"Isso poderia explicar o intervalo tão longo. Mas ninguém sabe o que se passava dentro da cabeça dele."

"Nunca sabemos isso de ninguém", Wesley disse, sombrio.

Ele parou para estudar uma lápide antiga, antes de falar novamente. "Tenho novidades, também. Há uma empresa em Nova York, uma loja de espionagem, cujos catálogos foram encontrados na casa de Spurrier. Investigamos um pouco e descobrimos que há quatro anos ele adquiriu equipamento de visão noturna lá. Além disso, localizamos uma loja de munições em Portsmouth, onde ele comprou duas caixas de cartuchos Hydra-Shok menos de um mês antes do desaparecimento de Deborah e Fred."

"Por que ele fazia isso, Benton?", perguntei. "Por que ele matava?"

"Nunca conseguimos uma resposta satisfatória, Kay. Mas eu conversei com um ex-colega seu de quarto da UVA, que disse que o relacionamento de Spurrier com a mãe era doentio. Ela era muito crítica e controladora. Atormentava-o constantemente. Ele dependia muito da mãe, e é provável que ao mesmo tempo a odiasse."

"E quanto ao perfil das vítimas?"

"Creio que ele era atraído por moças que o faziam lembrar de tudo que ele não conseguia, jovens que nunca lhe dariam a menor bola. Quando via um casal atraente, isso o perturbava muito, pois era incapaz de manter relacionamentos. Ele se apossava deles pelo seu assassinato, realizava a fusão e a dominação do objeto da inveja." Após uma pausa, ele acrescentou: "Se você e Abby não o tivessem identificado, não sei se o acharíamos. Chega a dar medo o modo como as coisas funcionam. Bundy foi pego por causa de uma lanterna traseira queimada. O filho de Sam acabou preso em conseqüência de uma multa por estacionamento proibido. Sorte. Demos sorte".

Eu não me sentia tocada pela sorte. Abby não dera sorte nenhuma.

"Você vai achar interessante saber que, depois que essa história saiu nos jornais, recebemos muitos telefonemas de pessoas que dizem ter sido abordadas por alguém cuja descrição combina com a de Spurrier, em porta de bares, em postos de gasolina ou lojas de conveniência. Soubemos que ele conseguiu carona com pelo menos um casal, em determinada ocasião. Alegou que o carro estava quebrado. O casal o deixou onde queria, sem problemas."

"Durante as tentativas ele só se aproximava de casais?", perguntei.

"Nem sempre. Isso explica o fato de você e Abby se encaixarem, na noite em que ele parou para pedir informações. Spurrier adorava o risco, a fantasia, Kay. Matar era, em certo sentido, apenas um incidente no jogo que escolhera."

"Ainda não entendi direito por que a CIA ficou tão preocupada, pensando que o assassino poderia ser de Camp Peary", falei a ele.

Ele parou, passando o paletó para o outro braço.

"Havia mais indícios do que o *modus operandi* e o valete de copas", ele disse. "A polícia encontrou um cartão plástico para compra de gasolina emitido por computador na traseira do carro de Jim e Bonnie, no chão, debaixo do assento. Presumimos que o assassino inadvertidamente deixara cair o cartão do bolso do casaco ou da camisa, quando seqüestrou o casal."

"E...?"

"O nome da empresa, no cartão, era Syn-Tron. Pesquisamos e chegamos à Viking Exports. E Viking Exports é uma fachada para Camp Peary. O cartão de gasolina é emitido por Camp Peary para o pessoal, para uso nos postos da base."

"Interessante", falei. "Abby referiu-se a um cartão, numa de suas anotações. Presumi que se referia ao cartão de visita do assassino, o valete de copas. Ela sabia a respeito do cartão de gasolina, Benton?"

"Desconfio que Pat Harvey contou isso a ela. A senhora Harvey sabia do cartão havia algum tempo, o que explica suas acusações durante a coletiva, quando alegou que estávamos encobrindo alguém."

"Obviamente, ela não acreditava mais nisso quando resolveu matar Spurrier."

"O diretor conversou com ela depois da entrevista coletiva, Kay. Não teve alternativa senão informar que suspeitávamos que o cartão havia sido deixado lá deliberadamente. Desconfiávamos disso desde o início, mas não poderíamos deixar a pista de lado. Obviamente, a CIA levou tudo muito a sério."

"E isso a silenciou."

"No mínimo, fez com que pensasse duas vezes. Certamente, depois da detenção de Spurrier, as explicações do diretor passaram a fazer muito sentido."

"Como Spurrier conseguiu um cartão de gasolina de Camp Peary?" Isso me intrigou.

"Os agentes de Camp Peary freqüentavam sua livraria."

"Está dizendo que ele conseguiu furtar um cartão de gasolina de um cliente de Camp Peary?"

"Sim. Vamos supor que um agente de Camp Peary entrou na livraria e deixou a carteira em cima do balcão. Quando voltou para pegá-la, Spurrier poderia ter escondido a carteira e alegado que não a vira. Depois, deixou o cartão no carro de Jim e Bonnie, para que relacionássemos os crimes à CIA."

"Não havia um número de identificação no cartão?"

"Os números de identificação ficam em um adesivo, que havia sido arrancado, de modo que não pudemos identificar ninguém a partir do cartão."

Eu já estava cansada. Meus pés doíam. Mas o estacionamento onde havíamos deixado os carros surgiu adiante. As pessoas que compareceram ao enterro de Abby já haviam partido.

Wesley esperou até que eu destrancasse o carro para tocar meu braço e dizer: "Peço desculpas pelos momentos...".

"Eu também", falei, sem deixar que terminasse a frase. "Vamos deixar isso para lá, Benton. Faça apenas o possível para garantir que Pat Harvey não seja castigada mais ainda."

"Não creio que o júri tenha dificuldade em entender seu sofrimento."

"Ela sabia a respeito dos resultados do teste de DNA, Benton?"

"Ela conseguia descobrir detalhes críticos da investigação, apesar de nossos esforços para evitar isso, Kay. Creio que ela sabia. Sem dúvida, isso ajudaria a explicar o motivo que a levou a fazer o que fez. Ela acreditava que Spurrier jamais seria punido pelos crimes."

Entrei no carro e enfiei a chave no contato.

"Lamento muito por Abby", ele acrescentou.

Balancei a cabeça enquanto fechava a porta, com os olhos cheios de lágrimas.

Segui o caminho estreito até a entrada do cemitério, passando pelos portões de ferro esmeradamente trabalhados. O sol iluminava os prédios comerciais no centro e as torres das igrejas distantes. A luz banhava as árvores. Abri a janela e rumei para o oeste, na direção de minha casa.

1ª EDIÇÃO [1999] 1 reimpressão
2ª EDIÇÃO [2010]

ESTA OBRA FOI COMPOSTA PELA HELVETICA EDITORIAL EM GARAMOND E FOI IMPRESSA PELA GEOGRÁFICA EM OFSETE SOBRE PAPEL PAPERFECT DA SUZANO PAPEL E CELULOSE PARA A EDITORA SCHWARCZ EM AGOSTO DE 2010